# Tristan

La merveilleuse histoire
de Tristan et Iseut
et de leurs folles amours,
restituée en son ensemble
et nouvellement écrite
dans l'esprit
des grands conteurs
d'autrefois

*par*

## ANDRÉ MARY

*Préface*
*de Denis de Rougemont*
*Notes et glossaire*
*d'André Mary*

Gallimard

# PRÉFACE

*Gaston Paris, Joseph Bédier, Eugène Vinaver, et à leur suite André Mary, en restituant pour les lecteurs du XX<sup>e</sup> siècle les textes originaux de la légende de Tristan et son contexte culturel et historique, ont fait bien plus qu'une œuvre scientifique et « sérieuse » aux yeux de leurs confrères : ils ont permis à l'Occident moderne de reprendre conscience d'une de ses sources, d'une de ses dimensions constitutives, celle de l'émotion, celle de l'âme.*

*Je voudrais résumer leur œuvre en une seule expression moins pédante qu'elle ne paraît à première vue : avec la légende de Tristan, c'est l'étymologie de nos passions que ces savants ont retrouvée. Selon Littré :*

« Les étymologies servent à faire entendre la force des mots et à les retenir par la liaison qui se trouve entre le mot primitif et les mots dérivés. De plus, elles donnent de la justesse dans le choix de l'expression. »

*Il me plaît de traduire cette belle définition dans les termes de notre sujet, et cela donne à peu près ceci :*

« *Les restitutions de* Tristan *servent à faire entendre la force du mythe, par la liaison qui se trouve entre la légende primitive et ses expressions dérivées dans nos littératures et dans nos vies. De plus, elles donnent de la justesse dans le style de nos émotions.* »

A mon sens, en effet, les textes primitifs de la légende de Tristan, qui remontent aux XII$^e$ et XIII$^e$ siècles, expriment bien autre chose qu'un thème romanesque, fût-il même le thème exemplaire, l'archétype de tous les romans dignes du nom. Ils sont comme les premières apparitions, comme les épiphanies quasi sacrées d'un des grands mythes de l'âme occidentale.

Mais qu'est-ce qu'un mythe, et qu'est-ce que l'âme ? Tout auteur qui se permet ces grands mots doit au public une justification de l'usage personnel qu'il en fait.

Un mythe, c'est une histoire, généralement très simple et invariable en sa donnée — bien qu'offrant des virtualités presque infinies d'adaptation aux circonstances individuelles les plus diverses — une histoire qui décrit et révèle d'une manière imagée, symbolique, une structure de notre existence. Mais non pas de notre existence intellectuelle, qui a bien d'autres manières de s'exprimer, plus directes et abstraites à la fois, comme la logique et la mathématique ; et non pas de notre existence physique ou animale, car celle-là échappe au discours, s'exprime en sensations, et peut être traduite à la rigueur en formules de biochimie. De quoi s'agit-il donc ici ?

Entre le corps et l'intellect, la tradition distingue une troisième forme de l'existence proprement humaine, qui est l'âme.

Je ne prends pas ce mot dans le sens noble et vague

*que lui donnent un peu trop facilement les poètes du siècle dernier, ni dans le sens goethéen de « belle âme », encore moins dans le sens religieux de l'éloquence classique de la chaire, quand elle parle du « salut des âmes », ou de l' « immortalité de l'âme ».*
Je prends le mot au sens précis et véritablement traditionnel, qui se retrouve dans certains dérivés comme animé, animation, ou même animosité. Le jeu « animé » d'un pianiste, par exemple, manifeste une réalité qui n'est ni proprement physique ni proprement spirituelle, qui n'est pas celle du corps ni celle de l'intellect, encore qu'elle tienne aux deux, c'est l'évidence, mais qui est bien plutôt celle du « cœur » comme on dit, celle de l'âme.

L'âme est en propre le domaine des émotions et des passions. L'émotion est la preuve de l'âme, tout comme la sensation est la preuve du corps, et la pensée, la preuve de l'intellect. La passion, c'est une impulsion qui outrepasse les lois et routines de l'instinct, et qui va se heurter aux conventions sociales.

Ainsi, l'amour-passion est cette forme de l'amour qui se libère des contraintes naturelles, des rythmes trop prévus de la sexualité, mais aussi des décrets de la morale et des conseils de la raison.

L'amour-passion relève par excellence de l'âme.

Or, c'est dans le mythe de Tristan qu'il a trouvé son expression la plus totale, délicieuse et tragique à la fois. C'est à ce mythe qu'il doit, depuis le XIIe siècle, et dans nos sociétés occidentales, son pouvoir à jamais contagieux.

Cela posé, considérons le mythe lui-même dans sa pleine stature et ses profonds pouvoirs.

*

*Tristan, c'est tout d'abord le mythe de* l'amour plus
fort que la vie, *plus fort que la vie quotidienne, plus
fort que la vie qui dégrade, assagit, amortit, et réduit
aux routines. C'est le mythe de l'amour inaltérable,
inaltéré par l'érosion de la vie « courante », par la
réalité des caractères qui se heurtent à propos de rien,
et des tempéraments qui s'accordèrent un jour dans
l'instant du premier regard, mais que le temps modifie
fatalement, créant un risque permanent de dissonance.
C'est le mythe d'un amour qui méprise l'épreuve de
l'engagement dans les rapports sociaux, et même de
l'engagement dans un rapport concret avec un Autre
toujours insuffisant, jamais digne de son image, jamais
digne de l'Ange dont le premier regard, par une
intuition fulgurante — et c'est le fameux coup de
foudre romantique — a cru voir en lui la lueur,
toujours fuyante mais en fuite vers la hauteur où elle
entraîne l'amant ravi. On aura reconnu la conclusion
gnostique du* Second Faust *de Goethe, mais aussi, le
mouvement de l'ascension mystique de Dante, pour-
suivant l'image aimée d'une Béatrice à peine connue
dans sa réalité terrestre.*

*Ce que le mythe de Tristan élève ainsi devant nos
yeux, ce qu'il illustre en sa simplicité majestueuse, c'est
l'intensité de l'amour, passion de l'âme ouverte sur
l'esprit, libérée des corps dont elle vient, et survolant
les irritantes vicissitudes de notre incarnation présente.
C'est* l'amour de l'Amour, *plus que de l'être aimé
dans sa réalité toujours irréductible à l'image idéale
que la passion s'en fait. Cette image, étant idéale, doit
rester à jamais fuyante, inaccessible. Mais la réalité est*

*lourdement présente. Elle ne saurait donc que freiner l'élan de l'âme vers l'Ange désiré.* « Ce n'est pas amour, qui tourne à réalité », s'écrie un troubadour tardif, contemporain de nos légendes tristaniennes.

*Mais qu'est-ce alors, quel est le faux amour qui* « tourne » *ainsi ? Ce n'est pas le désir comblé, au sens sexuel de l'expression, car cet acte instinctif, lié aux lois du corps, ne mérite pas en soi le nom d'amour. Mais c'est l'amour* « bouché » *par la présence inévitable et continuelle, l'amour légalisé, socialisé et sacralisé par l'Église. C'est le mariage.*

*Constater que Tristan est tout d'abord le mythe de l'amour plus fort que la vie, c'est reconnaître aussi que la vraie victime du mythe n'est pas Tristan, n'est pas Iseut, et n'est pas non plus leur passion, qui triomphe au contraire de tout. La vraie victime, c'est le roi Marc, symbole du mariage légal. Les amants ont perdu la vie, gagné l'amour. Le mari, lui, a partagé la vie d'Iseut. Il reste seul vivant, mais sans amour. Aux yeux du mythe, il est perdant.*

\*

*A ce premier aspect de notre légende : l'amour-passion triomphant du mariage, c'est-à-dire de l'amour-réalité, se rattachent deux grandes traditions de la culture occidentale : le romantisme et le roman. Retracer leur évolution du XIIe siècle jusqu'à nos jours, comme j'ai tenté de le faire jadis, serait hélas illustrer la lente dégradation du mythe, grandiose en sa simplicité première, jusqu'au niveau de confusions morales les plus banales et complaisantes. Ce serait aller de l'apparition d'un mythe sacré, voilant de poésie ses secrets religieux, jusqu'à son utilisation tout impudente, ou ignorante, ou inconsciente, à des fins de rendement commercial : comédies à succès sur le thème du triangle, roman pour midinettes et films de série, dont le* love interest *est l'ingrédient forcé, dernière dilution populaire du philtre magique de la Reine, du « vin herbé » dont la vertu jadis fut mortelle aux amants séparés, mais fut aussi transfigurante.*

*L'histoire du mythe, dans nos mœurs et coutumes, ne serait-elle que l'histoire d'une longue profanation ? Faut-il penser que les pouvoirs du mythe sont épuisés et que nous serons peut-être les derniers à subir son « tourment délicieux », selon l'expression célèbre de Thomas, l'un des auteurs de la légende primitive ? Mais si le mythe est épuisé, et s'il s'était vraiment un mythe de l'âme, faut-il conclure que c'est l'âme elle-même, la fonction émotive, dans l'homme contemporain, qui s'épuise et qui s'atrophie, entre le corps et l'intellect seuls cultivés par notre civilisation ? L'hygiène, la technique et la science, et une dose de psychanalyse, vont-elles exorciser la société future, évacuant les dernières passions ?*

\*

*Une analyse sociologique de la dégradation du mythe, au cours des siècles, inclinerait à des conclusions très pessimistes. Elle consisterait à montrer la dégradation continue et, semble-t-il, irréversible, des obstacles opposés à la passion.*

*Or on sait que la passion vit d'obstacles, naturels ou sacrés, coutumiers ou légaux ; qu'elle s'en nourrit et*

*même les invente au besoin. Sans les obstacles accumu-
lés entre les amants légendaires — le principal étant le
mariage d'Iseut avec le Roi, père adoptif du héros — il
n'y aurait pas de roman, ni de passion mortelle, il n'y
aurait donc pas eu de mythe. On ne saurait imaginer
le grand roi Marc s'inclinant devant les « droits divins
de la passion » qu'inventera bien plus tard le romantisme, puis acceptant le divorce et permettant que la
reine convole en justes noces avec le chevalier. Et l'on
recule épouvanté devant l'idée d'Iseut devenant
Madame Tristan ! C'est pourtant bien à cela que nous
en sommes aujourd'hui, dès lors que le mariage n'est
plus un lien sacré, adversaire à la taille de la passion ;
et que, loin de provoquer celle-ci par ses refus
intransigeants, il prétend se fonder sur l'amour-
sentiment, succédané édulcoré, achevant ainsi de
déprimer le mythe en même temps que ses propres
fondements.*

*La passion se fait rare de nos jours, s'il faut en croire
nos romanciers. Ils savent bien que le roman véritable
n'est jamais qu'une version renouvelée de l'archétype
de* Tristan et Iseut. *Ils cherchent donc partout l'obstacle qui résiste, et n'en trouvent guère.* L'Homme sans
qualités, *de Musil, la* Lolita *de Nabokov, sont les
derniers échos du mythe ressuscité grâce aux derniers
tabous qui tiennent encore. Mais déjà, le héros de*
Lolita *nous est décrit comme un anti-héros, c'est-à-
dire un malade mental. Un psychanalyste l'eût guéri,
et le roman n'eût pas eu lieu. Si les derniers tabous
viennent à céder, c'en sera fait de la passion. Que
deviendront nos romanciers ? Il leur reste le réalisme,
le regard pseudo-scientifique détaillant des objets
communs ou des fichiers de cartes perforées : c'est*

*littéralement sans histoire. Ou bien encore, et ce serait mieux, je crois, il leur reste le mythe de Don Juan, ce cliché négatif de Tristan : la surprise opposée à la fidélité, l'excitation rapide au lieu de l'intensité, la noirceur dans le style des roués au lieu de la candeur monumentale, les jeux d'esprit au lieu des drames du spirituel.*

*Selon les sociologues, la passion doit mourir. Je vous dis que je n'en crois rien. Car s'il est vrai que la passion se nourrit d'obstacles choisis, et que notre culture tend à les supprimer, il reste un obstacle suprême, celui-là justement dont triomphe la passion de Tristan et d'Iseut : et c'est la mort.*

\*

*J'ai laissé jusqu'ici dans l'ombre cet aspect, trop souvent, trop facilement cité, du « beau conte d'amour et de mort ».*

*Les obstacles sociaux, coutumiers ou sacrés, ont cédé à nos sciences, ou c'est tout comme. Qu'en est-il du dernier barrage que notre condition d'êtres finis oppose à notre amour d'un être, à l'Amour même ?*

*Si la passion vit de séparations, il est bien clair que la séparation la plus irrémédiable est dans la mort, et toutes nos sciences, ici, se récusent et se taisent.*

*Or c'est ici que la passion mythique va se dresser dans sa pleine stature. En buvant le breuvage magique, les amants légendaires sont entrés, nous disent-ils, dans les voies d'une destinée « qui jamais ne leur fauldra jour de leur vie, car ils ont beu leur destruction et leur mort ». Certes, c'est vrai pour leur existence dans ce monde, mais ils ont aussi bu* l'Amour, un amour qui s'adresse à la part immortelle que lui seul pourra deviner, ou susciter dans l'autre : la part de l'Ange.

Pétrarque, en proie au mythe, ose parler d'un plaisir

> que l'usage en moi a fait si fort
> qu'il me donne l'audace de négocier avec la mort.

Et Wagner, le dernier auteur de la légende qu'il a su recréer d'après nature, s'inspirant de Gottfried de Strasbourg, inspiré lui-même des Bretons, de Béroul, et d'on ne sait qui d'autre, Wagner décrit par sa musique, vrai langage du mythe essentiel, la mort transfigurante des amants. Cette mince bande jaune sur la mer, dans le nouveau décor de Bayreuth, cette frileuse aurore jaune au bas du ciel, c'est un jour qui renaît, non pas le jour des hommes et de leur peine quotidienne, mais l'horizon du nouveau jour qui révélera le sens caché de nos « apparences actuelles », le jour de l'Ange.

Cet horizon de la mort est l'ultime sens du mythe. Mais il faut croire aux Anges pour y croire.

\*

Selon la mythologie de l'ancien Iran, du mazdéisme de Zarathoustra, toutes les actions d'un homme sur la terre, ses intentions et ses désirs et ses amours, composent au Ciel un être de lumière, une contre-partie transcendante, qui est son Nom divin, sa personne éternelle. Tout homme est double : individu sur Terre, donc transitoire — et germe d'un être éternel qui est son vrai moi, et qui est un ange au ciel.

*Or, ces anges, nommés Fravartis, sont des entités
féminines. On retrouve ici Dante, et Goethe, et peut-
être bien notre mythe.*

*L'événement majeur, la scène capitale du drame de
la personne ainsi constituée se produit à l'aube de la
troisième nuit qui suit la mort terrestre : c'est la
rencontre de l'âme avec son moi céleste à l'entrée du
Pont Chinvat. Dans un paysage nimbé de la Lumière-
de-Gloire restituant toutes choses et tous les êtres dans
leur pureté paradisiaque, « dans un décor de montagnes flamboyant aux aurores, d'eaux célestes où
croissent les plantes d'immortalité* [a] », au centre du
monde spirituel (qui est le monde réel des Archétypes),
le Pont Chinvat s'élance, reliant un sommet au monde
des Lumières infinies. A son entrée, se dresse devant
l'âme sa Dâenâ, son moi céleste, jeune femme d'une
beauté resplendissante et qui lui dit : — Je suis toi-
même ! Mais si l'homme sur la Terre a maltraité son
moi, au lieu de la Fravarti c'est une apparition
monstrueuse et défigurée qui reflète son état déchu.*

*Je ne puis m'empêcher d'imaginer que cette « ren-
contre aurorale » avec le moi céleste en forme d'ange,
et femme, figure la conclusion du mythe de Tristan :
ce qui se passe trois jours après la mort d'amour. Iseut
n'évoque-t-elle point cette forme de lumière qu'on ne
rejoint que dans un au-delà, et qui aurait été, sur la
Terre, le véritable objet du désir de Tristan, sa
Princesse lointaine et son « amour de loin » comme
parlait le troubadour Jaufré Rudel ? L'apparent nar-
cissisme de Tristan trouverait ici son interprétation*

---

a. Cf. Henry Corbin, *Terre céleste et Corps de Résurrection*, Buchet-
Chastel, Paris, 1960.

*spirituelle. Toute filiation historique mise à part — ce serait le sujet d'autres études — je me demande souvent si l'angélologie de l'ancien Iran ne détient pas le secret dernier de notre mythe.*

*La tradition chrétienne de l'amour du prochain ne s'en trouverait-elle pas éclairée, à son tour ?*

\*

*Aimer le prochain « comme soi-même » suppose d'abord une dualité entre l'individu et le vrai moi, sans laquelle on ne saurait s'aimer soi-même, puis-qu'« il faut être deux pour aimer », comme dit la sagesse populaire. Aimer vraiment, ce serait aimer l'ange en soi-même et dans l'autre, identiquement ; ce serait deviner l'ange, en soi-même et dans l'autre, l'aider à naître, et le rejoindre enfin dans le monde lumineux de la nostalgie.*

*Mais alors l'obstacle dernier à notre amour, provoquant la passion créatrice, ce ne serait plus la mort, ce serait dès ici-bas, l'altérité même du prochain. Que l'Autre soit un Autre impénétrable ne tient pas à quelque interdit, à quelque tabou religieux, à quelque décret de la morale que l'on pourrait un jour abandonner, mais tient à l'être même, au fait de la personne. Nulle technique et nulle science de l'homme ne peut nous être ici d'aucun secours. Il faut aimer pour le comprendre, et rapporter l'amour à ses fins spirituelles.*

*Le mythe peut nous y aider, c'est bien là sa fonction, qui est d'orienter notre vie affective, de lui offrir un modèle simple et pur, une grande image ordonnatrice de la passion.*

*En restituant à notre temps ce modèle de l'amour-passion, dans sa grandeur première et drue, les philologues nous ont mis au défi d'apporter un peu plus de justesse dans le style de nos émotions. Et ce n'est pas seulement de la littérature qu'ils ont bien mérité, mais de l'âme.*

\*

*Comment résister à la tentation de comparer les versions modernes du mythe ?*

*Il existe en français d'aujourd'hui plusieurs traductions, qui se donnent pour fidèles, des versions de Thomas, de Gottfried de Strasbourg, d'Eilhart d'Oberg, et du Roman en prose. Seuls, Joseph Bédier en 1908 et André Mary en 1941, ont osé récrire la légende, dans leur propre version inspirée des anciennes. Continuateurs et non pas rewriters, ils se sont pénétrés des textes des trouvères français, anglo-normands, anglais, allemands, danois et même norvégiens, et les ont recréés dans des styles différents : Bédier classique, Mary baroque ; Bédier ramassé, condensé, pathétique au lyrisme contenu qui n'éclate malgré lui que dans l'épisode bref, tel « Tristan fou » ; Mary plus pittoresque et foisonnant, au détail descriptif savoureux ; Bédier s'inspirant surtout de Béroul, Mary de Thomas ; Bédier « français » comme on devait l'être aux alentours de 1909[a] ; Mary résolument « anglo-normand » comme son modèle principal. Ce qui nous vaut une langue riche et fort*

---

a. L'adjectif « français », plus que littérairement élogieux, quasi sacré, revient d'une manière obsédante dans les quelques pages de la préface de Gaston Paris.

*habilement ravalée sans pédanterie, et un plaisant vocabulaire anglo-normand de la belle époque — un franglais primitif, si l'on préfère — dont je citerai quelques exemples à la volée :*

| Thomas et Mary | | Anglais |
|---|---|---|
| remembrer | (remémorer) | = remember |
| barge | (barque) | = barge |
| auborne | (blond cendré) | = auburn |
| drue | (amante) | = druery |
| repair | (retour) | = repair |
| riote | (querelle) | = riot |
| sorcerie | (sorcellerie) | = sorcery |
| departie | (départ) | = departure |

*Il doit être évident que ces restitutions sont dans la tradition de tous les textes que nous tenons pour les « originaux » de la légende, et qui, en fait, n'étaient eux-mêmes que des versions renouvelées, souvent critiques et parfois polémiques, de modèles plus anciens, perdus pour nous. Bédier et Mary, comme Wagner, sont des auteurs de « Tristan », à peu près au même titre que Béroul ou Thomas, Gottfried, Eilhart, Chrétien de Troyes, ou l'auteur du Roman en prose. Le Mythe en eux tous a dicté, inventé ses moyens d'expression.*

\*

*Et cependant, tout étant dit à la louange des modernes complices-victimes-auteurs-recréateurs du Mythe, rien ne vaut le contact personnel avec les textes médiévaux, une fois le lecteur familiarisé avec le contenu explicite de la légende, les situations et les symboles qui en constituent la matière traduisible : on peut tout traduire d'un poème, sauf la poésie. Après Bédier (qui a provoqué le premier choc révélateur), après André Mary (pour ceux qui en veulent davantage), après Wagner (le plus profond, le plus insupportable, le plus achevant de tous), allez voir les originaux et vous y ferez des découvertes fulgurantes.*

*Le Roman en prose parle de la mort comme nul moderne adaptateur ne l'a osé. Tristan surpris par le Roi Marc implore son pardon pour la Reine mais dit de lui-même :* « Ah ! Mort, viens voir Tristan et finis ses douleurs ! » *Il en reste chez Bédier :* « Que m'importe de mourir ! » — *chez Mary, rien du tout, ce qui vaut sans doute mieux.*

*Dans le même Roman en prose, lorsque Tristan meurt :* « Douce amie, je ne vous verrai plus. Adieu, je m'en vais et vous salue. Et le cœur lui crève, et son âme s'en va. » *André Mary, d'après Thomas :* « Puis il a dit trois fois : Amie Iseut ! A la quatrième, il a rendu l'esprit. » *(Bédier :* « Il rendit l'âme. »*)*

*Mais il y a surtout l'épisode des amants qui se repentent lorsque le philtre cesse d'agir, après trois ans. Ils vont trouver l'ermite de la forêt de Morois. Selon Bédier, l'ermite leur dit :* « Amis ! comme amour vous traque de misère en misère ! » *Et selon André Mary :* « Jeunesse déchassée par l'honneur et reboutée de Dieu, *avec quelle rigueur le péché vous malmène ! »*

*Béroul a dit seulement ceci :*

Amour par force vous démène !
*(Amors par force vos demeine)*

*— un seul vers qui nous jette au cœur du Mythe et qui demeure, à tout jamais, la plus poignante définition de la passion.*

Denis de Rougemont.

*Tristan*

C'est une très belle chose et très noble que de se mirer au miroir de nos anciens et de s'enquérir des livres qui furent écrits pour nous montrer les bons exemples, nous avertir des traverses et encombres mortels qui se trouvent communément en ce pèlerinage de vie humaine, nous instruire à bien faire ainsi qu'ils firent, et nous mettre en garde contre le mal qu'ils n'ont su toujours éviter. Semblablement, il n'est douceur plus grande aux cœurs tendres et piteux, aux pensifs et désireux d'amour, à tous qui ont connu les périls, les embûches qui environnent le paradis de la déesse Vénus, aux bons compagnons qui après mille travaux en ont goûté les joies, aux chétifs et malavisés qui attendent toujours le loyer de leurs peines, il n'est plaisir ni soulas qui autant vaillent comme de relire l'histoire de ceux qui aimèrent autrefois.

Entre tous les amants renommés pour leur infortune dont le bruit est parvenu jusqu'à nous, en fut-il de plus dignes d'émouvoir les cœurs à pitié que Tristan de Loonois et Iseut la princesse d'Irlande ? Le récit de leurs faits a rempli la verte Érin, la sauvage Écosse ; on l'a redit dans toute l'île de Miel, du mur d'Hadrien à la pointe du Lézard ; il a retenti sur les rives de Seine, du Danube et du Rhin, enchanté Angleterre, Normandie, France, Italie, Allemagne, Bohême, Danemark et Norvège ; il vivra tant que le siècle durera. C'est le roman de Jeunesse et de Fortune, la description des joies désordonnées et des grandes abusions de l'amour qui traîne ses vaincus de détresse en détresse jusqu'à la douloureuse issue de ce monde transitoire.

A dire vrai, le temps destructeur, qui n'a égard aux œuvres des poètes non plus qu'à nulle chose humaine, a dépecé et réduit en poudre maint cahier et gâté plus d'un feuillet où les bons trouveurs d'autrefois s'étaient travaillés d'honorer la mémoire des amants de Cornouaille et de les sauver de l'oubli. Plus tard ceux qui entreprirent de nous retracer leurs aventures ont entrelacé l'or avec l'archal, tissé la soie avec la laine ; aucuns se sont fourvoyés, brouillant les faits et les personnes, contant de Tristan ce qui appartenait à Lancelot ou à Perceval. Nous en avons d'autant plus d'obligations aux savants enchercheurs de nos anciennes fables et chroniques qui en notre temps ont mis leur cure et entente à démêler le faux du véritable et à rassembler les pièces manquantes du procès, et ont de telle façon rendu possible aux écrivains pour ce ordonnés et qualifiés la restauration dans leur intégrité des amours de Tristan et Iseut. A mon tour, je me suis enquis du roi Marc, d'Iseut la Blonde et de

Tristan l'Amoureux, feuilletant et refeuilletant les livres, songeant aussi et fantasiant à part moi, comme il est loisible à tout poète qui appelle volontiers la fantaisie au secours de l'estimative, et me pourpensant longuement afin d'embrasser la droite matière et saisir le vrai sens de l'histoire. De ces longues lectures et méditations est né le présent livre que j'ai fait et rédigé par art et compas, à grand labeur, dans l'intention délibérée de ne rien retrancher d'utile ni de notable, ni de ne rien ajouter qu'on puisse m'imputer à mensonge, bourde ou chose controuvée. Tristan est représenté ici, tel qu'il fut, loyal sans feintise, de grand hardement et vasselage, prudhomme sans fausseté ni orgueil, de merveilleux engin et invention pour égarer le soupçon et vaincre la malice des envieux, doux et patient, et résigné enfin comme vrai martyr du dieu d'Amour : Iseut y est peinte en ses enivrements et ses tristesses, emportée dans le même cercle fatal, comme l'alouette que l'épervier randonne jusqu'à la mort, n'ayant trahi son droit seigneur naturel que sous l'empire d'une force démesurée, autant dire de nigromance, qui surmonta et anéantit sa franche volonté ; femme vouée au malheur, mais qui n'eût pas voulu changer sa destinée, parce que, sans l'amour, les riches palais et l'or de Midas ne vaudront jamais avec l'amour la hutte du bûcheron et l'écuelle du berger.

Jadis un roi puissant qui avait nom Marc régna en Cornouaille. Il eut à soutenir une guerre avec des voisins qui entreprenaient souvent sur ses terres. Rivalin, sire de Loonois, lui porta aide, bien qu'il ne fût de ses chasés ni de ses hommes liges. Il le fit pour gagner la sœur du roi, Blanchefleur, qu'il aimait. Le pays de Loonois marchissait au royaume de Cornouaille. Marc et Rivalin étaient du même âge ; ils s'étaient rencontrés plusieurs fois dans ces cours plénières qui réunissaient l'élite des chevaliers de Grande-Bretagne. C'est à l'une de ces assemblées que Rivalin s'éprit de la belle et gracieuse pucelle qui, de son côté, sut priser la beauté, la courtoisie, la valeur du jeune prince. Quand la guerre fut finie à l'avantage du roi Marc, Rivalin obtint la main de Blanchefleur. Les noces eurent lieu peu de temps après, puis Rivalin prit la mer, et emmena sa femme en sa contrée. Une année durant les époux goûtèrent aise pleine et entière et parfait contentement. Rivalin était large, libéral, bien emparlé, mais trop bon raillard et gabeur quand l'occasion se présentait de dauber un sot mal enseigné. Pourquoi fallut-il que la haine et le dépit d'un mauvais voisin joints à sa propre démesure détruisissent en peu d'heures un bonheur si bien fait pour durer ? Rivalin, étant un jour à la chasse, fut attiré dans un guet-apens, et là, frappé à mort. Mais un malheur vient rarement seul. Écoutez.

Vers l'heure de basse none, Rivalin se présenta seul à la porte de son château. Il était pâle et défait ; il se tenait le ventre à deux mains ; le sang ruisselait sur ses arçons et sur les flancs de son cheval. Des valets accoururent aussitôt, qui prirent leur maître dans leurs bras. « Faites-moi un lit dans la grande salle pavée, dit Rivalin, et mandez le maréchal. » On apporta des draps, des couettes et des coussins ; on dévêtit le blessé, on étancha le sang et on lava la plaie.

Le maréchal du palais vint peu après. Il était grand et fort, vieux et chenu, avec une longue barbe mêlée ; il s'appelait Rouaut, et on l'avait surnommé le Foite-

nant à cause de sa droiture et de sa fidélité sans égale.
« Rouaut, lui dit Rivalin d'une voix faible, je crois que
bientôt je n'aurai plus besoin de mire ni d'onguent.
Quoi de nouveau ici ? » Le maréchal ne put retenir ses
larmes. « Madame gît d'enfant, mais elle est très faible
et travaillée de la fièvre. Soyez heureux toutefois, sire,
car Tristan vous est né. — Loué soit Dieu, dit Rivalin.
Mais, de grâce, Rouaut, qu'on laisse dormir la mère !
Ne lui dites rien de moi qui puisse la troubler et
aggraver son mal. Et qu'on aille querir mon chapelain.
— Sire, il sera fait selon votre volonté. » Rivalin
demeura un long temps, les yeux clos, se plaignant et
soupirant très fort. Puis il dit au Foitenant : « Foitenant, tu m'as bien et fidèlement servi. Je te confie mon
fils et ma terre. Tu prendras mon cheval gris avec mon
plus bel harnachement ; je te les donne, car je vais
mourir. » Et comme le Foitenant se penchait angoissé
sur le lit de son seigneur, il le vit qui s'endormait, et
tout à coup son cœur cessa de battre ; ses yeux
s'ouvrirent et demeurèrent figés. Il était mort.

Cependant Blanchefleur reposait doucement. Elle
s'éveilla vers l'aube. Ses pucelles privées l'entendirent
qui gémissait. « Amies, dit Blanchefleur, je ne vois
pas Rivalin ; il n'est pas revenu de la chasse ? —
Dame, nous ne l'avons pas vu. — Ha ! il aime mieux
ses faucons et ses chiens que sa femme ! » Il fait
maintenant grand jour. Dans la salle en bas, il y a
grand bruit et grand martelis comme de gens qui
marchent et de planches qu'on cloue. « N'entendez-
vous pas marteler là-dessous ? dit Blanchefleur. —
Dame, disent les pucelles, ce sont sans doute les
veneurs de monseigneur qui taillent des boujons ou
les armuriers qui réparent les écus et les heaumes. »

La journée se passa, puis la nuit. La ménie avait mis
Rivalin en bière, et les clercs se pressaient pour
l'absoute. Les cierges étaient allumés ; des pas retenti-
rent encore sur le pavement. Et voilà que les cloches
au loin se mettent à sonner. « Dis-moi, nourrice, dit
Blanchefleur, quel est ce sonnis de cloches ? — C'est
un enfant qu'on va chrétienner au baptistère. — Ah !
quand pourrai-je y mener le sien ? soupira Blanchefleur. Il aura nom Tristan, comme l'a voulu son
père. » Le convoi se mit en branle, traversa le baile,
franchit le pont-tournis, prêtres et clercs, moines et
nonnains, et les barons qui portaient Rivalin en terre.
Blanchefleur s'accouda sur son lit. « Approchez-moi
de la fenêtre », dit-elle. Les demoiselles obéirent.
Alors la dame vit le convoi, la croix et les flambeaux,
la bière et les quatre porteurs, tout un couvent de
rendues, et foule de bourgeois et de chevaliers. Elle
reconnut le destrier de Rivalin qu'un demoiseau
menait par la bride, et sur le cercueil, l'écu du
seigneur, l'écu burelé au lionceau d'or. Sa tête
retomba aussitôt sur l'oreiller ; elle jeta un grand
souffle, et l'âme lui partit du corps pour toujours.

Les gens de Rivalin revinrent très tristes de l'enter-
rement de leur seigneur, mais leur désespoir fut sans
bornes quand ils surent que la douce Blanchefleur
était trépassée du monde, tant pour les suites de son
douloureux travail d'enfant que pour l'émoi qui lui
avait tourné le sang à la vue des funérailles. Lors vous
vissiez grands et menus, hommes et femmes, crier,
tordre leurs poings, battre leurs paumes et s'arracher
les cheveux. Rouaut fit cesser la noise à la fin. Il était
de ceux qui pensent que les vraies douleurs sont
muettes. « Seigneurs, dit-il, notre bon sire et sa

femme bien-aimée ont laissé cette vallée de larmes
pour un monde meilleur. Pleurer et lamenter ne les
rendront pas à la vie. Prions plutôt Dieu, le glorieux
père, qu'il ait merci de leurs âmes et les conduise au
port de salut. Loué aussi soit Dieu et adoré de ce qu'il
a bien voulu lui réserver un héritier qui tienne sa
terre. »

Le Foitenant s'entremit aussitôt de confier l'orphelin à une nourrice. Une jeune dame de haut parage,
veuve d'un chevalier mort à la guerre, se chargea de
l'allaiter et de lui donner les soins requis à cet âge ;
deux pucelles vaillantes et sages l'aidèrent dans cet
office. Jamais on ne vit enfant plus commode, plus
gracieux et avenant. Il grandit tôt en force et en
beauté, et montra de bonne heure beaucoup de sens et
les plus belles qualités du cœur. A sept ans on le mit
aux lettres ; il apprit à lire et à écrire comme un vrai
clerc ; il apprit aussi tout ce qu'un fils de riche
homme, appelé à vivre dans les cours, doit de
nécessité savoir. Tristan reçut les leçons de l'écuyer
Gorvenal qui devint son maître et son meilleur ami.
Gorvenal était de belle taille, brun de cheveux, avec
des yeux brillants et un nez long comme bien parlant ;
il était franc homme, sage conseiller, habile en tous les
exercices du corps. Sous sa tutelle Tristan apprit à
chevaucher, à sauter, nager, courir, lancer la pierre,
manier l'écu et la lance, les diverses sortes d'escrime,
l'art de vénerie et de fauconnerie, tous les honnêtes
ébats recommandés pour fuir l'oisiveté, mère des
vices, et en même temps les usages de la courtoisie et
les vertus requises au franc homme : honneur, fidélité, hardiesse, débonnaireté, démener grande lar-
gesse, parler avec mesure, ne blâmer personne à la

légère, éviter les fous et servir les dames. Gorvenal
guida son disciple dans les voies du bien et en fit le
meilleur et le plus accompli des bacheliers. A douze
ans, Tristan savait reconnaître l'excellence d'un bon
cheval à la longueur de l'encolure, à la forme du sabot,
au garrot, à la croupe et à la crinière ; il distinguait le
vif, le colérique, le triste et le phlegmatique à la
couleur de la robe ; il voyait incontinent s'il chopait
ou était dur de la bouche. Il connaissait les vertus d'un
bon acier, quels sont les meilleurs bois pour faire les
écus, les arcs et les boujons. Ider, fils de Nut, qui prit
un jour un ours par la peau du dos et le jeta par la
fenêtre, ne fut pas à demi aussi adroit que lui pour
planter une flèche dans une pomme, à cent pas, ni
Érec, fils de Lac, pour brocher de l'éperon et saillir
par-dessus la haie. Il sut à merveille toute espèce de
danses, espingueries et caroles ; nul n'était si gracieux
enfant pour mener la trèche à travers la prairie. Mais
où il excella par-dessus tout, ce fut la musique ; le
chant et le déchant, la harpe et la rote, n'avaient pas de
secrets pour lui ; un gentil ménestrel, prisé à Carlion,
lui enseigna en outre à trouver des contes, à rimer et à
noter lais, rotruenges et pastourelles.

Quand il fut dans sa quinzième année, par un beau
lundi, Gorvenal le prit à part et lui dit : « Mon cher
Tristan, te voici parfait bachelier ; il ne te manque
guère qu'une chose : chercher les terres foraines et te
faire bienvenir en cour de duc ou de roi. Il y a
beaucoup à apprendre dans les voyages, sans compter
qu'on y trouve souvent l'occasion d'y gagner en prix
et renommée. Tu devrais demander à ton père nourricier qu'il te baillât congé de laisser Carlion une année
ou deux et de tenter l'aventure. » Tristan s'accorda au

désir de Gorvenal. « Bon maître, on dirait que vous avez deviné ma pensée : il y a longtemps que j'ai le désir de voyager. J'irai volontiers notamment en Cornouaille, là où mon père vint prendre femme, comme vous m'avez conté. » Tristan alla trouver le Foitenant. « Mon bon père nourricier, lui dit-il, vous m'avez pendant quinze ans tenu lieu de père et de mère ; je suis à jamais votre fils et serviteur, et tout ce qu'un enfant doit à son père charnel, je vous le dois. Vous m'avez nourri et instruit comme un fils de prince. Maintenant, je voudrais mettre à l'épreuve tout ce que vous m'avez enseigné, et voir ce que je vaux. Je voudrais aller par voies et par chemins et servir un an ou deux dans une cour étrangère. — Puisque tel est ton désir, mon fils, je ne veux pas le contrarier, dit le Foitenant. Parcours le monde et que Dieu te bénisse ! »

On fit les apprêts du voyage. On ferra de neuf roncins et sommiers. On troussa les robes, on emmala les armes, l'or, l'argent et maintes choses précieuses. Le Foitenant donna à Tristan un palefroi bien amblant avec une selle de prix. Il choisit pour l'accompagner six demoiseaux de son âge, un queux et deux valets d'écurie. Gorvenal était aussi de la chevauchée, le bon maître qui devait lui être d'un si grand secours dans tant de périls et de mésaventures. Tristan n'oublia pas sa harpe : il la pendit à l'arçon de sa selle. Il monta et se mit à la voie, après avoir pris congé du Foitenant et de toute la ménie. Une foule de chevaliers, de bourgeois, de dames et de demoiselles le salua à son départ, et il y eut maintes larmes pleurées. Plus de cinquante le convoyèrent, l'espace de trois ou quatre lieues. Ceux-là, à leur tour, reçurent ses adieux et retournèrent à Carlion. Tristan, Gorvenal et les demoiseaux poursuivirent leur chemin à travers larris, landes et forêts, et ne laissèrent de chevaucher jusqu'aux marches de Cornouaille.

Quand ils furent sur les terres du roi Marc, Tristan arrêta ses compagnons et leur dit : « Nous allons bientôt voir le roi de ce pays, mais, sur votre âme, je vous prie que nul de vous ne soit assez hardi ni imprudent que de dire qui je suis ni d'où nous venons. » Les demoiseaux répondirent qu'ils étaient à son commandement. Ils chevauchèrent, passant les plaines, les tertres et les gués, qu'ils vinrent à une ville champêtre où ils rencontrèrent des faucheurs qui menaient des charrettes de foin. Tristan voulut s'enquérir du lieu où il était. Il appela l'un d'eux : « Ami, lui dit-il, sais-tu où est le château du roi ? — Sire, de quel château voulez-vous parler ? Le roi Marc en a plusieurs où il loge, suivant qu'on est en hiver ou en été ; il est tantôt à Bodmin, tantôt à Lancien, tantôt à Tintagel. — Tintagel, dit Tristan, est-ce loin d'ici ? — Sur ma foi, je ne sais guère, dit le vilain, je n'y fus jamais, mais en tirant du côté où le soleil se couche, vous verrez la mer, et à main gauche, sur une falaise, je crois, le séjour préféré du roi Marc. J'ai ouï dire que Tintagel était un château fée ; il se perd deux fois l'an, à la mi-mars et à la Saint-Michel. Les murs sont hauts et bien assis, en pierres de toutes couleurs ; des géants, dit-on, fermèrent la ville autrefois. Tout autour, il y a plenté de prairies, d'eaux douces, de pêcheries, de belles gagneries ; et par le port arrivent foison de nefs qui viennent de Norvège, d'Irlande, de Danemark et de Petite Bretagne. — Merci, bel ami, dit Tristan, nous venons de loin, et nous ne sommes pas riches ;

voilà toutefois pour que tu gardes un bon souvenir de nous. » Et il lui donna un ferlin.

Ils allèrent encore deux jours et deux nuits, puis ils aperçurent au loin la mer, et à gauche ils virent les murailles de Tintagel qui reluisaient au soleil. Ils s'arrêtèrent en vue de la ville, dans une prairie, au bord d'une fontaine. Les palefreniers ôtèrent les freins aux chevaux ; le queux apprêta la viande, et ils s'assirent pour manger. Quand il eut fini de dîner, Tristan prit sa harpe pour se divertir. Or, il advint que, ce jour-là, le sénéchal du roi, nommé Dinas, revenant de son château de Lidan, chevauchait dans le voisinage pour quelque affaire de son ressort. Il fut attiré par les sons harmonieux que Tristan tirait de son instrument. Dinas était grand, bien taillé par la ceinture ; il avait les épaules bien séantes, un tantet descendantes, la voix claire, la chère riante et la face vermeille ; il était d'humeur égale, sage et mesuré, aimant fort la musique. Il s'arrêta ; il vit le jeune harpeur accorder son instrument de telle manière que les cordes de dessus répondissent au chant du bourdon et aux grosses cordes. Quand Tristan eut tempéré sa harpe comme il savait faire, il commença à la sonner de ses belles mains, si suavement que nul n'eût ouï la mélodie qui ne l'eût écoutée, bouche bée, tant fût-il dur d'oreille et rebelle aux sons.

Dinas sortit de derrière un buisson et se montra soudain. Il salua le jouvenceau, qui lui rendit son salut. Tristan s'interrompit : il le pria de n'en rien faire. Le sénéchal loua fort le son et la note. « Vous êtes merveilleux harpeur, dit-il, ne voudrez-vous pas venir vous faire entendre à la cour du roi ? — Du roi Marc ? s'écria Tristan. C'est le plus cher de mes

vœux ! — Bel ami, il ne tient qu'à vous que je vous y
introduise. Je suis le sénéchal du roi. Mais, dites-moi,
qui êtes-vous et d'où venez-vous ? — Sire, je me
nomme Tristan, je suis un pauvre valet qui vient de
Galles. Mon père a été tué à la guerre ; ces roncins qui
paissent là dans ce pré portent tout mon avoir : mes
armes et quelques robes ; cette harpe est mon bien le
plus précieux ; ces valets que vous voyez m'ont
accompagné jusqu'en cette terre. — Vous êtes bon
instrumenteur, mais je vois que vous savez aussi
l'escrime. — Sire, j'ai été à bonne école ; voici mon
maître, sire Gorvenal, qui m'a servi de père, et qui m'a
appris tout ce que je sais : il en est peu, je crois, qui
tiennent leur place dans les cours, qui aient reçu de
meilleures leçons. — Vous me paraissez courtois et
bien appris. Sans doute êtes-vous instruit de tout ce
que fils de riche homme doit connaître ? — Sire, je
sais jouer aux échecs et aux tables, mais je sais aussi
lire et écrire. Je sais tirer à l'arc, jouter de la lance ; je
sais tout ce qui se rapporte aux déduits de chiens et
d'oiseaux, courre le cerf et le sanglier, corner la prise,
écorcher la bête et la défaire ; je sais affaiter les
faucons et les éperviers, et les soigner quand ils sont
malades. — Tristan, je vous le dis, vous serez le
bienvenu à la cour, et c'est moi qui vous présenterai.
Il est tierce passée ; je vais à mon affaire ; je verrai le
roi après. Dès l'heure de none, venez au château et
demandez-moi. »

Là-dessus, Dinas s'éloigna. Je ne vous dirai pas la
joie de Tristan de se voir si tôt et si bien accueilli à
Tintagel : il en remercia Dieu ; il n'eût pas osé espérer
si bonne aventure. Il fut fait comme Dinas l'avait
commandé. Dès que le soleil commença à décliner,

Tristan et ses compagnons délièrent leurs chevaux et montèrent, et en bel arroi se dirigèrent vers Tintagel. Le roi Marc, qui était dans ses bonnes, avait été émerveillé du conte que lui avait fait Dinas, et il avait hâte de voir ce jeune étranger dont on lui avait vanté le beau maintien et le gentil savoir. La route vint devant les riches murailles de la ville ; le pont fut avalé, et Tristan entra avec ses compagnons. Au perron du château, des sergents s'empressèrent aux étriers. Les valets s'occupèrent d'établer les chevaux, et Tristan, introduit par le sénéchal, fut reçu par le roi.

Marc regarda le demoiseau des pieds à la tête ; il le vit avec son front clair, ses yeux vairs comme étoiles, sa belle croisure d'épaules, bien formé de bras et de corps, les grèves longues à compas, la cheville étroite et le pied tourné. « Mon sénéchal, dit-il, m'a parlé de toi et de ton désir de venir à ma cour. Sais-tu bien tout ce que tu as dit ? M'accompagneras-tu bien en bois et en rivière ? — Sire, la vénerie est mon fait, mais plus encore les oiseaux. Je sais comment on les affaite et on les porte, je sais les gorger, les ciller, enchaperonner, leurrer et rappeler, tant ceux qui volent à tour haut comme faucons, sacres, hobereaux, comme ceux qui volent de poing et prennent de randon, tels que gerfauts, autours, éperviers et émerillons. — Tu as là une harpe dont tu fais merveilles, me dit-on ? — Sire, vous en jugerez par vous-même. Si vous voulez, je vous chanterai le lai de Guiron, le lai d'Orphée ou celui de Pyrame, ou quelque motet de ma façon. — J'en crois mon sénéchal sur parole. Sois le bien trouvé, ami. Je te prends à mon service. Ici, tu pourras gagner et acquérir honneur et renommée. »

Le roi Marc avait quarante ans d'âge environ : assez

gros et membru, et long par raison, le nez, la bouche
et tout le visage bien assis, il était de fière regardure
et vraie majesté, avec sa robe de diapre vermeil et sa
couronne d'or. Onc on ne vit moins chiche et échars ;
il était si large aumônier qu'il lui coûtait de passer une
semaine sans donner destriers, palefrois, écarlates
brodées et riches pelisses ; il eût donné le monde
entier, s'il fût sien. Il commanda à son chambellan
d'héberger Tristan, Gorvenal et leurs compagnons, et
de les fournir de tout le nécessaire. Peu à peu il se prit
d'une grande amitié pour Tristan. Sans doute était-ce
le sang qui parlait en lui sans qu'il le sût. De jour en
jour, il prisait le damoiseau davantage, à cause de son
adresse, de ses manières et de son savoir en maintes
choses. Tristan l'accompagnait à la chasse ; il avait la
garde de ses oiseaux, de ses arcs et de ses carquois ; il
était vraiment sire de la maison, ayant pouvoir et
baillie sur tous, chambellans, maréchaux, queux et
sergents, d'ailleurs aimé et honoré de chacun, tant
jeunes que vieux, et tenu cher par-dessus tout par les
dames et les demoiselles. Marc lui fit honneur en le
faisant coucher dans sa chambre. Souvent il chantait
et harpait pour le roi, assis à ses pieds sur un tapis
sarrasinois : c'était tantôt le lai de Graelent qui fut
aimé d'une fée, tantôt celui où il est devisé de la
malheureuse Didon de Carthage, tantôt la triste
mésaventure de Pyrame et Thisbé qui l'un pour
l'autre se donnèrent la mort.

## II

*Le roi Gormond d'Irlande et le tribut de Cornouaille. —*
*Tristan défie le Morhout. — Tristan avoue au roi Marc qu'il*
*est son neveu. — Le Morhout vaincu.*

Il y avait trois ans passés que Tristan était à la cour
du roi Marc. En ce temps-là, la Cornouaille devait
payer tous les cinq ans un tribut à l'Irlande ; cette
coutume avait été établie à la suite d'une guerre
malheureuse, quand le roi Marc était enfant. Gormond régnait alors sur l'Irlande ; il était âpre au gain,
large dépensier, convoiteux de victoire et sans pitié
envers ses ennemis. Il avait accru sa force et sa
renommée en épousant la sœur d'un duc de ce pays
qui était le plus redoutable baron, quand il avait l'épée
en main et même quand il était désarmé, qu'on eût
jamais vu par le monde. On l'appelait le Morhout.
Pour la taille, la grosseur des membres, la haute
enfourchure, la largeur des épaules et la force du bras,
on ne pouvait le comparer qu'à Goliath d'Ascalon ; il
avait déconfit plusieurs rois, conquis de riches terres
et amassé grand avoir. C'était le Morhout qui

combattait au premier rang dans l'ost de Gormond, et c'était lui qui s'entremettait des besognes les plus périlleuses, comme d'aller réclamer le tribut dû à son beau-frère. Au terme assigné, le Morhout venait sur une nef et débarquait à Tintagel, et il en ramenait trois cents garçons de l'âge de quinze ans pour faire office de valets à la cour d'Irlande, et autant de pucelles qui étaient enfermées dans des ouvroirs où elles devaient travailler trois cents jours par an pour le roi d'Irlande.

Or depuis plusieurs semaines, le roi Marc était pensif et morne. Rien ne pouvait le dérider, ni les jongleurs, ni les échecs, ni les chiens, ni les oiseaux ; il pensait que l'heure approchait où le Morhout allait venir, et tous à la cour partageaient son émoi. Tristan avait entendu parler du malheur qui pesait sur la Cornouaille ; il évitait d'en sonner mot à son oncle, mais il ne laissait pas de penser en soi-même qu'il était droit et raison que cette honte fût amendée.

Un matin, il s'éleva une grande noise dans la ville. Des gens criaient par les rues que la nef du Morhout était ancrée dans le port. La nouvelle se répand qu'on va tirer au sort les valets et les pucelles qui iront en chétivaison. Les mères pleurent et maudissent le jour où elles furent nées ; il n'est chevalier qui ne fasse deuil au palais. Le roi Marc tient la tête penchée et garde un sombre silence. Tristan entre dans la salle ; quand il voit son oncle ainsi dolent et abattu, il lui en demande la raison. « C'est pour le tribut, dit un vieux chambellan, le tribut que le Morhout, l'envoyé du roi d'Irlande, a coutume de prendre tous les cinq ans, et voici qu'il vient de débarquer au port. — Et vous allez le lui bailler sans que nul n'y mette chalenge ? — Si nul le contredit, il le combattra à mort. Mais il n'est aucun en ce royaume qui oserait aller contre le Morhout, car il est trop fort et trop bon chevalier. — Et s'il se trouvait quelqu'un qui le vainquît en bataille, dit Tristan, qu'en serait-il ? — Certes, fait le chambellan, la Cornouaille serait acquittée du tribut. — Au nom de Dieu, repartit Tristan, on peut facilement s'acquitter, s'il suffit d'un seul chevalier. — Ce chevalier est encore à trouver ! dit le chambellan en hochant la tête. — Vraiment, les barons de ce pays sont les plus couards du monde ! »

Tristan, sans plus tarder, courut à Gorvenal et lui dit : « Maître, les gens de ce pays sont mauvais ; il n'y en a aucun qui ose défier le Morhout et lui refuser le tribut. Si j'étais chevalier, je me mesurerais avec lui, et s'il plaisait à Dieu que je le pusse vaincre, et détruire ainsi ce honteux servage, j'en serais fier, et tout mon lignage en serait honoré. Qu'en pensez-vous ? Je voudrais m'éprouver, et savoir si je suis digne d'être prudhomme. Si je ne le suis pas, j'aurai du moins la gloire de mourir de la main d'un baron renommé. » Gorvenal, qui aimait Tristan comme un fils et comme un frère, lui répondit : « Beau doux fils, tu as bien parlé, mais sache que le Morhout est plus à redouter que jamais ne le fut géant. Pour toi, tu es trop jeune et tu n'as rien appris encore du fait de chevalerie. — Maître, j'ai assez jouté à la quintaine, et je ne suis pas maladroit, vous le savez. Si je n'entreprends cette bataille, que je ne sois jamais clamé prudhomme ! Vous m'avez dit que mon père était un des meilleurs chevaliers du monde : je dois lui ressembler de nature, ou je ne suis pas son enfant. » Quand Gorvenal l'entend, il pousse un long soupir ; il ne sait s'il doit se réjouir ou s'affliger ; un temps, il demeure pensif, puis il dit : « Beau fils, fais à ta volonté. »

Tristan alla trouver le roi. Il s'agenouilla devant lui : « Sire, dit-il, je vous requiers un don. — Je l'octroie, bel ami, parlez. — Sire, je vous ai servi longtemps du mieux que j'ai su. Je vous prie donc, en récompense de mes services, que vous me fassiez chevalier demain sans faute. Je n'ai que trop attendu pour vous présenter cette requête, et ceux de votre cour vont m'en blâmant déjà, j'en suis sûr. — Je n'ai qu'une parole, bel ami, dit le roi, je vous accorde ce que vous demandez. Mais j'eusse voulu que cet adoubement eût lieu un jour de fête ; il n'est guère saison de se réjouir aujourd'hui : voilà une bien mauvaise nouvelle que nous apportent ceux d'Irlande ! — Sire, ne craignez rien ; Dieu nous délivrera de ce péril et des autres. » Le roi prit Tristan par la main et le releva. Puis il manda Dinas. « Sénéchal, lui dit-il, Tristan m'a requis de l'armer chevalier demain. Pensez à faire le nécessaire. »

Dinas passa la soirée avec Tristan ; il n'eut pas de peine à s'assurer de son savoir, car le demoiseau, affaité comme oiseau de bonne aire, était aussi entendu que lui-même aux devoirs de fine chevalerie, fruit des bonnes doctrines qu'il avait apprises à l'école du Foitenant et du sage Gorvenal. Le lendemain, Tristan fut adoubé devant la cour. Deux barons des plus prisés lui chaussèrent l'éperon et lui tinrent l'étrier ; le roi Marc lui ceignit l'épée et lui donna la colée. Il lui fit présent d'un beau destrier baucent, garni de selle, poitrail, sangles et rênes d'un magnifique travail, d'un brant au pommeau d'or mier, ciselé à trifoire, et d'un écu où était peint un sanglier. Tous ceux qui étaient présents dirent qu'ils n'avaient vu si beau chevalier en Cornouaille.

La fête venait à peine de prendre fin que quatre messagers s'annoncèrent. Ils s'avancent dans la salle, s'arrêtent devant le roi sans le saluer, et parlent ainsi : « Roi Marc, nous venons de la part du Morhout, le grand chevalier d'Irlande, et nous te demandons le tribut que tu dois acquitter tous les cinq ans. Assemble tes garçons et tes pucelles, afin que nous puissions les embarquer au sixième jour, sinon nous te défions de par le Morhout. Et si tu veux le contredire par les armes, sache qu'il ne demeurera en ta possession plein pied de terre, et toute la Cornouaille sera détruite. » Quand il entend ces mots, le roi devint vermeil comme charbon. Mais Tristan s'avance : « Seigneurs messagers, dit-il, dites au Morhout que le roi d'Irlande prendra ses serfs ailleurs qu'en ce royaume, car si nos ancêtres furent fous et coquards, nous sommes mieux avisés aujourd'hui, et nous ne voulons payer leur musardie. C'est contre le droit et la justice qu'on nous réclame ce tribut, et je suis prêt à le prouver en bataille. Si je suis vainqueur, nous serons quittes, et s'il me tue, le Morhout emportera le tribut. » Les messagers dirent au roi : « Est-ce en votre nom que ce chevalier a parlé ? — Seigneurs, répondit le roi, je ne lui ai pas commandé de dire pareille chose, mais puisque sa volonté est telle, j'ai bon espoir que Dieu nous soutiendra, et je lui octroie le combat. »

Les messagers prirent congé et rapportèrent au Morhout ce qui s'était passé. Ils revinrent à basses vêpres pour marquer l'heure et le lieu de la rencontre. « Sire, dirent-ils, nous avons répété au Morhout les

paroles de ce chevalier et les vôtres. Le Morhout
s'accorde aux propositions qui lui sont faites. Le
combat aura lieu demain à l'île Saint-Samson, devant
Tintagel. Chaque champion viendra seul dans sa
barque ; l'issue de la bataille décidera si la Cornouaille
doit oui ou non payer le servage. — Nous y
consentons. — Toutefois le Morhout pose une autre
condition. Il ne veut se battre qu'avec un champion
digne de lui ; aussi requérons-nous ce jeune chevalier
qui a défié notre seigneur de nous dire sans délai son
nom, son être et son lignage. » Il se fit un profond
silence. Le roi lui-même savait peu de chose de
l'étranger qu'il avait accueilli sur sa bonne mine et à
qui il montrait tant d'amitié. Chacun prêtait l'oreille.
Tristan se recueillit un moment, puis à voix haute et
claire, en regardant les messagers bien en face :
« Dites au Morhout que s'il est fils de baron, je le suis
aussi. Sire Rivalin de Loonois fut mon père ; le roi
Marc est mon oncle, et j'ai nom Tristan. » Le roi se
lève, fort troublé, plein à la fois d'angoisse et de joie.
Il veut chasser le doute qui l'assaut. Il voudrait tant
que le jouvenceau eût dit vrai ! Mais Gorvenal
s'avance à son tour : « Sire, Tristan a dit la vérité, et
pour preuve voici un fermail que je tiens de Rouaut le
Foitenant, le maréchal de mon seigneur que Dieu
absolve : la mère de Tristan, la sainte Blanchefleur
dont Dieu ait l'âme, le lui donna avant de mourir pour
Tristan, afin qu'il pût servir à l'occasion à le faire
reconnaître. » Le roi Marc prit le joyau ; il reconnut le
fermail qu'il avait donné à sa sœur autrefois, lorsque,
jeune épousée, elle s'embarqua au port de Tintagel : il
était d'or, ouvré à pierres précieuses, et portait sur ses

tasseaux les armes de Loonois et de Cornouaille. Les messagers, n'ayant plus rien à dire, se retirèrent.

Le roi Marc presse Tristan dans ses bras ; les larmes lui coulent du visage. « Ah ! Tristan, malheureux orphelin, fils aimé de ma chère Blanchefleur, mon cher neveu, ce jour est le plus beau de ma vie ! Pourquoi faut-il que cette reconnaissance se fasse en un jour de deuil et de tribulation ? Hélas ! il est trop tard pour aller contre ton veuil. J'aurais dû te refuser ce don que tu m'as requis. Vous, barons de ce royaume, n'avez-vous pas vergogne de laisser un enfant affronter un si grand péril pour délivrer Cornouaille du servage d'Irlande ? » Plus d'un, ce soir-là, se sentit honteux et avili, et eut dépit de lui-même.

Le peuple passa la nuit en prières, et dès le matin il était assemblé sur la marine, devant l'île Saint-Samson qui était à moins de mille pas de Tintagel. Les combattants s'armèrent, chacun de son côté. Gorvenal laça le heaume à Tristan, lui mit ses chausses de fer, le revêtit de l'écu et de l'épée. Les compagnons du Morhout l'armèrent pareillement. Puis on fit monter les chevaux dans les deux barques, et chacun des champions à son tour monta, et vogua vers l'île à force de rames. Le Morhout atteignit le premier le rivage. Il mit pied à terre avec son cheval, un bai de Gascogne chaud et fringant. Puis il attacha sa barque à un pieu, et il se divertit à s'élaisser, trotter, galoper, gauchir la rêne et fondre à bride abattue, comme un homme sûr de lui, en attendant son adversaire. Tristan aborda à son tour, sauta à terre et repoussa sa barque du pied vers la mer. Le peuple qui regardait du rivage la vit, non sans angoisse, se balancer sur l'onde et dériver vers le large. Le Morhout eut un rire de maufé. « Que fais-tu là, jeune fou ? cria-t-il ; ne vois-tu pas que la mer emporte ta nacelle ? — Écoute, Morhout, repartit Tristan. Il y a ici une barque et deux hommes. L'un de nous deux sera mort dans une heure. Il suffira d'une barque pour nous ramener au port. »

Là-dessus, chacun prend du champ, se retourne et pique de grande vigueur. Les chevaux volent comme l'éclair. Les deux combattants se heurtent, s'entrefièrent de leur lance baissée ; le fer retentit ; au premier choc les écus sont fendus ou percés et les hauberts démaillés ; au second le bois des lances vole en éclats. Le Morhout guerpit l'étrier, sa selle tourne, il tombe à terre. D'un bond Tristan a sailli de son cheval. Tous deux debout, le heaume en tête, le corps couvert de leur écu troué, ils se requièrent à l'épée. Devant Tristan, le Morhout semblait haut comme une tour ; on eût dit Goliath en personne. Tristan pensa : « Ce Morhout a la force de quatre hommes, mais j'en vaux quatre aussi, car j'ai avec moi Dieu, la Prouesse et le Droit. » Les brants taillent et tranchent ; des étincelles jaillissent du heaume du Morhout qui reluit d'or et de pierres ; soudain Tristan semble faiblir ; l'acier du Morhout l'a atteint durement à la hanche ; il chancelle, mais se redresse, aussitôt. « Jeune glorieux, s'écrie le géant, tu es marri de sens : tu ferais mieux de renoncer à ce combat inégal ; ta cause est mauvaise, le tribut sera payé et ta mémoire honnie. Avoue-toi donc recréant et vaincu. — A aucun prix, réplique Tristan, mon honneur m'est plus cher que ma vie. D'ailleurs la victoire ne t'appartient pas encore. Tiens, garde-toi plutôt ! »

Le combat reprend acharné. Un formidable coup du géant sur le heaume du valet en fait sauter le cercle. Tristan a brandi l'épée de toute la force de son bras ; le Morhout ne peut se garantir de son écu qui ne lui vaut non plus qu'une serpillière. Tristan fiert d'estoc, et comme le Morhout trébuche, il lui pourfend le heaume jusqu'à la coiffe. Les os du têt craquent, le sang jaillit comme une fontaine ; le Morhout s'effondre d'une masse en poussant un brait effroyable qui s'entend jusqu'à Tintagel. « Tiens ! lui crie Tristan, voilà que tu as conquis le tribut de Cornouaille : emporte-le avec toi, et ne viens plus jamais le réclamer ! » Tristan était épuisé par le combat ; il s'assit sur une pierre ; il avait deux plaies, à la hanche et au bras gauche, d'où le sang rayait à foison. En essuyant son brant, il vit qu'il était ébréché. Le Morhout se sent perdu ; il jette son épée, s'en va clochant jusqu'à son bateau et s'efforce de regagner le rivage. Ce que voyant, ses gens se hâtent de ramer à sa rencontre et le recueillent sur leur nef. « Entrons en mer sans délai, leur dit le Morhout, et nageons tant que nous soyons en Irlande. Je suis navré à mort, et j'ai grand peur de mourir avant d'y être arrivé. » Les mariniers font son commandement, lèvent l'ancre et mettent la voile. Bientôt ceux de Cornouaille virent la nef qui s'éloignait, et ils crièrent aux gens du Morhout : « Allez-vous-en pour toujours, et puisse la male tempête vous noyer tous ! — Rendons merci à Dieu, le glorieux du Ciel, dit le roi Marc ; par la prouesse de Tristan, la Cornouaille est aujourd'hui délivrée du servage. » Il ordonne qu'on lui amène Tristan. Des pêcheurs sautent aussitôt dans leur barque et vont chercher Tristan dans l'île. Ils le trouvent si affaibli qu'à peine peut-il se soutenir pour le sang qu'il a perdu. Ils le couchent dans leur bateau et le portent au roi qui le baise plus de cent fois. « Comment es-tu, cher neveu ? — Sire, fait Tristan, je suis durement blessé, mais, s'il plaît à Dieu, je guérirai. » On se hâte de l'emmener au palais ; on lui enlève son haubergeon et ses chausses de fer, tandis qu'on va querir le meilleur physicien de Tintagel.

Cependant les Irois voguaient par bon vent ; ils ne tardèrent pas à toucher au port de Duveline ; mais le Morhout était mort pendant le voyage. Quand ils eurent jeté l'ancre, ils descendirent le corps, le mirent sur une bière qu'ils firent tirer par un cheval et le menèrent ainsi à travers les rues. La nouvelle s'était tôt répandue dans la ville, et il y avait foule pour voir le grand Morhout mort sur sa civière. « Ah ! disait le peuple, c'est pour notre malheur que ce tribut a été ordonné ! » Le roi Gormond vint au-devant des messagers, dolent et ébahi, déchirant cotte et bliaut et tirant ses cheveux à poignées. La reine Iseut tombe pâmée sur le pavement. « Roi, disent les compagnons, nous avons fait ton message. En réponse, le roi Marc de Cornouaille te mande que selon le droit et la justice il ne consent à te bailler en fait de tribut que le corps du Morhout, mais si tu le requiers de nouveau de te livrer le truage, et si tu lui envoies un autre baron, il te le renverra mort comme celui-ci. Un chevalier du pays, de l'âge de dix-neuf ans, de grand hardiesse et vasselage, qui est, dit-on, le neveu du roi et qui a nom Tristan, a défié ton frère, l'a outré en combat singulier et nous l'a rendu tel que tu le vois pour notre deuil éternel. »

Quand la reine Iseut revint à soi, elle s'appela cent

fois lasse et chétive et née à la male heure, et par tous les saints d'Irlande maudit la Cornouaille et son roi et son neveu, que male goutte puisse prendre et les grands loups dévorer ! Sa fille essuya ses larmes et la prit doucement dans ses bras. C'était une pucelle de seize ans, aussi belle, sinon plus, que sa mère, et qui s'appelait Iseut comme elle. Entretant, les barons, qui devêtaient le Morhout et le paraient pour ses funérailles, aperçurent dans l'os au sommet de la tête un éclat de l'épée qui lui avait donné la mort : ils le tirèrent avec une tenaille et l'apportèrent à la reine qui le lava, le roula dans un paleteau de soie et le serra dans un coffret, en souvenir de cette terrible journée. Le corps du Morhout fut enveloppé dans une pièce de chainsil et mis au milieu de la salle, sur un châlit recouvert d'un drap de Syrie, à grand luminaire de cierges et de tortils. Le lendemain eut lieu une messe à haute note, puis à croix et à procession, on mena le Morhout au champ des morts.

## III

*La plaie de Tristan s'envenime. — Le voyage à l'aventure.*
*— Tantris le ménestrel à la cour d'Irlande. — La reine Iseut*
*et sa fille.*

Les physiciens qu'on avait mandés mirent toute
leur peine et leur diligence à soigner Tristan, si bien
qu'en peu de temps, par la vertu des baumes et des
onguents, il fut guéri de toutes ses blessures, coups
orbes et foulures, hormis de la plaie de la hanche : elle
était toute noire et enfumée, puante et malplaisante à
voir. Tristan en ressentait telle cuisson et tels aigus
élancements que tout le corps lui brûlait et le sang lui
bouillait, comme le fer chaud qu'on jette dans l'eau
froide ; il ne dormait nuit ni jour, buvant pour apaiser
sa fièvre ardente, mais mangeait peu et maigrissait tant
que c'était pitié. Sa plaie empestait l'air à ce point que
nul ne pouvait demeurer auprès de lui, sinon Gorvenal qui le servait avec amour. Tous les prudhommes
se désespéraient : « Ah ! Tristan, disaient-ils, vous
avez acheté chèrement la franchise de Cornouaille !
Ah ! doux Tristan, c'est grand dommage de vous et de

votre jeunesse ! Vous mourrez à douleur de ce dont nous avons joie et recouvrance. »

Un jour, Tristan était dans son lit, si pâle et défait que nul ne le vît qui n'en eût le cœur serré. Une dame était devant lui, qui pleurait. « Tristan, lui dit-elle, bel ami, je m'étonne que vous ne preniez pas conseil de vous-même. Vous pouvez mourir bientôt ou bientôt guérir. Si j'étais au point où vous en êtes, je tenterais d'aller dans une autre terre, puisque ici vous ne pouvez recouvrer la santé, pour savoir si Dieu ou aucun homme y trouverait remède. — Dame, dit Tristan, comment le ferais-je ? Je ne puis ni chevaucher ni souffrir d'être porté en litière. — Par ma foi, fit la dame, je ne sais plus que vous dire. Que Dieu vous conseille ! » Tristan demeura seul ; il se prit à penser, puis il se fit porter près de la fenêtre d'où l'on découvrait la mer, et il commença à regarder la mer et pensa un long temps. Et quand il eut pensé, il appela Gorvenal et lui dit : « Maître, je voudrais parler à mon oncle. »

Gorvenal alla chercher le roi Marc. « Beau neveu, que vous plaît-il ? dit le roi. — Sire, je vous requiers un don qui vous coûtera peu. — Certes, fait le roi, même s'il devait me coûter, je ne laisserais pour cela de vous l'octroyer, car il n'est rien que je ne fisse, si cela devait vous remettre en joie et santé. — Sire, dit Tristan, je languis et suis livré à dur martyre, depuis que je me suis battu avec le Morhout pour la franchise de Cornouaille. Je ne puis en votre terre ni tôt mourir, ni tôt revivre, et puisque ainsi est, je veux aller en autre pays, pour tenter de guérir, s'il plaît à Dieu. — Neveu, en autre terre comment iras-tu ? Tu ne peux aller à cheval ni à pied, et tu ne souffrirais pas qu'on te

mène en char ou en litière. — Oncle, je vous dirai ce
que j'ai pourpensé. Vous me donnerez une petite
nacelle bien faite, bien étoupée et chevillée, munie
d'une voile, où je puisse monter et d'où je puisse
avaler à volonté et sans l'aide d'autrui ; elle sera
couverte par-dessus d'une toile pour me garantir de la
chaleur et de la pluie. Vous la ferez garnir de biscuits
et autres viandes, avec un tonneau d'eau douce, dont
je pourrai me soutenir grande pièce de temps. Et l'on
dressera aussi dedans un lit, et l'on y mettra ma harpe
dont je me déduirai pendant le voyage. Quand la
nacelle sera appareillée de la manière que j'ai dit, on
m'y portera et on la lancera à la mer. Et quand je serai
à la mer, tout seul, sans compagnie, s'il plaît à Dieu
que je me noie, la mort me sera douce, car j'ai trop
langui jusqu'à ce jour, et si je viens à guérison, je
retournerai en Cornouaille. Je veux qu'il soit fait
ainsi, et je vous prie à mains jointes qu'on n'y mette
délai, car jamais je n'aurai joie en ma vie devant que je
sois avec ma harpe en haute mer. » Les pleurs vinrent
aux yeux du roi. « Comment ! beau neveu, tu veux
donc me laisser ? — Mon cher oncle, il ne peut en être
autrement. — Prends Gorvenal avec toi, il te sera d'un
grand confort. — Mon oncle, je ne veux compagnie,
sinon de Dieu. Mais si je meurs, je veux que Gorvenal
aille là-bas, en Loonois, et qu'il voie Rouaut le
Foitenant et qu'il lui dise comment je suis allé à ma
fin. Il aura ma terre après moi, car il est de bon lignage
et pourrait bien être duc ou prince.

Le roi accorda à Tristan ce qu'il demandait ; il fit
appareiller et garnir la nacelle, puis les demoiseaux
menèrent Tristan au rivage, avec le roi Marc, Dinas et
Gorvenal. Tristan trouva la nacelle telle qu'il l'avait

désirée, et il en rendit grâce à Notre Seigneur. Il embrassa le roi ; il embrassa Dinas de Lidan. « Bel ami, bon maître, dit-il à Gorvenal, descendez-moi dans cette barque ; l'heure est venue pour moi de m'en aller à l'aventure à travers la mer, pour aborder en tel lieu que Dieu ordonnera, où je trouverai guérison de mon mal. » Gorvenal prit dans ses bras Tristan et le coucha dans la barque. « Merci, bon maître, vous avez bien accompli ma volonté. J'espère revenir à Tintagel et vous revoir bientôt. Mais si je ne reviens pas, et si je meurs loin de mon pays, allez en Loonois et (que mon oncle le roi en soit garant !) soyez héritier de ma terre. Adieu Gorvenal, adieu mon oncle, adieu sénéchal, et vous, compagnons, adieu tous ! » Un valet poussa la nacelle ; le vent frappa dans la voile, et elle gagna peu à peu la haute mer. Et quand elle fut en haute mer, le vent qui était très fort commença à la chasser devant soi à grand erre, rapide comme une hirondelle.

Tristan demeura quatre jours et quatre nuits, balancé par les flots, mangeant peu et ne sommeillant guère. Au cinquième jour il avint qu'aux environs de prime, après avoir dormi de la lassitude et du travail qu'il avait soufferts, il s'éveilla, et il vit devant lui un rivage inconnu. Le vent ayant cessé de souffler, la barque ne vogua plus qu'à peine. Or, là était un grand port rempli de voiles et de mâts, et de pêcheurs, et de serfs qui déchargeaient des nefs pleines de marchandises. Les gens de ce pays aperçurent la barque sans gouvernail qui flottait sur l'onde et qui leur sembla vide. Ils envoyèrent deux hommes pour s'en saisir. Ceux-ci partirent, et à force de rames s'approchèrent de la nacelle. Ils furent ébahis, car ils ne voyaient

personne dedans, et toutefois ils entendaient les sons
d'une harpe, douce à merveille. L'un d'eux, ayant
bouté son bateau contre la nacelle, d'une main en
saisit le rebord et regarda dedans : il découvrit alors
Tristan, étendu sur son lit, une harpe entre les bras. Et
quand ils le virent, il leur sembla si mat et fade que
leur cœur fut ému. Ils le firent monter dans leur
bateau et lui demandèrent qui il était. « Amis, je vous
remercie ; je vous dirai comment je me nomme et d'où
je viens, mais tout d'abord je voudrais savoir où je
suis. — Étranger, tu es en Irlande ; cette ville que tu
vois est Weisefort. — En Irlande ! » Tristan poussa un
soupir. « Dites-moi, y a-t-il ici des maîtres de physique ? Je suis bien malade. — Certes, il en est d'assez
bons dans la contrée. — Écoutez, je vous dirai qui je
suis. Je naquis à Camalot, au royaume de Logres. Je
fus un ménestrel recherché et fêté dans mainte cour de
barons et de rois. Fabler, chanter, harper, vieller, voilà
quelle fut longtemps ma besogne et mon plaisir. J'y
gagnai vair et gris, de belles robes, des chevaux, et
assez d'esterlins, si bien que par le conseil du diable,
j'entends ma femme, laquelle est plus avide que louve
familleuse, je voulus gagner davantage et plus que je
ne devais posséder. L'avarice, le désir du gain me
perdit. Un riche marchand me pressa de faire bourse
commune avec lui ; nous chargeâmes une nef de toute
sorte de mercerie, de laines de Castille et d'Aragon, de
cuirs de Cordoue, d'épices précieuses et de vins de
Gascogne, et nous partîmes vers la Grande Bretagne ;
mais des larrons de mer nous assaillirent ; ils prirent
tout, tuèrent mon compagnon et tous les notonniers.
Moi-même je fus terriblement blessé. Je ne dus la vie
qu'à cette harpe qui leur enseigna mon véritable

métier. Avec beaucoup de peine, j'obtins congé de m'embarquer dans cette nacelle, avec un petit de biscuits et de vitaille pour entretenir et sustenter ma vie jusqu'aujourd'hui. Voilà des jours et des nuits que j'erre à l'aventure, au gré du vent. Dieu soit béni si j'aborde enfin dans un pays où je trouve un mire qui me guérisse ! — Ami, tu guériras et tu vivras largement de ton métier, car ici l'on sait honorer les chanteurs. Tu vois, ménestrel, cette ville peuplée, et ce port où il y a foison de nefs, et ce beau château là-bas, c'est là que demeurent le roi Gormond et la reine Iseut. — Merci, amis. Je suis venu ici à la bonne heure puisque je trouve des gens qui compatissent à ma misère. »

Un marinier s'offrit d'héberger Tristan, et il lui amena un physicien qui s'employa à le médeciner du mieux qu'il put. Tristan ressentit quelque soulagement, mais de peu de durée. Quand il se trouvait mieux, il sonnait de sa harpe, et il y avait foule de gens pour l'ouïr, tant bourgeois que menuaille, tant jeunes que barbés, et longs et courts, et valetons et bachelettes, car la nouvelle s'était répandue par la ville du jongleur blessé qu'on avait trouvé gisant dans une nacelle. Un clerc lettré vint le voir : il voulait éprouver sa science ; lui-même jouait de divers instruments et savait plusieurs langues étrangères. Il était le maître de la fille du roi qu'il endoctrinait de son mieux de toutes les choses que doivent savoir les demoiselles pour tenir leur rang dans le monde. Quand il vit la sage contenance et le sens avisé du valet, il eut pitié de son malheur, et il alla parler de lui à la reine Iseut. « Reine, dit-il, je gage que si vous voyiez cet homme, votre cœur serait touché, sans mentir. Il est bien né, je crois, bien emparlé et courtois. Certes il fut à bonne école ; il a étudié les sept arts ; il sait lire, écrire, rimer, harper, sonner gigue, rote et estive de Cornouaille. Peut-être pourriez-vous essayer sur lui vos onguents, car le mire qui se travailla de le médeciner jusqu'à ce jour a perdu tout espoir de le guérir. »

La reine octroya ce que le latinier demandait, et Tristan fut conduit au palais. Quand la reine vit la plaie et eut regardé le malade, elle reconnut le poison. « Malheureux ménestrel, ne sais-tu pas que tu péris du venin d'une arme empoisonnée ? — Je ne sais, franche reine, mais puisque aucun remède, emplâtre, jus d'herbe ou thériaque, n'a réussi à me sauver, je n'ai plus qu'à me recommander à Dieu et vivre le temps qu'il voudra. Toutefois, qui sera bon pour moi, le Glorieux du ciel le lui rende à cent doubles ! — Comment t'appelles-tu, ménestrel ? — Dame, j'ai nom Tantris. — Eh bien, Tantris, sache que ma main te guérira, car je suis mirgesse et sais de physique plus que nul triacleur. » La reine Iseut connaissait les herbes de vertu, les onguents, les électuaires, et elle savait aussi les engins, les brevets, les charmes et breuvages, autant que Saînes, Pis et Escots peuvent en savoir, car ils sont merveilleux maîtres en sorcerie et nigromance : cela lui venait de ses ancêtres. Elle commanda aux meschines qui la servaient d'apporter des baumes et des toiles de lin ; elle commença à ouvrir la plaie d'un canivet, à la faire saigner, puis elle la lava, et brûla les chairs mortes avec une pierre chaude. Elle appela sa fille pour l'aider dans cette besogne.

La jeune Iseut ressemblait à sa mère pour la

compassure du corps et la couleur dorée des cheveux ;
mais elle était pucelle en sa fleur. Elle avait le teint
frais comme matinet d'été, la lèvre un peu grossette et
ardente de belle couleur, les yeux bleus, reluisants à
merveille, large entre-œil, sourcils arqués et fins,
droites épaules d'où descendaient deux bras moulés et
deux longues mains blanches ; elle était droite avec un
long cou, et sous la gorge deux pommes de paradis, et
si grêle en la ceinture qu'on eût pu la pourprendre des
deux mains. La princesse tenait une aiguière d'argent ;
les meschines portaient les linges, les pots d'onguents
et les bassins, et toutes elles s'empressaient d'obéir au
commandement de la reine, nonobstant la très grande
pueur et pestilence de la plaie. Tristan dormit quelques heures.

Quand il s'éveilla, il trouva la reine auprès de lui.
« Comment vas-tu, ménestrel ? — Dame, il me semble que je renais ; comment pourrai-je jamais m'acquitter de ce que je vous devrai, si je guéris ? —
Tantris, s'il t'était possible, malgré ta faiblesse, vou-
drais-tu sonner un peu de ta harpe ? — Dame, ce sera
pour moi une vraie joie d'essayer de vous satisfaire,
selon mon petit sens et savoir. » La reine et sa fille
écoutèrent Tristan avec délices ; lors, il leur fut bien
avis que le latinier ne les avait pas trompées. « Tantris,
dit la reine, quand tu seras tout à fait guéri, tu
enseigneras ma fille, car nul clerc ne pourrait lui en
apprendre autant que tu en sais. — Dame honorée, il
n'est rien que je ne fisse pour vous contenter. »

Grâce à la sage reine, Tristan fut entièrement rétabli
en vingt jours. Alors la jeune Iseut lui fut confiée, et il
mit toute son entente à lui apprendre le bel art de
ménestrandie. Iseut était de simple contenance,

franche et modeste, sans nulle mauvaise tache, et sachant peu des artifices féminins. Elle lisait et écrivait comme une nonne, mais ne dédaignait pas pour autant de coudre et de filer. Elle avait été enseignée à parler peu et bien, et à regarder droit devant soi, sans tourner le visage çà et là comme belette, ainsi qu'ont accoutumé de faire les vilaines mal apprises. Adroite de ses belles mains, la voix claire comme alouette, elle apprit à sonner harpe et viole, elle sut chanter et composer son et pastourelle, rotruenge, ballette et estampie. En même temps, Tristan, par dits et mots dorés, l'instruisait aux bonnes mœurs, car c'est office de ménestrel autant que de prêcheur. Rien n'était plus doux à voir qu'Iseut la belle, quand elle accordait sa harpe et y faisait courir ses doigts. Elle ressemblait la sirène qui attire les nefs sur les rochers : elle remplit d'émoi bien des cœurs qui se croyaient défendus contre les embûches de l'amour. Pour un peu, le courtois Tristan se fût laissé prendre aux lacs périlleux de la beauté. Il était maintenant guéri de son mal. Il pensa qu'il ne devait pas demeurer davantage, que son oncle l'attendait, et qu'il convenait qu'il retournât en Cornouaille. Il craignait aussi que le roi ou la reine d'Irlande ne finissent par découvrir qui il était véritablement. Il se résolut de prendre congé des deux princesses. Un matin, il se présenta devant la reine, s'agenouilla à ses pieds et lui dit : « Reine, que Dieu vous récompense de l'aide que vous m'avez donnée, de vos soins et de vos bontés envers moi. Je n'oublierai jamais vos bienfaits, et jusqu'à mon dernier jour je vous porterai respect et amour, et serai toujours prêt à vous servir, comme je le dois. Mais, si vous m'en donnez congé, je rentrerai maintenant en mon pays où mes parents et mes amis m'attendent depuis si longtemps, à peu qu'ils ne désespèrent de me revoir. — Quoi ! Tantris, dit la reine, tu veux si tôt nous laisser ? Non, je ne le permettrai pas. Je désire que tu demeures encore parmi nous une année pleine. — Dame, je dois m'en aller ! Les miens doivent me croire mort. J'ai une femme, bonne reine, et si je demeure encore, je crains fort de la trouver remariée. — Ah ! tu es marié ? que ne le disais-tu ? S'il en est ainsi, je ne veux pas te retenir. Je te ferai délivrer un marc d'or pour m'acquitter envers toi de tes bons services. Tu trouveras assez de bateaux dans le port pour te ramener dans ta contrée. — Mille mercis, douce reine. Ce don embellira ma rentrée à la maison. Je vous dirai, reine, que j'ai épousé une vilaine qui me fait laide chère et grouce tant qu'à merveille quand je n'apporte pas d'argent. Elle aime mieux Dan Denier que les rimes, et moins les sons de harpe que les choux et la porée. — Tu l'aimes cependant, Tantris, puisque tu l'as choisie ! Elle doit bien avoir quelques mérites ? — Sait-on jamais, reine ? Je suis peut-être comme celui qui avait pour dame une laideron froncée comme singesse et ne laissait pas toutefois de l'appeler Rose Épanie et de défier quiconque ne la déclarait pas la plus belle. Tant l'amour rend insensé ! » La reine rit : « Va Tantris. Que Dieu vous protège, toi et ton épouse ! »

Tristan prit les besants que lui délivra le sénéchal, salua le roi, la reine et leur fille, et s'en alla vers la mer. Sa nacelle ne lui était plus de rien : il la vendit à un pêcheur. Puis il prit passage sur la nef d'un marchand qui retournait en France et le laissa en Cornouaille.

## IV

*Andret. — Le roi Marc requis de prendre femme. —
L'hirondelle et le cheveu d'or. — La quête de la Belle. — Le
grand serpent crêté.*

Quand la couronne lui était échue, le roi Marc avait
atteint depuis assez longtemps l'âge d'homme, et il
n'était pas marié. Depuis, on l'avait souvent exhorté à
prendre femme, mais chaque fois il avait écondui
rudement les conseillers. Il aimait mieux vivre en
franchise, comme pendant sa jeunesse joyeuse ; ce qui
ne l'empêchait pas de tenir bel hôtel, de dépenser
largement le sien, de savoir honorer et conjouir les
prudhommes par beaux mangers, fêtes et tournois ;
séjourner à la maison comme encendré dans l'âtre lui
plaisait moins que les déduits de bois et de rivière ; il
passait presque tous les jours de l'année entre ses
veneurs et se fauconniers, et ne prisait rien tant que le
glatissement des chiens, les cors sonnant la prise et le
forhu, les trefs tendus à l'orée de la forêt, et les
longues chevauchées. Il n'eût pas changé sa vie pour
tout l'or de Tudèle. Quand il eut retrouvé son neveu,
il songea moins que jamais au mariage, et se résolut

bonnement en son cœur de vieillir sans enfant et de laisser à Tristan sa terre en héritage. Ses barons devinèrent sa pensée ; ils furent très mécontents, et ils chargèrent l'un d'eux, le comte Andret, de lui faire des remontrances. Le comte Andret possédait de grands alleux, de beaux châteaux et mainte riche terre ; cousin du roi Marc, il était puissant et écouté. Il était roux et lentilleux, assez bel homme toutefois, vanteur, diseur de truffes et de ramponnes, et il passait en outre pour grand abuseur de fillettes. L'envie l'époinçonna de son trait envenimé, quand il vit Tristan si bien en cour, mais il fut assez adroit pour ne point le laisser paraître.

Un jour, le roi Marc l'avait retenu à sa table avec plusieurs autres barons. Les queux et les bouteillers avaient fini leur service et ôtaient les nappes, quand le roi se prit à remembrer Tristan parti à l'aventure, et il devint tout dolent et pensif. « Ha ! soupirait-il, qu'est devenu mon neveu ? Qu'il me pèse de n'avoir point de ses nouvelles ! A-t-il abordé en quelque terre et trouvé un médecin à son gré ? Quand reviendra-t-il à Tintagel ? La pensée qu'il n'est peut-être plus en vie me brise le courage et me tue, car c'est mon héritier, seigneurs barons ! — Votre héritier ? s'écria Andret. Comment cela ? Vous n'avez pas, que nous sachions, renoncé à vous marier ! Il est assez par le monde de filles de rois, jeunes et belles, qui seraient honorées d'avoir compagnie avec vous, et vous n'êtes pas si ancien que vous ne puissiez prétendre à mettre l'anneau au doigt de l'une d'elles ! Et quand nous aurons une reine, serez-vous tellement maudit de Dieu que votre femme demeure brehaigne, ou si dépourvu de puissance naturelle que vous n'ayez

espérance d'engendrer un fils qui plus tard régnera sur
la Cornouaille ? Pensez, sire, comme ce royaume
serait malbailli et nous tous perdus si vous mouriez
sans hoir ! — J'entends bien, répondit le roi, que je dois
assurer à ma terre permanence et durée, comme il sied
que je la gouverne sagement et la défende contre
toutes nouveautés, divisions, périls de guerre et
autres ; je connais mon devoir de roi. Et certes,
j'écouterais volontiers vos exhortations et serais tout
prêt d'y faire droit, si Dieu ne m'avait donné plus
qu'un fils en la personne de Tristan, mon neveu. C'est
lui qui après moi tiendra ma terre, seigneurs barons. Il
sera le meilleur roi qui soit et jamais sera par le
monde. J'espère que nous le reverrons bientôt sain et
bien portant. Si, par malheur, mon espoir était déçu,
je m'aviserais de ce qu'il conviendrait de faire. » Le
comte Andret fut mat et déconfit. Les barons baissè-
rent la tête. Lui-même garda le silence et cela de son
mieux sa déconvenue.

Sur ces entrefaites, Tristan débarqua au port. Ce fut
une grande joie pour le roi Marc, mais un douloureux
ébahissement pour les envieux qui tramaient sa perte.
Il conta les merveilles de son voyage, comment il avait
abordé à Weisefort, comment il avait gabé les mariniers, comment, par l'entremise du latinier de la reine,
il avait été accueilli à grand honneur au château,
hébergé et guéri, et tenu pour un grand clerc. Ceux
qui espéraient ne plus revoir Tristan furent courrou-
cés plus qu'on ne saurait dire, quand ils virent l'amour
que le roi lui montrait après le récit de ses prouesses.
« Vous avez entendu ses vanteries, disaient les uns,
qu'en pensez-vous ? — Certes, disait un autre, il va

nous garder rancune de l'avoir abandonné lorsqu'il était méhaigné, quand l'un de nous aurait dû prendre sa place pour combattre le Morhout. — Comment, disait un troisième, a-t-il pu décevoir pareillement la reine d'Irlande dont il tua le frère ? Elle eût dû plutôt le faire pendre que de le guérir de sa main. » Et ils pensaient qu'il y avait quelque diablerie dans son fait, qu'il avait enfantômé la reine Iseut, et qu'il ne devait la santé qu'à ses engins et maléfices.

Tristan sut bientôt ce qui les tenait vraiment en souci. Comme il ne voulait pas qu'il fût dit qu'il était pour quelque chose dans l'arrangement que son oncle s'était mis en tête de conclure, il prit le parti de lui parler à cœur ouvert : « Oncle, les barons ont raison de vous conseiller le mariage. Un roi n'est rendu, prêtre ni chanoine ; il lui convient d'avoir auprès de lui une reine pour rehausser sa cour et un fils qui puisse lui succéder dans le gouvernement de sa terre. — Beau neveu, tais-toi, laisse-moi faire ma volonté. Je ne veux pas écouter les requêtes de la haine et de l'envie. — Non certainement, mais il serait bon que vos hommes qui vous doivent conseil et service dissent franchement leur manière de voir et approuvassent ensuite ce que vous aurez résolu de votre plein gré. Ces riches hommes, pour la plupart, sont soigneux de votre renommée, et il ne messied pas de les traiter avec quelque égard, ne fût-ce qu'afin de décourager les entreprises d'aucuns malveillants qui pourchassent leur propre bien sous feinte couverture. Croyez-m'en : assemblez votre cour et prenez l'avis de chacun. » Tristan ne voulait pas se faire d'ennemis parmi les privés du roi. Il fit tant que le roi fut vaincu et manda les barons : « Seigneurs, leur dit-il, vous et moi, nous ne désirons que le bien du royaume. Il est sans doute plusieurs manières d'y pourvoir, et il n'est pas défendu d'être d'un avis différent du mien. Plusieurs d'entre vous semblent regretter que je vieillisse seul, contre l'usage des princes qui ont coutume de besogner à maintenir et perpétuer leur lignage. Certes, j'ai mon idée là-dessus ; mais je me rendrai à vos raisons, si je les trouve bonnes. » Tous conseillèrent au roi de prendre femme au plus tôt. « Soit, dit le roi, mais donnez-moi le temps de voir, ou cherchez vous-mêmes une fille de bon lieu à qui je puisse m'unir sans déchoir et par qui ce royaume gagne en los et en prix. Si vous le voulez bien, enquérez-vous et revenez ici dans quinze jours, et je conclurai selon les nouvelles que vous m'aurez apportées. » Les barons approuvèrent les paroles du roi et se retirèrent.

Au terme marqué, chacun fut au plaid. « Quelles nouvelles ? dit le roi. — Sire, notre avis n'a pas changé, dit Andret. Nous sommes pour le mariage. Nous n'avons pu encore pourparler, mais nous nous sommes enquis de la fille du roi de Northomberlande, d'une nièce du roi Artur qu'on dit fort belle ; il y a aussi la fille au duc de Bretagne : toutefois il nous semble que c'est un petit parti pour vous. » A ce moment deux hirondelles qui étrivaient devant la fenêtre ouverte entrèrent dans la salle, mais bientôt effarouchées par le bruit, elles retournèrent d'où elles étaient venues, non sans que l'une d'elles eût laissé choir sur l'épaule du roi Marc un long cheveu de femme qu'elle tenait dans son bec. « Ah ! Dieu, voilà qui est plaisant ! dit le roi. — Je crois plutôt, dit Tristan, que c'est un miracle de Dieu ; vîtes-vous jamais, seigneurs, fil d'or si reluisant au soleil ? — Je gage, dit le roi Marc, que ce cheveu appartient à la plus belle et la plus accomplie en toutes vertus. Seigneurs, tâchez qu'on me l'amène : c'est cette femme, et nulle autre, que je veux épouser. »

Les barons se regardèrent ébahis. Ils pensèrent que c'était là encore une trouvaille de Tristan pour se jouer d'eux. « Je vous disais bien qu'il était enchanteur. Il a déçu son oncle et nous-mêmes par cette feinte qui est son œuvre, et le roi s'est laissé affiner, et il nous affine à notre tour, car il sait bien qu'il ne perdra guère, si le roi promet d'épouser la belle aux cheveux d'or, puisqu'on ne la trouvera jamais, tant cherchât-on bien par les marches et les royaumes. — Seigneurs, dit Tristan, le roi a parlé. Il ne convient pas de tenir l'entreprise comme vaine avant de l'avoir essayée. Si mon oncle y consent, je tenterai la quête. — Qu'en dites-vous, seigneurs ? » dit le roi aux barons. Ceux-ci ne pouvaient pas moins faire que d'approuver le roi, puisqu'ils n'avaient rien autre à lui proposer. « Tristan, dit le roi, prends à mon hôtel et dans ma cour telle compagnie que tu voudras et mets-toi à la voie ; tu disposeras du mien, des armes, des chevaux, et toutes les autres choses à ton besoin ; je te baillerai une nef si tu veux passer la mer, et je te ferai délivrer tout l'or qui te sera nécessaire. Va, embarque-toi, cingle à ton gré, parcours les royaumes, et me ramène céans la belle aux cheveux d'or. — Laissez-moi faire, bel oncle ; il me suffira d'une nef avec les mariniers et vingt chevaliers, quelques sergents et garçons, et d'or assez pour acheter les denrées que je veux emporter avec moi. »

Il mande aussitôt vingt jeunes chevaliers de la cour,

fait emmaller et trousser ses bagues et son harnais, avec foison de denrées et de merceries, comme s'il allait en marchandise. La nef est prête ; on y met d'une part l'avoir des faux marchands, et d'autre part tout le harnais des chevaliers, les beaux surcots, les chainses de soie et les housses brodées. « Et maintenant, dit Tristan au maître timonier, cingle vers Weisefort ! » Ils eurent pour eux le vent et la marée. On lève l'ancre au guindeau. Les notonniers rident les haubans, tirent sur les ralingues, pèsent sur les gardinges, et la nef cingle vers la haute mer.

Quand les compagnons de Tristan surent qu'ils les menait en Irlande, ils furent saisis d'une grande frayeur. Après l'aventure de l'île Saint-Samson et le meurtre du Morhout, comment seraient-ils accueillis par ce peuple sauvage qui, disait-on, se lavait le visage avec le sang de ses ennemis ? Tristan les rassura : « Amis, j'ai tout préparé ; nous monterons dans la ville, comme déconnus : nous porterons houssette de bureau, panier et bâton comme marchands en foire, et, croyez-moi, l'affaire tournera de telle sorte que nous aurons bonne paix avec nos ennemis. » La nef entra dans le port. Tristan envoya aussitôt Gorvenal et un valet à la ville afin de demander un sauf-conduit pour qu'ils barguignasent à leur aise. Gorvenal alla donc au prévôt de la ville et lui dit : « Sire, nous sommes vingt marchands de Flandre qui venons d'arriver à Weisefort. Nous avons chargé notre nef en Bretagne. Une tempête nous a détournés de notre voie. On nous a dit que nos denrées se vendraient bien ici. Donnez-nous donc congé, s'il vous plaît, de marchander en cette ville, sinon nous reprendrons la mer et irons en autre pays. » Le prévôt leur octroya de vendre à la cohue, par tel convenant qu'ils payassent une maille esterline. Gorveval retourna à la nef. Dès qu'on eut cargué les voiles et jeté l'ancre, les compagnons s'étaient mis à boire et à manger, puis à jouer aux échecs et aux tables, comme il sied à chevaliers bien enseignés. Ils furent contents de la nouvelle.

Le lendemain matin, dès le petit jour, chacun s'atourna à guise de mercerot, vêtit houssette de bure, chaussa gros estivaux, et mit sur ses épaules qui une chape dépannée, qui une gonelle refaite de pièces et de morceaux. Il les fit bon voir descendre à terre en cet accoutrement, le panier ou le sac à la main, un bourdon ferré pendu au bras. Le premier portait chaudrons, casses, poêles et bassins ; le second pots, tupins, buires, chanes et autres aisements ; au troisième étaient échus les couteaux et les canivets ; le quatrième avait garnison de fil et d'aiguilles ; le cinquième tenait pliées sur son bras des pièces de cordé et de gros camelin ; le sixième avait les draps de prix, brunettes, écarlates, cendaux et baudequins ; le septième les orfrois, les fils d'or et les beaux galons pour les demoiselles ; le huitième mainte peau de vair, de gris et de martre zibeline ; au neuvième appartenaient les épices telles que cannelle, réglise, girofle, anis, gingembre et noix muguette ; au dixième le citoual de Tulède, la noix d'Arabie, l'aloès, l'huile rosat, l'éllébore et le diamargariton ; le onzième portait maintes belles pierres comme carboncles, sardoines, béryls, émeraudes et topazes ; le douzième peignes, colliers et maintes patenôtres de corne, corail, coquille et ivoire ; le treizième toute manière de teinture comme graine, gaude, guède et garance ; le

quatorzième venait après, avec un âne portant maints
instruments de musique tels que gigues, bedons,
flûtes, fréteaux et chevrettes ; le quinzième menait un
autre âne, chargé de freins, de selles, de panneaux et
autres pièces de lormerie ; le seizième et le dix-
septième menaient en laisse veautres, lévriers et
brachets ; le dix-huitième avant dans son panier
plusieurs petits gous et autres chiénets de dames ; le
dix-neuvième et le vingtième portaient sur le poing
éperviers de Norvège et faucons de Sardaigne ; Tristan les accompagnait, avec tout un chargement de jets,
de sonnettes et de chaperons de cuir.

Quand ils furent sur la place, ils s'émerveillèrent
fort de ce qu'ils virent. Des hommes et des femmes
couraient par les rues en criant, et fuyaient, l'un
boutant l'autre, comme s'ils avaient le feu à leurs
braies : « Qu'y a-t-il ? demande Tristan à un bourgeois. — Ah ! dan marchand, on voit bien que vous
n'êtes pas d'ici ! Vous ne connaissez pas le grand
serpent du Val d'Enfer. Il vient chaque semaine à
l'étape, quand toute la tourbe est assemblée, et il est
bien rare qu'il n'en tue ou n'en dévore un pour deux.
Onc vous ne vîtes bête plus félonne et épouvantable ;
il a bien dix aunes de long, l'œil rouge et flambant, le
dos écailleux d'un cocodrille et la queue entortillée ; il
est crêté comme basilic et pattu comme lézarde, et
mieux griffu que chimère. Certains disent qu'il tient
ses ailes repliées le jour, et vole la nuit avec une longue
traînée de feu. Le fait est qu'il jette flamme et fumée
par la gueule et brûle tout sur son passage. Il fait
grand tort à cette ville qui est maintenant toute
dégâtée et ruinée par faute de péages, tonlieux et
autres droits que payaient ceux qui venaient en

marchandise. Aussi le roi d'Irlande a-t-il fait publier un ban par toute sa terre, promettant une grande somme d'or à celui qui détruirait le dragon ; il lui donnera encore volontiers sa fille, pourvu qu'il soit extrait de bon lignage. Plusieurs ont tenté l'aventure, mais nul ne fut si adroit et si preux qu'il osât approcher le serpent, ou pût l'atteindre et le mettre à mort. — L'a-t-on vu aujourd'hui ? demanda Tristan. — Non pas encore, dan marchand. Ces gens ont été pris de peur sans raison ; le dragon ne se montre guère qu'à tierce sonnée, quand tous les vilains et bourgeois de ce lieu sont venus au marché. — Et sait-on où il se tient à l'accoutumée ? — Il repaire à deux lieues d'ici, dans la grande forêt, au lieu dit le Val d'Enfer où se trouve une caverne, non loin de crouliers et de marais. » Le bourgeois s'éloigna. Et Tristan dit à ses compagnons : « Ne veuillez mouvoir d'ici de la matinée, et quand vous serez retournés au port après midi, demeurez tant que je revienne ou que je vous fasse mander. »

Il se hâta de regagner la nef. Il y demeure peu et en sort armé de son écu et de sa lance, l'épée ceinte et le heaume en tête. Il avait fait mettre à terre son destrier. Il ne fut pas lent à monter, piqua, passa au galop sous les murs de la ville et atteignit la plaine d'amont ; il traversa la gâte bruyère et fut bientôt dans la forêt. Se sentant à l'abri des regards, il va doucement l'amble et le petit pas, à travers la gaudine verte, et prend plaisir à ouïr le chant des oiseaux ; il y en avait à plenté par les buissonnets et dans l'épaisseur des grands arbres ; rossignols, merles, mauvis, geais, lardanches, loriots et pinsons ; au loin se répondaient la tourtre et le coucou. Et Tristan allait, s'ébanoyant à contrefaire le pépiement des oiselets, la mélodie et le fleuretis du rossignol, le tirelis de l'alouette et le roucoulement des colombes. Sa pensée était bien loin du dragon ; il avait même oublié pourquoi il chevauchait dans la forêt ; il songeait à ce jour où il vit pour la première fois, penchées sur son lit, la reine d'Irlande et sa fille. Il songeait, quand, au détour d'un essart, il aperçut un chevalier qui venait contre lui à bride abattue. Celui-ci parut surpris en voyant qu'il n'était pas seul ; il tira sur sa rêne et ralentit un peu son allure. « Place ! » criait-il d'une voix rauque et cassée par l'épouvante. Tristan le saisit par ses longues tresses rousses. « Où courez-vous si tôt, sire chevalier ? — Sire bricon, ne voyez-vous pas là-bas, le grand serpent crêté ? Si vous voulez être ars, détruit ou dévoré, à votre aise ! Dieu vous donne bonne aventure ! » Ce disant, il brocha de l'éperon et s'enfuit les grands galops.

Tristan entra dans le bois plénier ; les arbres étaient vieux comme s'ils fussent plantés dès le temps de Salomon, si hauts qu'on en devinait à peine la cime et si fourrés qu'ils faisaient la nuit autour d'eux. Tristan vit luire dans l'ombre deux yeux rouges comme braises ; il s'apprêta à la bataille. Mais déjà le dragon s'embattait sur son cheval, en ruant par la gueule flammes et fumée. Tristan fut aveuglé ; il sentit la chaleur de l'haleine brûlante et les griffes du monstre sur son écu. Presque aussitôt le destrier tomba mort sur l'herbe. Mais Tristan a guerpi à temps l'étrier. Il se gare derrière son cheval, plonge sa lame par la gueule ouverte du dragon, jusqu'au ventre, et lui perce le cœur. Le dragon jette un dernier cri avec une horrible fumée. Quand il vit le monstre sans vie, Tristan se hâta de lui couper la langue et la mit dans sa chausse. Mais ses forces l'ont trahi ; le soufflement empesté du dragon l'a étouffé plus qu'à demi ; il fait quelques pas et trébuche pâmé sur le bord d'un marais.

## V

*Anguin le tricheur. — La brèche de l'épée. — La reine
d'Irlande devant le meurtrier de son frère. — Le sénéchal
convaincu de fraude. — La demande en mariage.*

Le roi Gormond avait un sénéchal qui s'était épris
d'amour pour la grande beauté et le doux maintien de
la demoiselle Iseut. Il eût bien voulu entrer dans ses
bonnes grâces et en faire son amie et épouse. Depuis
que le roi avait publié son ban, il convoitait la
récompense promise. Plusieurs fois il s'était armé
pour aller combattre le dragon, mais chaque fois par
sa couardise il avait rebroussé chemin. Ce sénéchal se
nommait Anguin le Rouge, et c'était lui que Tristan
avait pris par les tresses dans la forêt. Quand il fut aux
portes de la ville, Anguin le Rouge s'avisa que le jeune
chevalier qui l'avait arraisonné pouvait peut-être
mieux que lui mener l'entreprise à bonne fin. Il revint
donc sur ses pas : il trouva le cheval crevé, le serpent
occis, et Tristan au bord de la mare, privé de
sentiment. Il le crut mort, et se dit qu'ainsi il pourrait
réclamer pour lui-même l'honneur d'avoir tué le

dragon. Il trancha le chef au monstre, le pendit à l'arçon de sa selle, et en grande hâte retourna à Weisefort. Il se présenta au palais. « Roi, dit-il, j'ai occis le grand serpent de pute aire qui gâtait tout le pays. Voici sa tête. Or je te requiers maintenant de me donner le loyer promis, ainsi qu'il fut convenu, selon le ban que tu as fait faire. »

Le roi regarde, émerveillé, la tête du dragon, mais il est plus émerveillé encore que le sénéchal, qui n'avait guère bruit de hardiesse, ait pu entreprendre si périlleuse besogne. Il dit à Anguin le Rouge : « C'est bien, sénéchal ; je parlerai à Iseut, pour savoir ce qu'elle en pense. » Là-dessus, il va dans les chambres des femmes, trouve la reine et sa fille. « Le sénéchal, dit-il, m'a apporté la tête du grand serpent ; il convient désormais que je tienne la promesse que j'ai faite. » Toutes deux se récrièrent en grand courroux. « Ne plaise à Dieu, dit la pucelle, que je gise avec ce félon au poil roux ! Mieux me vaudrait être morte ! — Sire, dit la reine, vous irez au sénéchal et lui ferez entendre que cette affaire requiert le conseil de vos barons ; qu'il convient d'abord que la vérité du fait soit établie, bref que nous lui répondrons dans huit jours. » Le roi revint alors au sénéchal et lui dit ce que la reine et lui-même avaient résolu. « Je suis à votre commandement », répondit le sénéchal. Cependant la reine était pensive. « Je m'étonne fort, dit-elle à sa fille, que ce mauvais couard d'Anguin ait fait telle prouesse. Allons sans retard nous enquérir du fait. »

La reine et Iseut, accompagnées de Brangaine et de Périnis, s'en allèrent par la gâte bruyère et dans la forêt. Brangaine était la meschine la mieux aimée d'Iseut ; elle avait baillie sur toutes les pucelles qui servaient la fille du roi d'Irlande ; Périnis était son chambellan, franc valet courtois et bien appris. Ils ont tant cherché et reverché qu'ils ont trouvé le dragon mort sur l'herbe avec le chef coupé. A une portée d'arbalète, ils voient le destrier détruit, et non loin l'écu tout dérompu et enfumé. « Le sénéchal nous a truffé et menti, fait la reine ; regardez les sabots du cheval ; jamais on n'a ferré en Irlande de telle manière ; et la selle et le frein ne sont non plus à la guise du pays. — Mère, dit Iseut, voyez : un sanglier est peint sur l'écu ; je n'ai jamais ouï dire qu'Anguin le Rouge eût telle enseigne. — C'est vrai ; on saura bientôt le tripot du traître. »

Tout en cheminant, elles vinrent près du marais et découvrirent Tristan profondément endormi. « Voici le chevalier qui a tué le dragon », dit Iseut. Elles se penchèrent sur lui ; il ouvrit les yeux : « Ah ! comme j'ai dormi ! dit-il. J'ai cru que je ne me réveillerais plus. » Il reconnut Iseut et sa mère. « Dames, Dieu vous sauve, qui fit ciel et rosée ! — Ami, c'est toi qui as détruit le dragon ? — Oui, dame ; mais il m'est avis que la fumée et le venin qu'il vomissait m'ont mis en assez mauvais point. » En entendant cette voix, les deux femmes se regardèrent ébahies, et dirent ensemble : « Dieu ! c'est Tantris ! — Dis, ami, fait la reine, n'es-tu pas Tantris ou quelqu'un de sa parenté ? — Oui, franche reine, je ne le puis celer : je suis Tantris. Je suis venu à Weisefort avec les marchands flamands qui sont sur la place au Change. J'ai entendu qu'un dragon dégâtait le pays et que le roi avait promis cent marcs d'esterlins à qui le tuerait ; je voulus essayer ma chance. Je m'armai à guise de chevalier, et je vins dans la forêt. Certes, j'ai perdu mon écu et mon cheval, et je suis en danger d'être malade, mais j'espère bien avoir la récompense. » Ce disant, il tira de sa chausse la langue du dragon. « Tu es fou, dit la reine, tu n'as pas craint de renouveler ton ancien mal en mettant sur ta peau cette langue envenimée ! Il convient de prendre la thériaque sans délai, car le poison va te travailler dans les veines. Sus ! nous allons te mener au château ! » Elle commande aussitôt à Périnis de prendre Tristan en croupe. Elles-mêmes montent leurs palefrois et retournent avec Brangaine.

A peine descendu au perron, Tristan se pâma de nouveau. La reine fit apporter du vin ardent et de la thériaque. On ôta à Tristan son haubert, sa ventaille et ses chausses de fer. Il avait une grosse enflure à la jambe. On le mit au lit, et la reine commanda de lui apprêter un bain ; ce qui fut fait sur-le-champ.

Tandis que Tristan était dans sa cuve pleine d'eau chaude, la reine Iseut, ayant tiré l'épée du fourreau pour l'essuyer, remarqua la brèche. Elle trouva la chose étrange ; un soupçon traversa son esprit, et pour savoir si elle s'était abusée, elle ouvrit le coffret où elle avait enfermé le débris d'acier arraché à la tête du Morhout. Elle le rapprocha de l'entaille : il s'y ajustait à point. A cette vue, tout son sang lui frémit. « Ha ! Dieu ! s'écrie-t-elle, celui-ci est Tristan qui occit mon frère dans l'île Saint-Samson ! Il s'est bien celé envers nous, sous le faux nom de Tantris ! » Elle s'élance sur Tristan, le brant levé : « Tristan, neveu du roi Marc, lui dit-elle, il n'est plus besoin de vous cacher. Vous êtes mort ! Vous avez tué mon frère de cette épée ; de cette épée vous mourrez ! » Tristan ne bougeait et ne faisait semblant de peur. Aux cris de la reine un écuyer était accouru ; il arrête son bras.

« Ha ! dame, pour Dieu merci, ne détruisez pas le meilleur chevalier du monde de telle manière ! Il n'appartient pas à vous, qui êtes reine, de prendre cette vengeance, mais au roi qui fera justice. » La reine crie de plus belle ; elle veut sur-le-champ venger le meurtre de son frère. Et la noise et le hutin sont si grands que tout le palais s'en étonne, et que le roi accourt. « Sire, dit la reine, voici le déloyal meurtrier qui tant nous a trompés et engignés après avoir occis le Morhout à Tintagel. Vous le mettrez incontinent à mort, ou je le tuerai de ma main. Voici l'épée dont il rompit la tête de votre beau-frère, comme il appert à la brèche que vous voyez. De cette même épée je veux qu'il meure ! — Il me semblait reconnaître votre ménestrel Tantris, dit le roi. — C'est lui-même, sire. Il est venu ici la première fois, sous le nom de Tantris, mais, de vérité, il se nomme Tristan, et il est le neveu du roi Marc. » Le roi était sage et bien apensé ; il dit : « Dame, laissez-moi le soin de cette justice ; je ferai de sorte que je n'aurai aucun sujet d'être blâmé. — Sire, grand merci. — Donnez-moi cette épée. » Elle lui tend l'épée, et il s'en va.

Le roi vint alors à Tristan et lui dit : « Êtes-vous Tristan qui occit le Morhout ? — Oui, sire ; je vous l'ai caché jusqu'ici, car il convenait que je le fisse. J'ai tué le Morhout ; je n'avais d'autre ressource, car il m'eût tué s'il avait pu. — Vous périrez. — Certes, ma vie est entre vos mains ; vous pouvez faire de moi ce que bon vous semblera. — Vêtez-vous, et venez en la salle. » Le roi s'assit dans son fauteuil. Tristan parut devant lui. Le roi lui dit : « Tristan, vous m'avez fait tort et couvert de honte, quand vous occîtes le Morhout. Je devrais vous juger à mort, mais ce serait dommage sans remède. Je ne le ferai pas pour deux raisons : la première pour la bonne chevalerie qui est en vous, l'autre parce que vous avez été mon hôte. Si après vous avoir guéri, je vous détruisais, ce serait trop grande félonie. Mais vous devrez vider de ma terre, dans trois jours ; que vous n'y soyez trouvé dorenavant, car vous le paieriez de votre tête. »

Tristan retourna dans les chambres des femmes où il avait été hébergé. La reine lui fit chère cruelle. Tristan chercha à désarmer sa colère. « Écoutez, lui dit-il, franche reine honorée, si vous m'aviez tué, votre fille Iseut eût épousé le sénéchal couard, car c'est bien Anguin le Rouge que j'ai rencontré fuyant dans la forêt ; je l'ai pris par les tresses pour lui demander mon chemin. Je vous dirai, reine, pourquoi il convient que vous ayez pitié de moi. Si j'ai fait de nouveau le voyage d'Irlande, c'est pour vous rendre honneur et hommage. Depuis mon retour en Cornouaille, j'étais en butte à la haine et à l'envie. Les barons pensaient que le roi Marc voulait vieillir sans femme ni enfants et me laisser sa terre après lui. Il dut leur assurer qu'il se marierait volontiers, pourvu qu'il trouvât fille qui fût à son gré, et de bon lignage. Or un jour, quand tous étaient assemblés, une hirondelle entra dans la salle et laissa choir de son bec un cheveu doré, le plus beau qui ait jamais orné front de femme ou de pucelle. Le roi s'émerveilla du présage et dit qu'il consentirait à prendre femme si l'on pouvait lui amener celle à qui appartenait ce cheveu. C'est alors que j'entrepris pour mon oncle la quête de la belle aux cheveux d'or. — Et vous l'avez trouvée ? — Oui, reine, en la personne d'Iseut votre fille. Le roi Gormond le saura bientôt. Sans doute ne refusera-t-il pas ce mariage par lequel ceux d'Irlande et de Cornouaille seront à jamais amis et alliés et bienveillants les uns aux autres. — S'il en est ainsi, Tristan, je ferai la paix avec vous. Mais, tout d'abord, il nous faut prouver la forfaiture du sénéchal. Demeurez ici tapi, Tristan, et laissez-moi faire. »

Le lendemain, la reine dit au roi : « Sire, j'ai trouvé le vrai tueur du monstre ; il est prêt à confondre le tricheur qui vous a menti. — Je m'ébahissais fort qu'Anguin eût pu accomplir l'exploit dont il s'est vanté, dit le roi. Mais quel est ce preux ? — Je vous le dirai, sire. Mais auparavant je vous requiers un don. — Parlez, je vous l'accorde. — C'est de pardonner à ce vaillant chevalier ses torts et ses méfaits. — Je l'ai promis. — Eh bien ! roi, cet homme est celui que vous avez vu hier : le même Tristan qui tua le Morhout. — Ah ! fait le roi, je ne m'attendais guère à cette merveille. Je ne sais plus que dire. Tristan ne mourra pas, mais je l'ai chassé du royaume. — Attendez, sire : dans trois jours, vous devez assembler vos barons et répondre au sénéchal, et Tristan seul peut révéler son mensonge et sa félonie. »

Tristan, sans plus tarder, envoya un message à Gorvenal pour lui conter ce qui lui était avenu. Depuis qu'il avait détalé en grand mystère, les compagnons étaient en émoi. Ils avaient cherché toute la contrée, fouillé menu le port et les environs, et ils ne savaient que penser. Le message de Tristan les rassura. Il leur mandait de se rendre au palais du roi, le surlendemain, vêtus de leurs plus beaux atours.

Au terme assigné, tous les barons furent présents, et grand fut l'étonnement de voir entrer dans la salle, accoutrés magnifiquement, vingt chevaliers inconnus.

« Sire, dit Tristan, ces chevaliers sont mes compagnons ; ils seront garants pour ce que j'aurai à vous dire tout à l'heure, et ils s'offrent comme otages au cas où la preuve judiciaire serait requise. » Les vingt s'avancent et s'inclinent profondément devant le roi. L'un d'eux parle au nom de tous. « Que Dieu qui fit le ciel, la terre et la mer salée, sauve et garde le vaillant roi d'Irlande et la plus belle reine qui soit par le monde ! — Merci, seigneurs, asseyez-vous », dit le roi. Lors ils vont s'asseoir sur les formes et sur les bancs auprès des chevaliers d'Irlande. « Seigneurs, dit le roi, vous savez pourquoi je vous ai mandés. Il s'agit de prouver qui nous a délivrés du dragon. D'une part, mon sénéchal, ici présent, prétend que l'honneur lui en revient, et il m'en apporta la tête ; d'autre part, ce chevalier étranger affirme l'avoir tué, et il dit qu'il en a gardé la langue. Sénéchal, qu'avez-vous à dire ? — Sire roi, dit le sénéchal, j'ai tué le dragon, et à preuve, je vous en ai présenté la tête ; suivant la convention faite par vous et publiée, je vous requiers maintenant de m'octroyer votre fille en mariage. Si quelqu'un conteste mon droit, je suis prêt à le défendre en bataille, selon que votre barnage en aura jugé. » Alors, Tristan se lève : « Seigneurs, cet homme a menti. Je l'ai rencontré qui fuyait dans la forêt. C'est moi seul qui ai détruit de mon épée le grand serpent crêté ; j'en fus envenimé, dont je chus et demeurai grande pièce en langueur ; j'ai perdu dans l'aventure mon écu et mon cheval. Voici la langue que j'ai tranchée : il est aisé de s'assurer si elle appartient bien à la tête. »

On apporta le chef du dragon. Chacun s'approche et regarde dans la gueule et voit que la langue en a été ôtée. « Seigneurs, vous avez vu, dit le roi ; l'affaire est jugée. Le sénéchal est prouvé de guile et de barat. Qu'il guerpisse incontinent ma terre, à peine de la hart ! » Anguin le tricheur s'en va, tête baissée, au milieu des rires et des huées, et ses amis eux-mêmes n'osent le défendre.

« Sire roi, dit Tristan, si j'ai sauvé l'Irlande du dragon, ce n'est pas que j'eusse désir ni volonté de gagner or ni argent, ni de conquérir pour moi quelque autre avantage. L'occasion seule a armé mon bras. Sire, je suis venu en messager du puissant roi Marc de Cornouaille qui voudrait mettre fin aux différends, tensions et toutes œuvres de discorde qui ont mêlé trop longtemps les gens de là-bas avec ceux d'Irlande. Il vous offre bonne paix, et par mon entremise il vous demande votre fille en mariage. — Barons, vous avez entendu, dit le roi. Que me conseillez-vous ? » Et tous de s'écrier : « Que le roi Marc épouse Iseut. Et que la paix règne entre nos deux royaumes ! » Iseut entend son père ; elle est émue et pensive ; mais elle s'avance, douce et simple de manières, et le roi lui prend la main et la livre à Tristan : « Chevalier, fait-il, vous pourrez l'emmener quand vous voudrez, car je vous sais loyal et preux, et que vous ne ferez chose qui tourne à vilenie. » Ainsi Tristan reçut la demoiselle pour son oncle, le roi Marc.

Cela n'alla pas sans riches présents de part et d'autre, car l'avisé Tristan prit les plus belles étoffes et les plus belles martres et hermines qu'il avait apportées sur sa nef, et les joyaux et les pierres et autres menues drueries et les distribua aux dames et demoiselles de la cour ; et il donna au roi Gormond ses plus beaux brachets, ses faucons et ses éperviers. Le roi le remercia en lui faisant don d'une harpe magnifique, à trente cordes, de fût et de métal précieux, toute peinte et ciselée à lionceaux, oursons et bêtes marines.

Lors il y a grande liesse au palais. Les Irois sont contents, et il leur semble que l'injure faite à eux par le meurtre du Morhout est effacée, et qu'ils vont jouir enfin d'une paix fructueuse et honorable, et ceux de Cornouaille refont joie, car ils ont mené à chef leur besogne, et ils sont traités avec honneur et servis en un lieu du monde où jusque-là on n'avait su que les haïr.

# VI

*Le boire herbé. — Navigation de Tristan et d'Iseut. — La méprise fatale. — La nuit de la Saint-Jean. — Noces du roi Marc. — La fausse épousée.*

Tandis que Tristan appareillait son erre, les meschines d'Iseut s'entremirent de trousser le harnais de l'épousée ; elles emplirent ses malles et ses coffres de robes, d'atours et de joyaux. Et les sergents, de leur côté, apportèrent la vitaille, le biscuit, la farine, le vin et autres viandes pour le voyage. Entretant, la reine brassa, avec des herbes, des racines, des pierres et des os de poisson, un merveilleux boire, selon son grand savoir de mirgesse et de magicienne. Puis elle manda Brangaine et lui dit : « Voici une boute pleine d'une potion que j'ai faite de mes mains. Elle s'appelle le boire amoureux, et elle est de telle nature que ceux qui en boiront s'aimeront merveilleusement pendant trois années, et dès lors ils seront liés ensemble tellement que rien ne pourra plus les désunir, et que nul ne pourra jamais mettre discorde entre eux. Quand le roi Marc sera couché avec Iseut la nuit de ses noces, donnez-lui de ce breuvage au lieu de piment ou de vin à la cannelle, et donnez-le après à la reine, et puis jetez le reste. Et gardez que nul y trempe ses lèvres et en boive une seule gorgée, car un grand mal pourrait en avenir. »

Le jour du départ est venu. Il y a foule de barons, de chevaliers, de dames, de demoiseaux, de demoiselles, pour convoyer jusqu'au port la belle Iseut. Il n'est femme qui ne pleure. La pucelle baise ses parents ; elle sourit tristement ; elle monte dans la nef ; Brangaine la suit avec les béasses et les meschinettes. Tristan donne le signal du départ. On désancre la nef. L'esturman tient la barre. Les mariniers, pour cueillir le vent, font venir à l'avant les lés de proue et tirent sur les ralingues. La voile s'enfle et la nef s'éloigne du rivage.

D'une part du navire logeaient Tristan et ses compagnons ; de l'autre était l'appartement des femmes. Tristan avait fait dresser à l'écart un pavillon bien garni de couettes, de coussins, et pourtendu de riches tapis sarrasinois. Iseut y demeurait pendant le jour avec sa chambrière ; nul homme n'avait congé d'y entrer, sinon Tristan qui venait de temps à autre pour tenir compagnie à la pucelle ; il s'efforçait de la divertir et de la consoler, car Iseut était pleine d'un mortel ennui. Il s'aidait tantôt de la harpe, tantôt de l'échiquier. Les paroles de Tristan ne parvenaient guère à lui faire oublier son ressentiment ; elle ne lui répondait que par un regard traversain, tout chargé de deuil et de rancune. C'est encore la musique qu'elle souffrait le mieux du neveu du roi Marc. Tristan harpait un lai à la nuit tombante, et Iseut s'endormait dans la douceur de la mélodie, et Brangaine s'endormait près d'elle, et Tristan sortait du pavillon à pas menus, et elles reposaient toutes deux jusqu'à l'aube claire.

« Je n'entends guère à sécher vos larmes, douce dame, lui disait parfois Tristan. Pourquoi êtes-vous si triste ? — Ha ! répondait Iseut, ce n'est pas merveille, si je n'ai talent de rire. Jamais femme ne fut si déconseillée. Sire, c'est chose dure et amère de quitter son pays et tout ce qu'on aime de nature. Lasse ! par quelle malencontre, pour quel péché ai-je laissé l'Irlande où j'étais si heureuse auprès de mon père et de ma mère ? Pourquoi ai-je abandonné les amis qui m'avaient si chère ? » Et les pleurs découlaient fil à fil sur son clair visage. « Que la terre ne m'engloutît-elle, que la male tempête ne foudroie et ne cravante cette nef maudite, et que ne puis-je être périllée et noyée en mer ! Sais-je la destinée qui m'attend ? Tristan, où me conduisez-vous ? Que me chaut d'être reine et épouse ? Je me serais bien passée de la guimpe et de la couronne. »

Tristan se travaillait de conforter la belle ; il la prenait doucement dans ses bras, sans outrepasser les bornes de la courtoisie, doucement, fraternellement. Mais chaque fois Iseut le repoussait avec colère. « Sire, laissez-moi. Oh ! l'ennuyeux valet ! — Douce dame, ai-je fait quelque chose qui vous déplaise et ne soit pas séante ? — Oui, puisque je vous hais. — Pour quel méfait ? — Vous êtes le meurtrier de mon oncle. — Ce tort m'a été remis. — Non par moi ; je ne vous ai pas pardonné ; et je vous hais encore pour l'aventure par quoi je souffre peines et ahans. C'est par votre belle trouvaille de l'hirondelle que je suis prisonnière sur cette nef qui m'emporte vers un rivage ennemi. Qui sait ce que l'avenir me garde d'ennuis et

de tribulations ! Ah ! malheureuse, ah ! chétive ! je
crois bien que je sécherai de douleur avant d'arriver
au port. — Belle Iseut, c'est déraison de dire que je
vous porte malheur. Je fais votre fortune et votre joie.
Là-bas, vous serez reine toute-puissante, aimée et
honorée. Vous aurez pour seigneur un roi qui est le
meilleur des hommes. Que serait-il avenu de vous si
vous étiez demeurée en Irlande ? Vous auriez épousé
un comte ou un duc tout au plus ! — Sire Tristan,
amour et seigneurie font rarement bon ménage. Ne
vaut-il pas mieux avoir petit état, être pauvre de drap
et de chevance et avoir la joie, que haut rang avec
tristesse et peine ? Vous me le disiez autrefois. —
Franche dame, c'est la vérité pure. Mais l'amour ne
peut-il se loger en belles chambres peintes comme en
petit caseau de ville champêtre ? Lorqu'on peut avoir
joie et puissance ensemble, pourquoi refuser l'une et
l'autre ? Dites-moi, ma reine, si vous aviez été forcée
de prendre Anguin le Rouge, votre lot serait-il
enviable ? Et voilà comment vous me remerciez d'être
venu à votre aide et de vous avoir sauvée du sénéchal !
— Vous m'avez délivrée pour me livrer à un homme
que je ne connais pas, en terre étrange et foraine. Vous
m'avez vendue comme une marchandise. Du moins le
sénéchal, s'il a menti pour m'avoir, m'était connu
depuis l'enfance ! Si mauvais qu'il soit, peut-être se
serait-il amendé en vivant et conversant avec moi ! —
Douce reine, il est certain que parfois, avec la grâce de
Dieu, mauvais par fortune peut devenir meilleur.
Mais la chose n'est pas commune. Bon fruit vient de
bonne semence et jamais d'homme mauvais par
nature on ne fera un vrai prudhomme. Soyez conso-
lée, dame, vous verrez bientôt votre seigneur, ce roi

plein de débonnaireté, garni de tous biens, de cœur loyal et entier, et de jour en jour vous l'aimerez davantage. »

Déjà le soleil était entré dans le signe de l'Écrevisse. C'était la veille de la Saint-Jean. Dès l'heure de tierce la chaleur se leva sur la mer, et le vent tomba, et l'après-midi il y avait une telle ardeur dans l'air que mariniers, chevaliers, hommes et femmes gisaient et dormaient, tant ils se sentaient vains et travaillés. Tristan jouait aux échecs avec Iseut sous la tente. Il eut soif. Il appela une meschinette. « Va dire à Brangaine, fait-il, de nous apporter à boire. » La meschinette court à la chambrière ; elle la trouve couchée sur une natte et à moitié endormie. Brangaine l'envoie chercher un hanap ; elle-même va le remplir dans la soute et l'apporte à Tristan. Et Tristan l'offre à Iseut, disant : « Belle Iseut, buvez ce breuvage. » Iseut boit une gorgée et tend le hanap à Tristan qui l'épuise à son tour d'un trait. Tout aussitôt il regarde Iseut d'un air égaré, et l'émoi et la frayeur se peignent sur la figure d'Iseut. Qu'ont-ils fait ? Hélas ! ce n'est pas le vin de dépense qu'ils ont bu, ce n'est cervoise ni goudale, mais le boire enchanté que la reine d'Irlande a brassé pour les noces du roi Marc ! Brangaine est saisie d'un terrible doute ; elle s'enfuit éperdue. Dieu ! si elle s'était trompée ! Elle se hâte de descendre dans la soute : elle voit le baril au boire herbé à moitié vide : « Malheur, malheur à moi ! s'écrie-t-elle. Tristan, hélas ! Hélas ! Iseut ! Vous avez bu votre destruction et votre mort ! »

Cependant le poison d'amour se répandait dans les veines du valet et de la pucelle. Hier ennemis, les voici aujourd'hui dru et drue. Mais le lien qui les enlace

leur entrera profondément dans la chair, et jamais ils
ne pourront s'en guérir. Vénus, la redoutable véne-
resse, les a pris dans ses réseaux ; le dieu d'Amour leur
a décoché sa flèche mortelle ; il a planté son étendard
dans leur cœur ; il les tient pour toujours en sa baillie.
Chacun se sent vain et las, comme étourdi par le
breuvage. Ils n'osent encore échanger leurs pensées ;
mais quand leurs yeux qui se fuient se rencontrent
dans un éclair, c'est un périlleux regard qui attise le
feu qui déjà les consume. Chacun se débat en lui-
même ; la Raison livre avec le Désir une très cruelle
bataille ; la pucelle a pour écu la honte naturelle ; la foi
et l'honneur soutiennent et tourmentent le jeune
homme. Après le dangereux regarder viendra l'accoler, puis l'octroyer, enfin l'œuvre défendue qui
détourne le regard de Dieu et ravit l'estime du monde.
La première surprise est passée, qui les avait écartés,
rougissants, l'un de l'autre. Iseut la première rompt le
silence ; elle s'arme de grâce et de sourire, mais
l'angoisse fait trembler sa voix. « Ne pensez-vous pas
que mieux nous aurait valu demeurer à Weisefort
plutôt que de voguer sur cette mer aventureuse ? Ah !
je voudrais encore ouïr vos beaux dits et vos belles
histoires et apprendre l'art de faire lais et sons et de les
noter sur la harpe, mon doux maître. » Et comme
Tristan se tait, elle profère le doux nom d'ami, et va
regrettant son heureuse enfance. « J'ai bon souvenir,
fait-il, de ce séjour en Irlande ; j'y ai pourtant enduré
maintes peines et travaux. — Je gage que vous avez
plus peur d'une femme que du grand serpent crêté ? »
Tristan sourit. Leurs coudes se touchent ; leurs yeux
échangent d'ardents messages ; leurs mains se pres-
sent, fiévreuses. « Que s'est-il passé ? dit Iseut, je

vous haïssais il y a une heure, et voici qu'il me semble
que je ne pourrai jamais me séparer de vous ! — C'est
merveille, dit Tristan, je suis tel pour vous que vous
êtes pour moi. » Déjà la convoitise charnelle embrase
leur corps de chaleurs désordonnées. La nuit est
venue ; le pavillon est clos et plein d'obscurité. Tout
dort sur la nef qui vogue en silence. Seul le timonier
veille, la main sur la barre et les yeux aux étoiles.

Le lendemain, Gorvenal vit que Brangaine avait les
yeux rouges. Elle lui révéla alors sa méprise. « Maître
Gorvenal, j'étais à moitié endormie ; je ne pris garde,
si bien que dans l'obscurité j'aveignis un vaisseau
pour un autre. J'ai donné au lieu du vin ou de cervoise
le boire amoureux que la reine avait apprêté pour le
roi Marc. Ce breuvage est tel que ceux qui en boivent
l'un après l'autre s'aiment d'émerveillable amour et
que nul ne pourra jamais les désunir. — Ah ! nous
sommes nés de male heure ! dit Gorvenal. Il m'a bien
semblé qu'ils ont bu ensemble cette nuit. — Le roi la
honnira, dit Brangaine, quand il ne la trouvera telle
qu'elle doit être, et son neveu sera prouvé comme
félon, et il le fera détruire, et nous aussi, qui aurions
dû garder la reine. — Ne soyez pas en émoi,
Brangaine, je pense tant faire que nous ne serons
blâmés l'un ni l'autre. — Dieu le veuille ! »
Déjà la terre était en vue ; Iseut fut prise d'un grand
effroi. « Brangaine, je suis morte si tu ne m'aides. J'ai
perdu mon honneur. Comment oserai-je paraître
devant le roi ? Écoute. La nuit de mes noces, tu
prendras ma place dans le lit royal. — Ho ! dame,
voilà un étrange tripot ! — Brangaine, je suis perdue si
tu ne fais ce que je te demande. — Je suis obligée de

vous obéir, dit Brangaine, mais c'est moins par amour
pour vous que par remords, car je suis la cause de
votre méfait. — Comment ? que dis-tu ? — Oui,
dame, il y a quatre jours, vous m'avez demandé à
boire ; j'étais lasse et quasi endormie pour la chaleur
qui me pesait. J'envoyai une meschinette chercher de
la cervoise, et par erreur elle a pris le boire herbé que
votre mère avait détrempé pour le roi Marc. » Tristan
est venu sur ces entrefaites ; il a entendu les dernières
paroles de Brangaine. Les deux amants sentent le sang
se glacer dans leurs veines, et ils demeurent muets et
cois comme images de pierre. « Terre ! terre ! crient
les mariniers. — Cale, cale ! » ordonne l'esturman. Ils
abaissent les voiles, prennent les avirons, et la nef
entre doucement dans le port. Déjà les guettes avaient
averti le roi Marc de la venue de Tristan. Les fourriers
préparent les logis pour celle qui sera la reine. Cent
chevaliers et demoiseaux chevauchent vers le port. Le
roi accueille son neveu qui tient Iseut par la main. On
fait avancer deux palefrois. Ils montent. Tristan mène
la reine en dextre, avec le roi d'autre part.

Le roi Marc veut se marier sans délai. Des messagers partent et vont jusqu'aux confins du royaume. Le
roi semond son barnage pour les noces qui auront lieu
dans la huitaine. Le jour est venu. Les cloches sonnent
au grand moutier. Par les rues, des draps sont tendus,
et la terre est jonchée de fleurs. Deux cents barons
prisés, foule de chevaliers et de demoiseaux, tous
vêtus de pers et de samit, cinq cents dames et pucelles
aux cheveux tressés et galonnés d'or, tous les fiévés et
chasés du voisinage, un archevêque, deux évêques,
l'abbé du Mont-Saint-Michel, tourbe de clercs et de
prouvaires, vont à la rencontre de la reine. Tous

admirent sa grâce et sa grande beauté. La messe est chantée ; la reine a reçu l'anneau et ceint la couronne. Un festin magnifique a lieu au palais ; je ne vous en deviserai pas le menu : les paons rôtis, les pâtés de venaison, le piment, le moré qui coulèrent comme eau de fontaine. Le large roi Marc a voulu que toutes les portes fussent ouvertes à tous ; qui veut venir entre comme chez lui, et qui veut manger n'a qu'à prendre à bandon. Ce jour-là, pauvres et riches furent comblés. Le roi fit distribuer dix mille pains et mettre en perce trois cents tonneaux de vin. Jongleurs et ménestrels firent assaut de fables et de chansons. Vous eussiez ouï bondir trompes et bousines, sonner violes, flûtes et tambours, comme si Dieu fût descendu ! Les uns et les autres furent libéralement guerdonnés ; il n'en fut pas un qui n'emportât manteau de vair ou surcot d'écarlate, un roncin ou une mule. Le roi désigna cinquante demoiseaux, parmi les compagnons de Tristan, l'élite du Loonois et de la Cornouaille, pour être adoubés dans le mois.

Quand la nuit fut venue, Brangaine se prépara à rendre à sa dame le service qu'elle lui avait promis. Les époux sont conduits dans la chambre peinte. Le roi Marc était un peu troublé par le vin. Quand il fut au lit, Tristan et Périnis éteignirent le luminaire. « Comment, dit le roi, vous avez éteint les cierges ? — Sire, dit Tristan, c'est la coutume d'Irlande ; la mère d'Iseut m'a commandé de le faire, car quand un haut homme gît avec une pucelle, il doit faire nuit dans sa chambre. » Tristan et Périnis se retirent, et Brangaine, chaussée d'échapins, en pure sa belle chemise ridée, entre dans la chambre du roi. Elle a noble contenance et belle faiture ; n'étaient ses cheveux qui sont de la

couleur de l'aveline, avec son teint clair, ses yeux
vairs, ses sourcils comme traits de pinceau, sa gorge
pommelue à devise, ses bras moulés, ses hanches un
peu bassettes et fournies à mesure, et ses grèves
longues et bien tournées, on la prendrait pour la reine
elle-même. Dans l'ombre de la nuit le roi ne s'aperçut
pas du change ; il trouva sa compagne à son gré et telle
qu'il l'avait imaginée en ses songes. Quand le roi fut
vaincu par le sommeil, Brangaine se leva, partit, et
Iseut, à son tour, pour prendre place à côté du roi
endormi, entra sous les courtines.

## VII

*La cour du roi Marc à Bodmin et à Lancien. — Iseut tente de se défaire de Brangaine. — Premiers soupçons. — Tristan rossignol.*

La cour mena grande liesse le lendemain et les jours suivants. Le roi Marc était bien aise et content ; il faisait belle chère à tous ; il semblait très amoureux de sa femme et lui montrait grande douceur, l'appelait devant tous ma douce rien, mon cœur, ma mie, ma drue. Iseut aussi paraissait heureuse ; chacun la trouvait gracieuse et accointable, et bonne et charitable. L'adoubement des cinquante bacheliers eut lieu au jour marqué, suivi du grand tournoi annoncé. Le roi Marc voulut parcourir toute sa terre en compagnie de son épouse. Aussi la cour laissa Tintagel et se rendit à belle chevauchée à Bodmin, avec long convoi de chars et de sommiers. Là, dans une belle prairie, mille chevaliers disputèrent le prix de la valeur. Jamais on n'avait vu tant de forts destriers courants, sors, baucents, bais et liards, tant de heaumes et d'écus reflamboyant au soleil, tant d'enseignes de toutes couleurs, tant de pennons et de bannières, et tant à la fois de belles dames parées et acêmées, et tant de demoiselles aux tresses galonnées et aux chapelets de fleurs. Si vous aviez ouï le froissis des hantes volant en éclats, et le heurtis du fer sur les écus, et tous ces écus écartelés et mis en pièces, quand les deux rangs de chevaliers fondaient l'un sur l'autre, vous eussiez dit jeux de chapuis et de bûcherons. Les uns guerpissent l'étrier et roulent à terre, tandis que les autres accourent pour les rançonner, et que leurs amis viennent à leur rescousse. Plus d'un gagna gros de livres d'esterlins, sans compter les armes ni les destriers. Mais le roi Marc ne voulut pas que nul y perde. Il donna du sien à foison pour contenter tout le monde.

Quand les fêtes furent finies, la cour se sépara. Il ne demeura auprès du roi et de la reine que les privés et les proches parents. Ils se mirent en route et allèrent à Lancien où le roi séjournait plusieurs mois chaque année. Iseut commença à voir Tristan en secret ; mais ils ne pouvaient tant se celer qu'on ne pût apercevoir quelque chose de l'étrange amitié qui les liait.

Un jour que Tristan avait mené la trèche, valets et pucelles s'étaient éloignés dans la prairie ; il se trouva seul avec Iseut, et ne put se tenir de la baiser sur la bouche. Un éclat de rire partit de dessous un saule, et un affreux petit nain tout bossu parut, qui s'enfuit à toutes jambes. C'était le nain du roi, Frocin, qui tant savait d'art et d'engigne. Plusieurs fois Iseut se figura qu'on l'avait vue avec Tristan, et elle prit peur. Elle craignait que Brangaine, qui connaissait son secret, ne se laissât aller à la trahir malgré elle. Elle s'apensa que si sa chambrière parlait, elle serait perdue ; et le diable

lui souffla une pensée noire. Malétrenne puisse-t-elle
avoir de brasser tel chaudeau à sa fidèle amie ! Elle
manda trois serfs du château et leur dit : « Vous allez
emmener Brangaine dans la forêt. Ne laissez rien
paraître tant que vous soyez très loin, en lieu désert et
dévoyable, et là, vous lui trancherez la tête : elle a fait
une chose qui déplaît à mon seigneur ; je ne puis en
dire davantage. » Les serfs répondent : « Dame, nous
ferons votre commandement. » Après, Iseut manda
Brangaine. « Amie, fait-elle, j'ai eu grand travail au
cœur qui s'est tourné en mal de tête, dont je tomberai
bientôt en langueur et mélancolie si je n'y prends
garde. Va me cueillir de bonnes herbes dans la forêt.
Ceux-ci t'accompagneront. — A votre volonté », dit
Brangaine.

Lors, les serfs se mirent en chemin. Ils allèrent plus
d'une lieue, par petites sentelettes et voies détournées,
tant que Brangaine fut prise de frayeur. « Où me
menez-vous si loin ? » dit-elle. L'un des serfs jeta un
ris. « Demoiselle, nous sommes venus ici pour vous
couper le cou. — Me couper le cou, pourquoi ? dit
Brangaine qui tremblait comme la feuille en l'arbre.
— Nous ne savons, mais nous faisons le commandement de la reine. » Ce disant, l'un d'eux tira de
dessous sa souquenie un large couteau aiguisé tout de
neuf ; et il dit à ses compagnons : « Il m'est avis qu'il
convient de la tuer maintenant, puis nous retourne-
rons. » Les deux autres se saisissent de Brangaine, lui
enlèvent cotte et manteau, lui lient les mains derrière
le dos ; ils ôtent l'agrafe de la chemise, et ils voient les
mamelettes blanches comme fleur de lis et sentent le
cœur angoissé qui sautèle. « N'est-ce pas musardie,
dit le plus grand des trois, d'occire si belle femme et si

gentille ? — Il faut faire ce qu'on nous a commandé, dit l'autre pautonnier. — Mais, peut-être, nous le reprochera-t-on après, et nous y perdrons la tête à notre tour. » Brangaine se jeta à leurs pieds criant merci. « Vous avez donc mépris vilainement envers la reine, lui dit l'un des serfs, pour qu'elle se défasse ainsi de vous ? — Seigneurs, Dieu m'assiste, je ne lui méfis, que je sache, hormis seulement que, quand madame Iseut partit d'Irlande, elle avait une chemise de lin plus blanche que neige neigée ; elle devait en faire présent au roi Marc ; et il y avait avec elle une sienne demoiselle qui en avait une autre aussi gente et aussi fine. Madame perdit la sienne dans la mer pendant le voyage ; ce dont elle eût été malvoulue, si la demoiselle dont je parle ne lui avait offert, de par moi, la sienne qu'elle avait bien gardée. Madame fut ainsi tirée d'embarras. Je crois que c'est pour cette bonté qu'elle veut me faire mourir, car je ne vois d'autre raison. — Mais si nous vous épargnons, dirent les pautonniers, comment nous sauverons-nous nous-mêmes ? — Laissez-moi la vie, et je vous donne loyale assurance que je m'en irai en tel lieu dont ni vous ni ma dame n'entendrez jamais parler. »

Les serfs eurent pitié de la demoiselle ; ils la lièrent à un arbre. « Laissons-la ici, dirent-ils, elle s'arrangera avec les bêtes sauvages ou s'enfuira si elle peut. Ce serait honte et droite diablerie d'égorger une pucelle sans défense. » Ils firent comme ils avaient dit et revinrent. En chemin, ayant rencontré un lièvre qui débûchait d'une épine, l'un d'eux lui lança son fauchon et le tua. Ils parurent devant la reine, et montrant la lame ensanglantée : « Reine, disent-ils, nous avons fait votre volonté. — Ah ! dit la reine en

pâlissant. N'a-t-elle rien dit ? — Si fait : elle a parlé
d'une chemise qu'elle vous avait prêtée, après que
vous eûtes perdu la vôtre. — C'est tout ? — Sur les
saints évangiles, dame, elle n'a rien dit de plus. —
Faillie servaille, gloutons, ribauds, meurtriers, vous
m'avez tué mon amie ! Vous êtes pires que Sarrasins.
Vous serez pendus et traînés à la claie. — Reine,
disent les serfs, vos paroles sont étranges ! N'est-ce
pas vous qui nous avez commandé d'occire votre
chambrière ? N'accusez que votre mauvaiseté et non
la nôtre. » En les entendant ainsi parler, Iseut s'adou-
cit. Elle dit : « Ne mentez pas : Brangaine est-elle
encore vivante ? — Oui, dame, par la grâce de Notre-
Seigneur, le glorieux du Ciel, et par le grand sens et la
prudence de vos serfs qui savent la femme mal fiable
et diverse et plus changeante qu'épervier en mue.
Nous aurions eu remords de détruire une si belle
demoiselle. — Loué soit Dieu et adoré ! s'écrie Iseut ;
allez tôt et me la ramenez. Vous aurez six sous
d'angevins pour votre peine. »

   Les serfs sautent sur un roncin et vont grand erre à
la forêt. Cependant Iseut pleure et se lamente : « Ha !
comment ai-je pu être à ce point mal sage que j'aie
pensé à faire mourir ma chère Brangaine ! Ah ! Iseut,
qui t'aurait crue si forsenée ! Certes, je ne suis pas de
mauvaise étoffe, mais de petit gouvernement ; je suis
faible femme, légère, mal conseillée, prompte au fait,
fût-il damnable. Ah ! les sages de l'antiquité ont dit
vrai, et ceux qui m'ont enseignée ont eu raison :
femme est hardie pour couvrir sa honte. On voit bien
que Dieu l'a faite d'une côte d'Adam, tortue et
bétournée : elle besogne par voies obliques et tor-
tueuses, et n'a sens ni droiture. »

Les serfs ne tardèrent pas à ramener la chambrière. Iseut la presse dans ses bras, lui baise les yeux et les joues. « Pardonne-moi ma folie, chère Brangaine ; j'étais ivre ; j'ai méfait par conseil de l'Ennemi. Aie pitié, sachant que cœur de femme est variable et sans mesure devant le péril. Le sage dit, et c'est vérité : Il n'est plus hardie créature à mal faire que la femme ; elle est rétive comme mule et perd le sens quand elle est maîtrisée par la crainte ou le désir. Mais tôt ou tard folle femme est dolente ! Tu me vois, chère Brangaine, triste et honteuse de ma déraison. — Dame, dit la meschine, votre plus grand péché fut de douter de la fidélité de Brangaine. — Je serai ta sûre amie désormais ; pardonne-moi, Brangaine, et demeure mon amie. » Et les deux femmes s'étreignent en pleurant.

Le comte Andret avait la haute main sur l'hôtel du roi, et il surveillait son cousin d'un œil jaloux, épiait toutes ses allées et venues. Tristan logeait hors du château dans une maison de la ville. Une nuit d'hiver, Andret remarqua que Tristan était sorti ; il suivit la trace de ses pas sur la neige, à la clarté de la lune, jusqu'au verger qui joignait le château du roi, et trouva une fraite dans la haie. Il pense d'abord que Tristan est venu par là pour l'amour de quelque meschine, mais soudain il s'avise que peut-être c'était pour voir la reine. Il entre dans le château, traverse les salles basses où les veilleurs dormaient sur leurs bancs, à la lueur de quelque cierge ; il monte les degrés, va le long des allées silencieuses en tâtant les parois, vient à l'huis d'une chambre. Par une treille de fer, il aperçut les amants gisant dans le même lit. Si la peur ne l'eût retenu, il eût crié et jeté le défi à Tristan, mais il redoutait sa chevalerie. Il se contenta, le

lendemain, quand il rencontra Tristan, de lui laisser
entendre à mots couverts qu'il savait où il avait passé
la nuit.

Le roi, averti par le traître, voulut éprouver la reine.
« Douce amie, lui dit-il, quand ils furent couchés
ensemble la nuit suivante, j'ai grand désir de m'en
aller en pèlerinage ; il y a grand pièce que j'ai fait ce
vœu à monseigneur saint André : je ne saurais plus
tarder à l'accomplir. Une seule chose me retient ; je ne
sais à qui confier la garde du royaume. — Beau sire, je
ne sais pourquoi vous hésitez sur le choix, lui
répondit la reine. N'avez-vous pas votre neveu Tristan à qui vous vouliez laisser votre terre ? N'est-il plus
digne de votre confiance ? » Le roi vit dans ces paroles
qu'Iseut était joyeuse de le voir partir au loin, afin de
se retrouver seule avec Tristan. Il dit à Andret : « Je
crois que tu as raison ; il y a certainement conjuration
secrète entre la reine et mon neveu. — Éloignez-le,
roi, vous en serez plus aise et plus tranquille. — Nous
verrons, répondit le roi ; cette affaire ne regarde que
moi seul. » De son côté, Iseut appela Brangaine et lui
dit : « Je vais t'apprendre une nouvelle : le roi veut
aller en pèlerinage ; je demeurerai sous la garde de
mon ami. Enfin nous aurons joie et déduit sans
contrainte. — D'où tenez-vous ceci ? dit Brangaine.
— Du roi. — Dame, vous avez petit savoir et n'êtes
guère adroite à feindre ; le roi a voulu vous éprouver,
et vous vous êtes trahie. Ne voyez-vous pas que c'est
Andret qui a pourpensé et brassé tout ce tripot ? » Sur
quoi, Brangaine l'a bien endoctrinée et lui a dit
comment elle devra se contenir avec le roi désormais.

La nuit d'après, le roi se mit à soupirer. « Amie, nul
ne m'est plus cher que vous, et la pensée que je dois

vous laisser me travaille plus que je ne saurais dire. »
Lors Iseut, comme bien enseignée, soupire et pleure
et fait semblant de femme éplorée. « Ah ! sire, je
croyais que vous gabiez, et je vois maintenant qu'il
n'est que trop vrai que vous allez me laisser ! Hélas !
que ferai-je ? Comment vivrai-je sans vous ? Emme-
nez-moi, sire, ou renoncez à ce voyage ! » Le roi fut
touché. Il dit qu'il demeurera pour ne faire point de
peine à sa femme. Ce fut une déconvenue pour Iseut,
mais surtout pour le comte.

Les amants, se sentant soupçonnés, convinrent de
ne se voir de quelque temps. Tristan troussa ses
bagues et s'en alla chevauchant, et séjourna deux ou
trois mois en son pays de Loonois. Avec quelle joie il
fut accueilli par le Foitenant et ses hommes ! Le vieux
maréchal eût voulu le retenir et lui remettre la terre
dont il avait eu la garde, mais Tristan lui dit qu'il
n'avait d'autre désir désormais que de servir le roi,
son oncle, et qu'il lui abandonnait son domaine et
tout son honneur. « Vous tiendrez ma terre, mon bon
père nourricier, lui dit-il, et votre fils la tiendra après
vous : elle ne pourrait être en de meilleures mains. »
Tristan ne pouvait durer longtemps loin de sa mie.
Quand ce vint à l'entrée d'avril que l'herbe verdoie
par les prés et que les oiselets commencent à chanter,
il retourna en Cornouaille. Il s'hébergea chez Dinas et
ne songea plus qu'à imaginer mille moyens pour
revoir sa chère drue.

Tristan savait contrefaire le rossignol, le geai, le
pinson, le merle et le loriot. Ce soir-là, dans le jardin
du roi, il s'était changé en rossignol, et il faisait telle
mélodie qu'à l'écouter il n'est cœur malade d'amour
qui n'en eût ressenti une grande douceur. Cependant

Iseut était dolente et angoissée dans sa tour, car léans
sont dix chevaliers ou sergents qui n'ont d'autre
métier, comme le nain félon, que de la guetter et de
l'empêcher de sortir, si elle en avait envie. Elle a ouï
son cher ami qui s'est déguisé en oiseau. Le roi
endormi la tient dans ses bras. Tristan, au-dehors,
chante, hue, gémit et pleure, tout ainsi que le piteux
rossignol, quand il prend congé à la fin du printemps.
Le chant coule une grande tendresse dans le cœur
d'Iseut. Elle soupire : « Je n'ai qu'une vie, mais elle
est partagée en deux ; j'en ai une part, et Tristan a
l'autre. Cette part de moi qui est là dehors, je l'ai plus
chère que mon corps. Je priserais peu celle qui est
deçà, si delà périssait l'autre. Je ne la laisserai mourir à
aucun prix. Je cours là-bas, quoi qu'il avienne, à la
grâce de Dieu ! » Tout doucement, elle se délaça des
bras du roi et se glissa hors du lit. Elle met sur sa
chemise un manteau fourré de gris, couvre son visage
d'un voile ; elle passe sans bruit devant les chevaliers
endormis, aucuns en l'aire, aucuns en lits : ces
chevaliers étaient chargés de la garder ; cinq reposaient, quand les cinq autres veillaient, les uns aux
huis, les autres aux fenêtres, pour épier dehors les
allées et venues de ceux dont le roi avait sujet de se
méfier. Car telle est la vie des puissants et des jaloux
dans ce monde : le jour ils ont noise, bataille, colère,
la nuit soupçon et peur.

Madame Iseut était étroitement gardée, mais cette
nuit elle est allée parmi les guetteurs. Elle s'en vint
tout bellement jusqu'à l'huis dont elle tira la barre.
L'anneau fit entendre un petit tintement qui éveilla
Frocin. Le nain bossu regarde de toutes parts ; il
s'écrie : « Eh là ! » Iseut ne s'en émut ; elle sortit du

palais. Il saute comme un corbelet, s'affuble d'une chape à pluie et se met à courir après la reine. Il la happe par le pan du manteau. « Arrêtez, dame ! lui crie-t-il. A quelle heure issez-vous hors de la chambre ? Par mon chef, je n'y vois semblant de loyauté ! » Iseut a grand dépit et courroux. Elle lève la paume sur le nain et lui donne une buffe de grande vigueur : « Ayez le salaire d'une chambrière ! » lui dit-elle. Le nain trébuche sur un banc et s'enfuit en brayant, et fait tel effroi que le roi se réveille. « Qu'y a-t-il ? Nain, que me veux-tu ? — Sire, c'est la reine qui m'a féru. Elle est sortie seule en tapinois. Je voulus la retenir, mais elle m'a baillé telle grognée que je m'émerveille si je n'y ai perdu quatre dents. — Tais-toi, cafard, Madame Iseut n'est si hardie. Tu t'es mépris comme un sot. Tristan n'est pas en ce pays, et tu l'as contrariée à tort. Laisse madame se promener dans le jardin, si elle en a envie. Je regrette de l'avoir tenue si serrée. »

Iseut se rit du mauvais nain et se hâte de rejoindre son ami. Tristan s'élance vers elle ; ils parlent peu ; ils s'enlacent et se donnent mille baisers, et une grande partie de la nuit, ils vont menant leur joie.

## VIII

*L'ombre dans la fontaine. — Les devinailles du nain Frocin.*
*— Le roi fait la paix avec son neveu.*

Tristan, à quelque temps de là, fit annoncer son retour, et le roi ne lui fit pas mauvais accueil. Mais les espions étaient aux écoutes ; Andret en avait mis partout. Le nain aussi avait juré de se revancher. Tristan faisait de son mieux pour déjouer la médisance. Pour approcher Iseut, il savait plus d'engin que fèvre de marteau et d'enclume. Il ordonna sa besogne de la manière que je vous deviserai. Il y avait dans le jardin du roi un grand pin d'où sourdait une fontaine abondante et claire à merveille : un ru en descendait parmi l'herbois, qui venait sous les murs du château, et de là entrait dans une salle voûtée, toute proche de la chambre des femmes. Tristan, quand les gens reposaient, taillait des copeaux de bois où il gravait certains signes et les laissait aller au fil de l'eau. Brangaine prenait les copeaux dans le bassin et courait avertir sa dame. Les amants se retrouvaient alors sous le pin où ils faisaient grande partie de leur volonté. Or le nain Frocin était astrologue, et souvent il errait dans le jardin, regardant les étoiles. Il vit le tripot. Il conta au roi Marc la trahison de son neveu. Le roi voulut en avoir le cœur net. Il mande des veneurs et leur dit qu'il chassera quinze jours dans la forêt. Pour ne rien laisser soupçonner de ses véritables intentions, il les envoya dresser des tentes et des loges de ramée et y fit porter le pain, le vin et la vitaille. Et une nuit, quand tous le croyaient loin, il alla se cacher dans le pin de la fontaine où on lui avait dit que son neveu et sa femme tenaient leurs plaids. Il vit bientôt venir Tristan, qui s'assit au pied de l'arbre, puis Iseut s'avancer, enveloppée dans sa chape. Tristan tendait déjà les bras à son amie, quand il aperçut l'ombre du roi dans la fontaine. Il demeure cloué par la peur. Iseut aussi a vu l'image dans l'eau. Elle s'avise alors d'une ruse.

« Sire Tristan, dit-elle à haute voix, vous faites grand péché en me mandant à telle heure. Pour Dieu, je vous en prie, ne me mandez plus ; je ne viendrai pas. Le roi pense que je vous aime follement. Mais j'ai juré que nul ne m'a jamais touchée, sinon celui qui me prit pucelle. Si les félons de cette terre, pour qui vous combattîtes et mîtes à mort le Morhout, lui font accroire que nous sommes trop bien ensemble, jamais vous n'eûtes vouloir, ni moi-même n'eus intention de faire de cette amitié une chose coupable. J'aimerais mieux être morte et ma poussière éparse au vent que de trahir avec un autre homme celui que je tiens pour mon seigneur. Vous fûtes blessé cruellement dans le combat que vous livrâtes à mon oncle le Morhout ; je vous guéris ; ce n'est pas merveille, ma foi, si vous vous dites mon ami. Mais puisqu'on nous reprend

faussement de déloyauté, Tristan, ne m'appelez plus.
Je suis ici au péril de ma vie. Le roi semble ignorer
que, si je vous aime un peu, c'est que vous êtes de sa
parenté. Je pensais jadis que ma mère devait aimer les
parents de mon père, et elle avait coutume de dire que
femme ne chérirait vraiment son mari qui n'en
aimerait pas la famille. C'est pour avoir suivi son
conseil que j'ai perdu la confiance du roi, mon
époux. »

Tristan, en entendant son amie parler ainsi, comprit
qu'elle aussi s'était aperçue de la présence du roi ; il en
rend grâce à Dieu. « Iseut, dit-il, je vous ai mandée de
bonne foi. Depuis que votre chambre me fut interdite,
je ne puis plus vous parler. Je viens vous supplier de
vous souvenir de ce malheureux qui a peine et deuil.
J'ai tel deuil que le roi pense mal de moi que je n'ai
plus qu'à mourir. Je voudrais qu'il fût assez sage qu'il
ne croie les flatteurs qui lui demandent de m'éloigner.
Ces pautonniers ne cachent pas leur joie et font leur
risée de la crédulité du roi. Ils ne voudraient pas qu'il
y eût avec lui un homme de son lignage. J'ai travaillé à
lui trouver la femme qu'il cherchait ; son mariage est
mon œuvre. Ah ! pourquoi le roi est-il si fou ? Je me
laisserais pendre à un arbre plutôt que je prisse
quelque privauté avec vous. Il ne me permet pas de
me défendre. Il est irrité contre moi à cause de ces
félons qui le trompent, et il n'y voit goutte. Je les ai
vus sourds et muets quand le Morhout est venu ici
réclamer son tribut. Pas un seul n'osa s'adouber. Mon
oncle était pensif et angoissé. Je m'armai pour sauver
son honneur ; je combattis. N'ai-je pas le droit d'avoir
de l'amertume ? Pense-t-il que ce n'est pas péché de
me traiter ainsi ? Dame, dites-lui sur l'heure qu'il fasse

faire un feu ardent, et j'entrerai dans le bûcher : si un
seul poil brûle de la haire que j'aurai vêtue, qu'il laisse
consumer mon corps et mes os ; car je sais bien qu'il
n'y a pas dans sa cour un seul baron qui revienne
d'une bataille avec moi. Dame, votre noblesse ne sera-
t-elle pas touchée ? Je vous crie merci. Donnez-moi
cette marque d'amitié. — Par ma foi, sire, vous avez
grand tort quand vous me priez de voir le roi pour
qu'il vous accorde son pardon. Je ne veux pas mourir
encore. Il vous soupçonne à mon sujet, et vous
voudriez que je lui parle de vous ? Je ne le ferai pas. Je
suis toute seule en cette terre. Il vous a défendu
l'entrée du palais à cause de moi. Certes, s'il oubliait
son mécontentement, j'en serais heureuse. Mais s'il
savait cette chevauchée, je suis bien certaine aussi qu'il
n'y aurait pour moi de recours contre la mort. Adieu.
J'ai déjà trop demeuré. »

Iseut s'en retourne. Tristan la rappelle : « Dame,
conseillez-moi par charité. Je ne vous blâme pas de
vous en aller, mais je ne sais à qui me plaindre. Le roi
me hait. J'ai engagé tout mon harnais ; faites-le-moi
délivrer, et je m'enfuirai loin de la Cornouaille. J'ai
grand renom de prouesse par toutes les terres, et je
sais qu'il n'y a cour au monde, si j'y vais, où le sire ne
m'avoue comme sien. Iseut, pensez à moi : acquittez-
moi envers mon hôte. — Je m'étonne, Tristan, que
vous me donniez un tel conseil : vous serez cause de
mon malheur. Vous savez bien le soupçon qui pèse
sur moi, à tort ou à raison. Si le roi entend dire que j'ai
fait acquitter vos gages, la chose paraîtra évidente.
Certes je ne suis pas si osée ; je ne le vous dis pas par
avarice. » Là-dessus Iseut s'en va. Tristan la salue en
pleurant. Il s'accoude sur le perron de marbre et se

lamente tout seul. « Ha ! beau sire saint Samson, je ne pensais pas faire telle perte ni m'enfuir avec telle pauvreté ! Je n'emmènerai armes ni destrier, ni compagnon, hormis Gorvenal. Ha ! Dieu ! on fait peu de cas d'homme dépourvu ! Quand je serai en une autre terre, si j'entends chevalier parler d'aventures, je n'oserai sonner un mot. L'homme dénué n'a pas lieu de parler. Bel oncle, il me connaît bien peu, celui qui m'a soupçonné au sujet de ta femme… »

Le roi qui était dans l'arbre a entendu tout l'entretien. Une grande pitié le prend pour son neveu, et il déteste le nain de Tintagel. « Hélas ! pense-t-il, ce nain m'a trop déçu ! Il me fit monter sur cet arbre pour ma honte. Il m'a noirci Tristan par ses mensonges. J'ai bien envie de le faire pendre. J'ai été fou de croire ce qu'il m'a conté de ma femme. Il aura plus dure fin que Segoçon le nain à qui l'empereur Constantin fit couper les génitoires quand il l'eut trouvé avec sa femme : il l'avait couronnée à Rome ; maints prudhommes la servaient ; il la chérissait et l'honorait : elle lui méfit, et elle en pleura. » Il descend de l'arbre ; il se dit qu'il peut avoir confiance en sa femme, et qu'il n'écoutera plus les barons du royaume qui lui ont fait accroire une chose qui est un mensonge prouvé, et le nain aura la récompense qu'il mérite. « Si ce qu'on m'a dit est vrai, pense-t-il, cette entrevue ne se fût pas terminée de la sorte ; s'ils s'aimaient de fol amour, ils avaient loisir de s'en donner les preuves. Je les aurais vus s'entre-baiser. Or ils n'en avaient nullement le désir. Dès demain matin, je ferai la paix avec Tristan ; il aura congé d'être au palais, à son plaisir ; et il ne parlera plus de sa fuite. »

Cependant Frocin, le nain bossu, était dehors ; il

regardait en l'air l'Orient et Lucifer ; il connaissait les
influences des étoiles et des planètes ; il savait ce qui
devait être ; à la naissance d'un enfant il pouvait en
deviser toute la vie. Le nain Frocin, plein de grande
malice et mauvaiseté, se travaillait de décevoir celui
qui devait lui arracher l'âme du corps. Il lit dans les
étoiles l'accord du roi et de son neveu, et il écume de
rage. Il sait que le roi a menacé de le mettre à mort, et
il tremble d'effroi. Il s'enfuit aussitôt vers le pays de
Galles. Le roi le fait chercher et ne peut le trouver, et
il en a grand deuil.

Iseut est entrée en sa chambre. Brangaine la vit
toute pâle et s'enquit de ce qu'elle avait.
« Brangaine, j'ai bien sujet d'être pensive. Nous
avons été trahis. Le roi était dans l'arbre ; j'ai vu son
ombre dans la fontaine. Heureusement Dieu voulut
que je parlasse la première ; je ne soufflai mot de ce
que j'aurais dû dire, mais je ne fis entendre que
plaintes et merveilleux gémissements. Je blâmai Tristan de me mander à telle heure. Il me pria à son tour
de l'accorder avec le roi ; je lui répondis que c'était
grande légèreté à lui de me demander telle chose.
Ainsi le roi ne put rien découvrir qu'il pût nous
reprocher. — Dame Iseut, Dieu vous a fait une grâce
notable, car cet entretien aurait pu plus mal tourner. »
Tristan de son côté avait tout raconté à son maître,
et Gorvenal loue Dieu que Tristan se soit contenu
sagement avec son amie.
Le roi ne put trouver son nain : c'était le pis qui
pouvait arriver à Tristan ! Il rentra au palais. Iseut le
voit ; la crainte la saisit de nouveau. « Sire, qu'y a-
t-il ? Pourquoi venez-vous ainsi soudain ? — Reine,

j'ai à vous parler. Ne me celez rien, car je veux savoir la vérité. — Sire, jamais je ne vous mentis. Je ne commencerai pas aujourd'hui, dussé-je recevoir la mort. — Dame, depuis quand as-tu vu mon neveu ? — Sire, il n'y a pas une heure : je ne le vous cacherai pas, je le vis et lui parlai sous le grand pin. C'est un grand chagrin pour moi que vous puissiez penser qu'il y a quelque chose de coupable dans mon amitié pour Tristan. Si vous ne me croyez pas, mettez-moi à l'épreuve : ma bonne foi me sauvera. Tristan, votre neveu, me donna rendez-vous sous le pin. Je ne pouvais moins faire que de le traiter avec quelque égard : c'est grâce à lui que je suis reine. Si ce ne fussent les faux rapports qu'on vous a faits, je l'eusse traité plus honorablement. Il est votre neveu, sire : c'est pourquoi je l'ai aimé. Mais les traîtres, les menteurs qui le veulent éloigner de la cour, sont parvenus à mettre le doute dans votre âme ; puissent-ils en être pour leur male honte ! Tristan m'a suppliée de vous voir pour que je l'accordasse avec vous. J'ai refusé, et lui ai dit de ne me mander plus à l'avenir. Vous ne me croyez pas ; je n'en puis mais ; tuez-moi si vous voulez, mais je ne l'aurai pas mérité. Tristan s'en va à cause de cette discorde qui est entre vous et lui. Je sais qu'il veut passer la mer. Il m'a demandé d'acquitter son hôtel ; je lui ai dit que je ne le pouvais sans donner prise au soupçon. Voilà la vérité, sire. Si je mens, tranchez-moi la tête. J'eusse volontiers payé ses dettes, si j'eusse osé, mais je ne veux mettre quatre besants en son aumônière à cause de la médisance. Il s'en va pauvre ; Dieu le conduise ! Par grand péché, vous ne lui donnez d'autre choix que la fuite. Il ne reviendra jamais en ce royaume. Dieu lui soit vrai ami ! »

Le roi, qui avait tout entendu du parlement, sut bien que Iseut ne mentait pas. Il l'accole et la baise plus de cent fois. La reine pleure ; le roi l'apaise et l'assure qu'il ne les soupçonnera plus ; que l'un et l'autre aillent et viennent à leur gré dans le palais. L'avoir du roi sera celui de Tristan : ils mettront tout en commun. Et le roi ne croira plus les mauvaises langues de Cornouaille. Le roi a dit à la reine comment le félon nain Frocin lui a annoncé le parlement, et comment il fit monter le roi dans l'arbre pour y assister, à la tombée de la nuit. « Sire, vous étiez dans le pin ? — Oui, belle amie, et vous n'avez pas dit une parole qui m'ait échappé. Quand j'ouïs Tristan retracer la bataille que je lui fis entreprendre, je fus ému : peu s'en fallut que je ne tombasse de l'arbre. Je l'entendis parler des souffrances qu'il endura, en mer, de la plaie dont vous le guérîtes, et quand il vous requit quittance de ses gages, je fus attristé de votre refus. Pitié me prit, et en même temps je fus content de voir la distance que vous mîtes entre vous, l'un et l'autre. — Sire, il m'est agréable de savoir que vous avez pu juger par vous-même des sentiments qui m'unissent à Tristan. Nous avions beau loisir de vous en donner la preuve, si Tristan m'aimait vraiment de fol amour ! Et vous avez bien vu qu'il ne m'approcha pas et ne me prit le moindre baiser. L'eussiez-vous cru, si vous ne l'aviez vu de vos yeux ? — Par Dieu non », dit le roi. Il appela Brangaine : « Brangaine, va chercher mon neveu à la maison, et s'il te dit qu'il ne veuille venir pour toi, dis-lui que c'est moi qui le demande. — Il me hait, sire, répond

Brangaine : c'est à grand tort, Dieu le sait. Il dit que sa brouille avec vous est venue par ma faute. Vous m'envoyez à ma perte. Toutefois, je veux espérer que pour vous il se radoucira. Mais quand il sera ici, pour Dieu, sire, accordez-vous avec lui. (Vous voyez la rusée ! Sait-elle bien mentir et gaber !) — Oui, Brangaine, je ferai ce que je pourrai. Va tôt et me l'amène. »

Iseut sourit à part soi. Le roi ne cache pas sa joie. Brangaine court vers la porte. Tristan était derrière le mur ; il avait tout entendu. Il prend la meschine dans ses bras, l'accole, et remercie Dieu. Dorenavant il aura Iseut à son gré. « Sire, lui dit Brangaine, le roi a tenu un long discours sur toi et sur ta chère drue. Il oublie son ressentiment ; il déteste ceux qui t'ont noirci. Il m'a commandé de t'aller trouver. J'ai dit que tu étais irrité contre moi. Fais semblant de te faire prier et de venir à contrecœur. Et si le roi te parle à mon sujet, tâche de rechigner un peu. » Tristan serra Brangaine dans ses bras ; sa joie ne connaît pas de bornes.

Ils s'en vont à la chambre peinte, où le roi se tient avec Iseut. « Neveu, fait le roi, quitte ton mécontentement à Brangaine, et je te pardonnerai le mien. — Mon cher oncle, écoutez-moi, dit Tristan. Vous prenez bien à la légère votre ressentiment contre moi, vous qui m'avez chargé (mon cœur en pleure) de si grande félonie. Si j'eusse fait ce que vous avez cru, je serais digne du mépris de tous, et la reine serait honnie. Jamais nous ne le pensâmes, Dieu le sait. Celui-là vous hait qui vous a fait croire telle merveille. Un roi a plus sujet que nul homme de redouter les médisants qui ne sont jamais las de parler et de rapporter plutôt le mal que le bien, et dont le faux

langage diffame et salit la bonne renommée de mainte
dame et demoiselle. Dorénavant, conseillez-vous
mieux, sire, et ne grondez plus contre la reine ni
contre moi qui suis de votre lignage. — Je ne le ferai,
beau neveu, je le jure. »

Ainsi fut faite la paix. A partir de ce jour, Tristan
eut de nouveau ses entrées au palais. Il était heureux ;
il allait et venait dans la chambre des dames, et le roi
n'en avait nul souci.

# IX

*Les trois félons. — La fleur de farine. — Les amants condamnés au feu. — Le saut de la chapelle. — La reine donnée aux méseaux. — Sa délivrance.*

Ha ! Dieu ! comment les amoureux pourraient-ils tenir un an ou deux sans se découvrir ? L'amour ne se peut celer. Leur secret est une chaîne qui leur pèse. Ils n'ont jamais de repos, car ils ne peuvent partout avoir leurs aises ; ils sont contraints de se donner le mot et de chercher toujours de nouveaux refuges ; ils échangent un regard, une parole à la dérobée, quand le médisant les épie.

Il y avait à la cour trois barons : jamais vous ne vîtes plus félons. Ils s'étaient juré que si le roi ne chassait son neveu du pays, ils se retireraient dans leurs châteaux et lui feraient la guerre. Ils avaient vu dans un verger sous une ente fleurie la belle Iseut et Tristan enlacés, et plus d'une fois ils les avaient trouvés gisant tout nus ensemble dans le lit du roi Marc. Car lorsque le roi part pour la chasse, Tristan dit : « Sire, je m'en vais », puis il demeure et entre dans la chambre de la reine.

Un jour, conseil pris, les trois barons ont tiré à part le roi Marc et lui ont dit : « Sire, cela va mal. Ton neveu aime la reine. Quiconque le désire peut en avoir la preuve. Nous ne le voulons souffrir. » Le roi entend ; il soupire, il baisse la tête ; il ne sait que dire ; il erre à grands pas dans la salle. « Roi, disent les trois félons, nous ne voulons consentir à cette honte. Nous savons que tu as fermé les yeux là-dessus jusqu'à ce jour. Il faut agir. Conseille-toi. Si tu ne congédies Tristan, de telle sorte qu'il ne revienne jamais à la cour, notre amitié sera rompue, et tu n'auras paix avec nous ni avec nos voisins. Telles sont nos conditions. Dis-nous maintenant toute ta volonté. — Seigneurs, répondit le roi, vous êtes mes féaux. Dieu m'aide ! Mon neveu a d'étranges manières, mais je m'étonne qu'il ait cherché à me déshonorer. Conseillez-moi, je vous le requiers. Vous savez que je n'ai pas d'orgueil, et je ne veux pas perdre votre service. — Sire, disent les barons, voyez votre nain : il a merveilleux savoir. Mandez et interrogez le devin, et finissons-en avec cette affaire ! »

Or écoutez la trahison du méchant bossu. Maudits soient tous ces devins et astrologues ! Le nain est venu ; l'un des barons l'accole. Le roi lui dit ce qui le tient en souci. « Roi, dit Frocin, commande à ton neveu d'aller dès demain matin à Carduel, chez le roi Arthur : qu'il lui porte un bref écrit en parchemin bien scellé de cire. Tristan couche devant ton lit. Tout à l'heure, je sais qu'il parlera à Iseut pour lui annoncer son départ. Sors de la chambre au premier sommeil. Je te jure que si Tristan aime la reine de fol amour, il viendra à elle pour lui parler, et s'il y vient, et si je ne le sais, et si tu ne le vois, détruis-moi. Ils seront pris prouvés sans serment. Roi, laisse-moi faire et tirer les sorts à ma volonté et ne parle à Tristan de son voyage jusqu'à l'heure du coucher. » Le roi répond : « Ami, il en sera comme tu le désires. »

Le nain était de très grande perfidie. Il alla chez un boulanger, acheta pour quatre deniers de fleur de farine et la mit en son giron.

Après souper, les chevaliers allèrent se coucher par la salle. Tristan fut au coucher du roi. « Beau neveu, fait celui-ci, tu iras demain matin porter ce bref au roi Arthur, à Carduel. Salue-le de ma part et ne demeure qu'un jour avec lui. — A votre volonté », répond Tristan. Le roi ajouta : « Tu te mettras en chemin avant l'aube. »

Tristan fut en grand émoi. Entre son lit et celui du roi Marc, il y avait bien la longueur d'une lance. Il vint à Tristan une idée folle : il se dit qu'il tâcherait de parler à la reine, dès que son oncle serait endormi. O Dieu ! quelle témérité !

Quand ils furent tous couchés, le nain Frocin entra sans bruit dans la chambre. Il répand entre les deux lits la fleur de farine pour qu'elle retienne la trace des pas, si Tristan s'avise de s'approcher de la reine. Tristan vit besogner le nain ; il pensa qu'il ne faisait pas cela sans qu'il lui fût commandé, car il n'avait pas coutume d'être si empressé au service. Il se promit bien de déjouer la ruse du sournois. Quelques jours auparavant, tandis qu'il chassait au bois, un sanglier l'avait blessé à la jambe. La plaie était à peine refermée ; mais il ne s'en souciait guère. Tristan ne dormait pas. A minuit, il vit le roi se lever et sortir de la chambre, accompagné du nain. Il n'y avait nulle clarté, ni cierge, ni lampe allumée. Tristan, se dressant sur son lit, joint les pieds, mesure l'espace à franchir, et saute. Il tombe sur le lit du roi à côté d'Iseut. Sa plaie crève et le sang se répand dans les draps. Il ne s'en aperçoit pas tout d'abord ; il était trop aux délices qu'il avait de si longues heures convoitées : en d'autres occasions sa plaie lui aurait cuit, mais qu'était cette brûlure en comparaison de la flamme qui le dévorait, et à quoi montait cette petite douleur au prix des mille mignardises, jolivetés et déduits dont il honorait sa dame par amours ?

Le nain était dehors ; il vit bien, en regardant la lune, que les deux amants étaient joints et enlacés ensemble dans le lit du roi. Il en frémit de joie. « Allez, dit-il au roi, et si vous ne les prenez sur le fait, qu'on me pende ! » Les trois félons, par qui la trahison avait été en secret pourpensée, étaient à l'aguet, aux portes de la chambre. Le roi revient. Tristan l'entend et se lève en hâte. Il eut tôt fait de sauter sur sa couche. Malheur ! en prenant son élan, le sang jaillit ; des gouttes tombent sur la farine.

Le roi entra dans la chambre, avec le nain qui tenait une chandelle. Tristan faisait semblant de dormir, et l'on pouvait entendre le bruit de son haleine. A ses pieds gisait Périnis, et la reine gisait dans le lit du roi.

Sur la fleur de farine éparpillée, le sang parut. Le roi menace. Les trois barons sont là ; ils se saisissent de Tristan ; ils crient qu'ils ne laisseront pas de requérir que justice soit faite. Ils montrent au roi la jambe qui saigne. « Vous êtes traître prouvé, dit le roi à Tristan, et sans excuse. Soyez sûr que demain vous serez détruit. — Sire, grâce, crie la reine à genoux ; pour

Dieu qui souffrit passion, prenez pitié de nous ! —
Mon oncle, dit Tristan, je ne plaiderai pas pour moi.
Je sais que je me suis mis dans un mauvais cas. Si je
n'avais eu peur de vous courroucer, ceux qui m'ont
tendu ce piège l'eussent payé cher ! Ils n'eussent pas
eu le temps de mettre la main sur moi. Mais envers
vous je n'ai aucun grief. Que la chose tourne bien ou
mal, vous ferez ce qu'il vous plaira de ma personne.
Mais, sire, pitié pour la reine ! » Ce disant, Tristan
s'incline. « Car il n'y a homme en ta maison, m'accu-
sant d'avoir eu, par vice, compagnie charnelle avec la
reine, qui ne me trouve armé en champ, et prêt à lui
répondre. Sire, grâce pour la reine, au nom de
Dieu ! »

Les Trois qui sont en la chambre ont pris Tristan et
l'ont lié de cordes, et ils ont également lié la reine. Ils
attendent, l'œil chargé de haine, ce que décidera le roi.
Je vous dirai leurs noms : l'un s'appelait Ganelon : il
était long et maigre, avec une figure jaune et une barbe
noire comme Africain. Gondoïne avait la face ronde,
l'œil faux, cheveux pâles comme étoupe et narines
enflées : en tout la semblance d'un pourceau. Denoalan était de petite stature et de poil roux ; avec son
mauvais visage grêle et aigu, et ses yeux enfoncés et
perçants, il ressemblait assez bien un goupil dont il
avait la nature décevante, engigneuse et rapineuse.

Tristan, s'il avait su qu'il ne lui fût loisible de
justifier Iseut, se serait fait dépecer vif plutôt que de se
laisser lier, lui et la reine. Mais il avait foi en Dieu et
pensait bien que, si on lui permettait de se défendre,
nul n'oserait prendre les armes contre lui : c'est
pourquoi il ne voulait se mettre dans son tort envers

le roi en usant de violence. S'il eût su ce qui devait avenir, il les eût tués tous les trois.

Le bruit se répand par la cité que Tristan et la reine Iseut ont été trouvés ensemble, et que le roi veut les mettre à mort. Grands et petits, tous pleurent : « Hélas, hélas ! disent-ils, Tristan, le meilleur, le plus vaillant du royaume, quel dommage que ces gloutons vous aient pris par traîtrise ! Ha ! franche reine honorée, y aura-t-il jamais en nulle terre fille de roi qui t'égale ! Ha ! maudit nain, voilà l'œuvre de ta devinaille ! Jamais ne voie Dieu en face qui trouvera le nain et ne le férira du glaive ! Ah ! Tristan, quelles terribles douleurs vous endurerez, beau cher ami, quand votre corps sera mis à la torture ! Hélas ! quel deuil de votre mort ! Quand le Morhout prit port ici pour ravir nos enfants, il trouva nos barons silencieux, et nul n'eût osé s'armer contre lui. C'est toi, Tristan, qui livras bataille pour nous tous, gens de Cornouaille, et nous délivras du Morhout : mais il te navra d'un coup dont tu faillis périr. Non, jamais nous ne consentirons à ta mort ! » Il y a grande noise sur la place. Tous courent au palais. Le roi était dur et entêté. Aucun baron, tant fût-il hardi et puissant, n'osait lui adresser la parole pour qu'il pardonnât à Tristan son méfait.

Il fait maintenant grand jour. Le roi commande de creuser une fosse en terre et de couper et mettre en tas des épines, des viornes et autres broussailles. Un ban est crié que tous ceux de l'honneur accourent incontinent. A grand bruit les Cornouaillais s'attroupent. Il n'y a nul d'entre eux qui ne fasse deuil, hormis le nain de Tintagel. Le roi a annoncé qu'il veut faire ardoir en un bûcher son neveu et sa femme. « Roi, vous ne

commettrez pas ce péché, se récrient les gens du
royaume. Les coupables doivent être d'abord jugés.
Vous les détruirez après. Grâce ! » Le roi irrité
répond : « Par le Seigneur qui fit le monde, j'aimerais
mieux perdre mon héritage que je ne les fasse brûler
sur-le-champ. Dût-on m'en demander compte un
jour, laissez-moi faire à ma guise. » Il commande
d'allumer le feu et d'amener Tristan : il veut qu'il
meure le premier. Des sergents lui lient les mains et le
poussent devant eux : l'affront de ces vilains est
profondément ressenti par le neveu du roi à qui la
honte arrache des larmes. Iseut, folle de douleur, tord
ses bras et jette de longs sanglots. « Ah ! Tristan, fait-
elle, quel outrage pour vous que ces liens dont vous
êtes couvert ! J'aimerais mieux que l'on m'occît et que
vous fussiez sauvé, bel ami ! Vengeance encore en
pourrait être prise ! »

   Oyez, seigneurs, la grande pitié de Dieu : il ne veut
pas la mort du pécheur ; il a entendu les cris et les
prières des pauvres gens en faveur de ceux qui étaient
en péril. Près du chemin qu'ils suivaient, il y avait une
chapelle assise au haut d'une colline ; du côté du
chœur qui était percé d'une verrière, la roche était
droite et haute de dix toises : de cette roche un
écureuil n'aurait pu sauter sans se briser sur la falaise.
« Seigneurs, dit Tristan à ceux qui le menaient, voici
une chapelle ; veuillez m'y laisser entrer. Je suis près
de trépasser de ce monde : je prierai Dieu qu'il ait
merci de mon âme, car je lui ai trop forfait. Seigneurs,
il n'y a qu'une entrée, gardez la porte ; je reviendrai
dès que j'aurai fini ma prière. » Les sergents se
conseillèrent. « Nous pouvons bien le laisser aller »,
dirent-ils l'un à l'autre. Ils le délièrent. Tristan entra

dans la chapelle. Il ne fut pas lent à la traverser, vint
derrière l'autel, tira le vantail de la fenêtre, et par
l'ouverture bondit au-dehors. Le vent, en s'engouf-
frant dans ses vêtements, amortit sa chute, si bien
qu'il tomba sain et sauf sur une grande pierre plate qui
avançait au milieu du rocher ; les Cornouaillais appellent encore cette pierre le Saut de Tristan.

Cependant le peuple a envahi la chapelle : ils ne
voient plus Tristan. Dieu lui a fait une grande grâce :
tandis que le feu là-bas flambe et crépite, il fuit à
toutes jambes le long de la vallée. Au détour d'un
buisson, il aperçut Gorvenal qui venait, chevauchant
et tenant en dextre son cheval. Il avait ceint son épée
et était sorti de la ville, car il redoutait d'être pris par
les gens du roi Marc, et livré au supplice à la place de
son seigneur. Quand il vit son écuyer, Tristan fit
grande joie. « Maître, j'ai échappé par un miracle de
Dieu, dit-il, mais, hélas ! quand je n'ai Iseut, rien ne
me vaut. Si on veut la jeter au feu, je mourrai pour
elle ! — Pour Dieu, beau sire, dit Gorvenal, reprenez
courage. Voici un buisson épais, clos de fossés tout
autour. Sire, mettons-nous dedans. Nous verrons les
gens passer, et nous saurons des nouvelles de la reine.
Si elle est mise à mort, jurez de ne jamais monter en
selle que vous n'en ayez pris terrible vengeance ! Vous
avez en moi un compagnon qui vous aidera et vous
suivra au milieu de tous les périls. — Mais, beau
maître, que ferai-je sans mon épée ? — La voici ; je
vous l'ai apportée avec votre cheval. — C'est bien ; je
ne crains désormais, sinon Dieu. — J'ai encore sous
ma gonelle une chose qui pourra vous être utile : un
haubergeon aux mailles solides et fines. — Tôt,
baillez-le-moi, beau maître. J'aimerais mieux être tiré

à quatre chevaux que je ne tue ceux qui tiennent ma mie, si je puis venir à temps au bûcher. — Ne te hâte point. L'occasion ne tardera guère. A cette heure, il y a trop grand empêchement : le roi est courroucé ; tous les bourgeois et tout le peuple de la ville sont avec lui, et il a commandé que quiconque pourra te prendre, s'il ne le fait, sera pendu. Chacun aime mieux soi qu'autrui. S'il levait sur toi la huée, tel qui te veut du bien n'oserait faire un pas pour te délivrer. » Tristan est très abattu. Au péril d'être massacré, il se fût lancé à la rescousse d'Iseut, si Gorvenal ne s'y fût opposé.

Un messager accourt auprès d'Iseut et lui apprend l'aventure de son ami. « Dieu en ait bon gré ! fait-elle. Mon sort m'importe peu désormais ! » La reine avait été liée, pieds et poings, par le commandement des Trois ; elle attendait son supplice. « Comment pourrais-je me plaindre, fait-elle, quand les félons losengers qui devaient garder mon ami l'ont laissé, grâce à Dieu, échapper ? Je suis sûre maintenant que le nain et les trois envieux, par le conseil de qui je serai mise à mort, auront le loyer qu'ils méritent. »

Quand le roi Marc sut que son neveu s'était enfui, il devint noir de colère. Il commande que sa femme soit incontinent amenée. Iseut sort du palais. Quelle tristesse ! Il y a grande noise dans la rue : le peuple est épouvanté de voir la pauvre reine dans les liens hideux qui l'enserrent. Si vous aviez entendu leurs cris et leurs gémissements ! « Ha ! franche reine honorée, quel deuil pour le pays ! Certes, ceux qui sont cause de votre mort en retireront petit gain. Puissent-ils en avoir mal-étrenne ! »

La reine fut conduite devant le bûcher. Dinas, le

sire de Lidan, qui aimait beaucoup Tristan, se jette
aux pieds du roi : « Sire, fait-il, entendez-moi. Je
vous ai servi longuement, en toute loyauté. Jamais il
n'y eut homme en tout ce royaume, pauvre orphelin
ou vieille femme, qui, durant tout le temps que
j'occupai votre sénéchaussée, me donnât seulement
une maille beauvoisine. Sire, grâce pour la reine !
Vous voulez la détruire par le feu, sans jugement : ce
n'est pas juste, car elle n'a pas reconnu son méfait. Si
vous brûlez la reine, ce sera un grand malheur. Tristan
vous a échappé ; il connaît mieux que personne les
plaines, les bois, les gués et les passages, et il est fier et
redouté. Vous êtes son oncle, et il est votre neveu.
Certes, il ne s'armera pas contre vous. Mais vos
barons, s'il trouve vos barons à portée de sa main, et
s'il les malmène, votre terre en sera encore dévastée !
Sire, je ne cherche pas à le nier, si quelqu'un, fût-il le
roi de ce pays, avait à cause de moi détruit ou
condamné au feu un simple écuyer, il me pendrait
plutôt que vengeance n'en fût prise ! Pensez-vous que
Tristan puisse rester coi devant le supplice d'une fille
de roi qu'il a amenée de lointain royaume ? Il y aura
encore grande lutte. Roi, rendez-moi Iseut, en récompense de vous avoir servi toute ma vie. »

Ganelon, Gondoïne et Denoalan écoutaient Dinas
et gardaient le silence : ils savaient bien que si Tristan
était quitte, il les guetterait et aurait sa vengeance. Le
roi prit Dinas par la main : il dit en colère qu'il ne
laissera pas de faire justice. Dinas l'entend, il a grand
deuil ; jamais par sa volonté la reine ne sera mise à
mort. Il se relève et salue le roi : « Sire, dit-il, je
retourne à Lidan. Je ne pourrais voir brûler la reine
pour tout l'avoir des plus riches hommes de la

chrétienté. » Il monte sur son destrier et s'en va, chère basse, triste et morne.

Iseut fut amenée au feu, environnée de toute la gent qui pleurait, criait et maudissait les traîtres du roi. La dame était vêtue d'un bliaut de paile gris broché menu de fils d'or ; ses cheveux tressés tombent jusqu'à ses pieds, ses bras sont étroitement liés ; son visage ruisselle de larmes.

Il y avait à Lancien un malade qui s'appelait Ivain ; il était ladre et contrefait à merveille. Il était venu voir le jugement de la reine avec une centaine de ses compagnons : jamais vous ne vîtes tant de méseaux si bosselés, si gangrenés et si difformes, avec leurs bâtons et leurs potences ; chacun tenait sa cliquette. Ivain s'adresse au roi : « Sire, dit-il, tu veux faire justice de cette femme : à mon avis, le supplice durera peu : ce grand feu aura bientôt brûlé le corps, et le vent dispersé la cendre. Si vous vouliez m'en croire, il y aurait justice plus rigoureuse, une chose qui vaudrait beaucoup mieux, et telle que la mort par le feu serait encore douce en comparaison, car la reine vivrait, mais d'une vie misérable, et nul n'en entendrait parler qui ne t'en redoutât davantage. — Si tu m'enseignes ce moyen, répondit le roi, que la reine puisse vivre, mais d'une vie qui ne vaille, je t'en saurai gré, et récompenserai largement ton service. Celui qui saurait inventer un châtiment cruel dont on n'a pas encore entendu parler aurait mon amour et ma reconnaissance éternelle. — Roi, dit Ivain, je te dirai brièvement à quoi je pense. J'ai ici cent compagnons. Donne-nous Iseut ; elle nous sera commune. Jamais dame n'aura pire fin. Sire, nos draps nous collent au corps, et il y a en nous une si grande ardeur qu'il n'est

femme au monde qui puisse souffrir notre commerce.
Avec toi la reine était accoutumée au vair et au gris ;
elle vivait honorée et joyeuse ; elle avait foison de
bons vins dans les grands celliers de marbre. Si vous la
donnez à nos méseaux, quand elle entrera dans nos
huttes, partagera notre écuelle, et qu'il lui faudra
coucher avec nous, quand, au lieu de tes beaux
mangers, elle aura de ces quartiers et de ces lopins que
l'on dépose à nos huis, par le Seigneur qui règne dans
le ciel, quand elle verra notre cour, elle aura tel
désespoir que mieux lui vaudrait être morte que
vive. » Le roi a ouï ce qu'a dit Ivain le lépreux. Il
s'avance vers Iseut et la prend par le bras. « Grâce,
grâce ! crie-t-elle, plutôt que de me donner à ces gens,
jetez-moi dans le bûcher ! »

Le roi octroie la reine au méseau qui la prend. Un
cri d'horreur s'élève de la tourbe, tandis qu'Ivain la
tire à lui. Déjà la bande faisait grande noise de la voix
et des béquilles, étrivait à qui le premier ferait sa
volonté de la reine. Ils donnèrent enfin le choix à
Ivain comme à leur capitaine. Comme ils allaient droit
vers le buisson où Tristan se tenait embûché, Gorvenal lui cria : « Fils, que feras-tu ? Voici ta mie. — Oh !
Dieu, quelle aventure ! » Tristan broche son destrier.
Il barre le chemin au méseau. « Truand, vous l'avez
assez menée ! Lâchez-la tôt, si tu ne veux laisser tes os
sur la place ! » Ivain se désaffuble et attroupe ses
gens : « Or aux bâtons ! On verra qui sera des
nôtres ! » Si l'on eût vu alors les méseaux courir,
souffler et jeter leurs chapes ! Chacun hoche sa
potence ; l'un menace et l'autre hue. Tristan ne veut
pas toucher cette chiénaille, ni les bâtonner, ni
répondre à leurs rampones. Gorvenal accourt. D'un

jarron qu'il tient il frappe Ivain qui lâche Iseut, et tombe, la tête ensanglantée. Les autres méseaux retournent par la lande plus vite que le pas. Tristan se hâta de dénouer les liens d'Iseut. Puis, sans tarder, ils montent, Tristan emportant Iseut en croupe, et tous trois s'enfuient au plus profond de la forêt.

# X

Quand sa frénésie fut passée, le roi tomba dans un profond abattement. Il prit en haine ses losengers, et il détesta par-dessus tout le nain et son œuvre. Le méchant bossu ne tarda pas à recevoir son châtiment. Il était seul à savoir un secret du roi : il le livra, et ce fut grande folie, car le roi en retour prit sa tête. Un jour qu'il avait bu, il eut vin de pie. Les trois félons lui demandèrent comment ils avaient tant à se dire, le roi et lui, et ce qu'ils barguignaient ensemble. « Le roi, fait le nain, m'a toujours trouvé très fidèle à garder son secret. Je vois bien que vous voulez le connaître. Mais je ne veux pas trahir le roi. Je vous mènerai tous les trois devant le Gué Aventureux. Il y a là une aubépine sous la racine de laquelle est creusée une fosse. Je me mettrai dedans, et vous m'entendrez parler dehors. Ce que je dirai, c'est le secret que le roi n'a jamais révélé à personne. » Les barons vinrent à

l'épine ; ils écartèrent les branches de la fosse, et ils y
boutèrent le nain à la grosse tête. Alors le nain parla ;
il dit ces mots : « Écoutez, je vous parle, épine, non à
vous, seigneurs marquis : Marc a des oreilles de
cheval ! » Ainsi les trois félons surent le secret du roi
Marc. Et un jour que le roi s'entretenait après dîner
avec ses barons, Gondoïne lui dit à l'oreille : « Roi,
nous savons ce que tu nous caches : tu as des oreilles
de cheval. — Ah ! dit le roi. J'ai été vendu par ce nain !
Cette fois, il a fini de rire. » Il tire l'épée et lui tranche
la tête. Telle fut la fin du nain astrologue : ceux qui le
haïssaient à cause de Tristan et de la reine en ouïrent
sans déplaisir la nouvelle.

Entretant, les fugitifs chevauchaient dans la grande
forêt de Morois. Au commencement, ils ne demeurèrent guère qu'un seul jour dans le même lieu ;
ils couchaient sur la dure et vivaient d'herbes et de
racines. Heureusement la saison était belle, et longues
et claires les journées. Il y avait en Tristan un
merveilleux archer, mais il ne pouvait exercer son
adresse, car il lui manquait l'arc et les flèches.
Gorvenal chercha tant par la gaudine qu'il rencontra
un forestier endormi et le déroba de son bel arc
d'aubour et de deux saïettes empennées ; il se procura
encore un fusil, avec le tondre et la pierre à feu. Lors
Tristan put se mettre à l'affût et guetter le lièvre et le
chevreuil. Quand il en avait tué un, il le dépouillait, et
Gorvenal le rôtissait à une broche de coudrier. Ainsi
ils sustentaient leur petite vie. Mais le sel et le pain
leur faisaient cruellement défaut. Tristan n'eut de
cesse qu'il n'en eût trouvé. Il chevaucha tant qu'il
entra dans une lande où il vit des bergers qui gardaient

leurs moutons ; et il échangea avec eux un quartier de chevreuil contre deux pains d'orge et une pochetée de sel bis.

A force d'errer, ils découvrirent une clairière solitaire et plaisante. Ils bâtirent alors avec des perches et des rains feuillus deux loges qu'ils jonchèrent d'herbes et de roseaux. Ils aménagèrent aussi un parquet pour les chevaux. Dès qu'il était nuit anuitée, chacun entrait dans sa hutte de branches. Les deux amants dormaient dans les bras l'un de l'autre. Ils entendaient parfois ululer les loups ; d'autres fois, la pluie tombait avec fiers bouffements de vent, éclairs hideux et grands roulements de tonnerre. Ils n'avaient ni linceul, couette ni coussin, ni riche tapis pour aiser leurs corps ; ils s'abritaient sous la feuille, comme bêtes de la forêt en leurs muchettes, et gisaient sur nattes de joncs, et dès le matin ils allaient à la recherche de leur dîner.

Un jour, ils vinrent par aventure à une petite maisonnette sise au pendant d'un val. Là demeurait frère Ogrin, l'ermite. Il était devant sa porte, appuyé sur sa potence. Tristan le salua. Frère Ogrin lui rendit son salut. « Sire Tristan, dit l'ermite (car il l'avait reconnu aussitôt), on a publié un ban par toute la Cornouaille que celui qui se saisirait de vous aurait cent marcs pour son guerdon. Il n'y a baron en cette terre qui n'ait fait le serment de vous livrer au roi, mort ou vif. — Je le sais, dit Tristan. — Sire Tristan, dit l'ermite, Dieu remet le péché à celui qui se repent par bonne confession. — Sire Ogrin, dit Tristan, Iseut m'aime de bonne foi, et vous n'en savez pas la raison : c'est par la vertu d'un breuvage. » Ogrin n'écoute pas ; il continue : « Sire Tristan, quelle consolation

peut-on donner à un homme mort ? Celui-là est mort
qui a vécu longuement en péché, s'il ne regrette sa
faute et n'a ferme propos de s'amender. Nul ne peut
absoudre pécheur sans repentir. » L'ermite Ogrin les
sermonne, les exhorte à changer de vie, leur rappelant
les prophéties de l'Écriture et le Jugement dernier.
« Que feras-tu ? dit-il à Tristan d'un ton rude. —
Frère Ogrin, j'aime Iseut éperdument, et tant que j'en
perds le sommeil. Mon conseil est pris : j'aimerais
mieux être truand avec elle, et vivre de pain moisi et
de fruits sauvages, que posséder, sans elle, toutes les
terres du roi Otrant. » Iseut pleure aux pieds de
l'ermite. « Sire, je vous le jure, par Dieu le Tout-
Puissant, notre amour est venu par une boisson
d'herbes dont nous bûmes l'un et l'autre : c'est là tout
notre péché. » Frère Ogrin dit simplement : « Dieu
vous donne vraie repentance ! » Cette nuit-là, Tristan
et Iseut s'hébergèrent chez l'ermite : par charité, il fit
violence à la règle de sa vie. Au petit jour, ils
s'éloignèrent.

Déjà on était à la Sainte-Croix de septembre. Il y
avait foison de noisettes, de cornouilles, de blessons,
de pommottes, de prunelles, de cormes et d'alises par
les buissons. Bientôt souffla le vent de la pluie, et la
pluie se mit à tomber pendant des semaines entières ;
puis vint une bise tranchante qui fit voler les feuilles
jaunies par la forêt. Tristan pensa à se ménager un
refuge pour l'hiver. Il erra tant parmi la gaudine,
parmi les tertres, les landes, parmi les hièbles et les
bruyères, qu'il vint à un endroit merveilleux, enserré
de hautes roches au flanc desquelles s'ouvrait une
grotte large et profonde. Des géants jadis l'avaient
habitée, car elle était en partie taillée et peinte de

signes mystérieux. En contreval, était une fontaine
avec un étang, et tout autour verdoyait la forêt haute
et drue. Avec Gorvenal il se mit en quête d'une hache,
d'une scie, de clous et de marteaux ; ayant coupé des
arbres, ils fendirent le merrain ; taillèrent des ais et des
madriers et fermèrent la grotte. Puis ils la garnirent de
peaux de mouton et de sellettes faites de troncs
équarris, et ils s'y établirent avec leurs aisements.
Bientôt la neige couvrit les chênes et les pins ; le gel
figea le cristal des fontaines. Gorvenal bouchonnait
les chevaux et renouvelait leur litière et allumait de
grands feux. Sur leurs pauvres matelas farcis de
feuilles de châtaignier, Iseut et Tristan se réchauf-
faient du feu de leur ardeur amoureuse. Pendant la
journée, Tristan façonnait des arcs de bois d'if et des
boujons de frêne, tressait filets et panneaux. Nul
n'était plus habile de ses doigts ; il façonna des
écuelles de hêtre, et pour Iseut un peigne de buis. Et il
allait berser par le bois, tuait pluviers et videcoqs, ou
prenait les oiseaux à la pipée, ou bien il pêchait à la
main la carpe, la tanche et l'anguille.

Le temps vint où la sève monte et où les arbres
jettent leurs bourgeons. La violette fleurit, puis
l'épine blanche, puis le genêt, puis le muguet, puis
l'églantine. Il fit de nouveau bon s'ombroyer sous la
rame et se baigner dans l'étang. Parfois Tristan
montait son baucent et chevauchait avec Iseut ; ils
allaient très loin, par les chaumois et les landes, au
péril de leurs corps. Mais nul n'avait souci de défier
Tristan, car il était redouté des hauts hommes, et
d'autre part, on ne savait qui il était, parmi les
charruyers, bouviers champoyant et autres bonshom-
meaux menant pourceaux et truies. Des pastoureaux

aperçurent un jour la belle Iseut qui cueillait des fleurs au bord d'un ruisseau, et ils s'enfuirent, effrayés, croyant que ce fût une fée.

Quand la saison fut de retour où l'on chasse le cerf, où les blés sont hauts, la saison des longues journées et des grandes rosées, Gorvenal rappela à Tristan qu'il lui convenait de se bien garder et de ne sortir qu'en larcin de sa cachette. Il était certain que le roi avait fait crier un ban contre Tristan par toute la Cornouaille, et que les félons qui voulaient sa mort ne tarderaient pas à lui donner de leurs nouvelles.

Écoutez maintenant l'aventure du chien de Tristan. Jamais comte ni roi n'eut brachet tant vaillant ; il était vif, rapide, léger, joyeux, toujours prêt à répondre à l'appel. Il avait nom Husdent. Il était resté attaché, un landon entre les pattes. Il regardait souvent par le donjon, car il était en grande angoisse de ne plus voir son seigneur. Il refusait toute pâture. Il grognait et larmoyait des yeux, et sans cesse trépignait du pied. Dieu ! comme il faisait pitié à ceux qui l'approchaient ! Chacun va disant : « S'il était mien, je le délierais, car il menace bien de devenir enragé. Ah ! Husdent, jamais tel brachet ne sera trouvé, qui tant soit prompt ni qui fasse tel deuil pour son maître ! Certainement, il n'y eut bête de tel amour. Salomon dit à bon droit que son ami, c'est son chien. Husdent prouve bien cette vérité. Il ne voulut goûter de rien depuis que Tristan fut pris ! Roi, il faut délier Husdent et lui ôter ce bâton qui lui pend au cou ! » Le roi pensait en lui-même : « Je crois bien qu'il enrage de ne plus voir mon neveu. Certes le chien a très grand sens : je ne crois pas qu'en toute la terre de Cornouaille il y ait jamais un chevalier qui vaille

Tristan ! » Gondoïne et Denoalan en ont arraisonné le roi : « Sire, déliez Husdent. Nous verrons bien certainement s'il mène telle vie à cause de son maître. Car s'il a vraiment la rage, il n'aura pas sitôt la langue au vent qu'il ne morde bêtes ou gens ou autre chose. »

Le roi appela un écuyer et lui commanda de faire délier Husdent. Tous se juchèrent sur les bancs et sur les selles, de peur que le chien ne les assaillît, sitôt délivré de son landon et de sa chaîne. Tous disaient : « Il est enragé ! » Mais de ce qu'ils pensaient, le brachet ne se souciait guère. Dès qu'il fut lâché, il fend la presse, le nez subtil, traverse la salle, gagne la porte et court d'un trait à l'hôtel où il avait coutume de trouver Tristan. Le roi est ébahi, et tous les autres, qui se mettent à le suivre ; le chien aboie, et saute, et file en quête de son seigneur. Il fouille tous les lieux par où Tristan passa ; il se jette dans la chambre où il fut saisi pour être livré au supplice. Sautant et donnant de la voix, il prend le chemin du moutier, grimpe sur le rocher, entre dans la chapelle, bondit sur l'autel, toujours cherchant son maître, et enfin saute par la fenêtre. Il est tombé au bas de la roche et s'est écorché la jambe, mais, sans prendre le temps de lécher sa plaie, il court, le nez à terre. Il s'arrête un moment à l'orière du bois où Tristan s'embûcha avec Gorvenal ; il sort du buisson et s'embat dans le sentier qui mène à la forêt de Morois. Les chevaliers disent : « Cessons de suivre ce damné chien ; il pourrait nous mener en tel lieu d'où il nous serait malaisé de sortir. » Ils laissent le brachet et retournent sur leurs pas. Husdent enfile une charrière, puis une autre, puis mainte petite sentelette. Il s'ébaudit fort dans sa course. La forêt retentit de ses abois.

Tristan était assis sur le pendant d'une combe avec la reine et Gorvenal. Ils prêtent l'oreille. Tristan dit : « Je gage que c'est Husdent. » Ils sont pris de frayeur. Assurément, c'est le roi qui vient avec une nombreuse troupe, guidé par le brachet. Tristan s'est levé ; il tend son arc, et tous trois vont se mettre à l'abri dans un fourré. Husdent débûche ; il s'arrête, lève la tête. Tristan s'approche. Qui eût vu alors le bon Husdent hocher le chef, crouler la queue, pleurer de pitié et bondir et se rouler à terre de joie ! Il saute sur Iseut la Blonde, puis sur Gorvenal et leur lèche les mains. Il fait fête à tous, même au cheval. Mais Tristan a grande pitié. « Ha ! Dieu ! dit-il : ce brachet nous a retrouvés bien malencontreusement : homme banni n'a guère besoin de chien qui n'est muet au bois. Nous sommes dans la forêt, haïs du roi. Il nous fait rechercher par toute sa terre. S'il parvient à mettre la main sur nous, il nous fera brûler ou pendre. Si Husdent demeure, nous serons toujours en émoi. Mieux vaudrait qu'il fût tué, que nous fussions découverts par ses cris. Mais la mort serait le prix de sa fidélité ! Sa noble nature l'a conduit jusqu'à nous. Que faire ? Conseillez-moi, Iseut. — Tristan, il serait mal de nous défaire d'Husdent qui a eu pitié de notre exil. Écoute : le chien prend les bêtes au cri, soit par nature, soit par l'accoutumance. J'ai ouï dire qu'un forestier gallois avait un chien courant qu'il avait si bien dressé qu'il poursuivait et atteignait un cerf percé d'une flèche sans pousser le moindre cri. Ami Tristan, quelle joie si l'on pouvait apprendre Husdent à chasser en silence ! » Tristan était pensif. Il dit : « J'essaierai. J'aurais deuil de tuer Husdent, mais je crains ses aboiements, car ils pourraient nous faire prendre. »

Il s'occupe aussitôt de dresser son chien. Il va se mettre à l'affût. Quand passe un chevreuil ou un daim, Tristan encorde sa flèche et tire. L'animal fuit en bondissant. Husdent s'élance après et aboie. Alors Tristan le frappe. Le chien s'arrête devant son maître, se tait et abandonne la bête ; il regarde en haut, n'ose aboyer, ne sait que faire et perd la trace. Tristan alors met le chien derrière lui et bat le bois avec une verge. Husdent veut de nouveau crier. Tristan de nouveau l'endoctrine. Au bout d'un mois, le brachet était si bien dompté qu'il suivait le vent, sur l'herbe ou sur la neige ; jamais il ne laissa échapper sa bête, tant il était baut et vif et remuant. S'il prend au bois daim ou chevreuil, il l'embûche bien, le couvre de rameaux, et s'il l'atteint parmi la lande, comme il arrive souvent, il jette dessus foison d'herbes, retourne auprès de son maître et le mène tout droit au gibier.

Tristan trouva une nouvelle manière de chasser. Il inventa l'arc Qui-ne-faut. Cet engin est dressé dans le bois et tendu de telle manière si une bête heurte ses cordes par quelque endroit, en haut ou en bas, incontinent un déclic décoche la flèche. L'arc Qui-ne-faut ne manque jamais son but ; c'est pourquoi Tristan lui donna ce beau nom. Il fut d'un très grand secours aux bannis. Grâce à lui, ils furent tout l'hiver pourvus de sauvagine et eurent grand plenté de venaison de maint grand cerf, de lièvres, chevreuils et sangliers. Par ce moyen, Tristan gagna l'amitié de maint berger ou laboureur et put se procurer ce qui leur manquait en fait de draps et d'aisements. Ils en ont grand besoin, car il y aura bientôt deux ans qu'ils sont dans la forêt. Leurs vêtements sont déchirés ; ils

vont pieds nus, hérissés comme lurons et hommes
ramages.

Un matin d'été, Tristan était allé regarder l'arc Qui-
ne-faut ; après quoi il était parti avec Husdent berser,
à une lieue, dans la gaudine. La reine vint à sa
rencontre. Déjà la chaleur était grande. Iseut accole
son ami : « Où avez-vous été ? dit-elle. — Après un
cerf ; je l'ai tant chassé que je n'en peux plus. Je veux
dormir. » Ils avisent à cet endroit une loge faite de
rains verts et bien jonchée. Tristan s'étend. Iseut se
couche auprès de lui. Tristan a tiré son épée et l'a
placée entre leurs deux corps. Tristan était en braies.
La reine avait son bliaut cousu de sa main ; à son doigt
brillait une riche émeraude, présent du roi Marc ; le
doigt était grêle à merveille à peu que l'anneau n'en
glissât. Ils s'endorment, accablés par la chaleur, le bras
droit de Tristan sous la nuque de la belle Iseut ; leurs
bouches étaient près l'une de l'autre ; toutefois, elles
n'étaient pas jointes. L'air est doux et seri ; nul souffle
de vent ne croule les feuilles ; un rayon d'or tombe sur
la face d'Iseut qui brille comme un miroir. Ils étaient
seuls, endormis sous la loge ; Gorvenal était parti au
loin. Or oyez l'étrange, la piteuse aventure !

La veille, le roi Marc avait dit qu'il irait chasser le
cerf et le sanglier. On avait dressé les trefs et les
pavillons. Un veneur s'était rendu sur les lieux avec
ses limiers ; il avait reconnu la trace des pinces d'un
grand porc, marqué les abattures, les endroits où la
bête avait fouillé et retourné la terre. Et une fois faites
les brisées, il était retourné aux tentes. Le lendemain,
tandis que le roi chevauchait avec ses hommes, le
veneur revint au lieu qu'il avait parcouru, fit un
détour et aperçut la feuillée. Il s'approche et reconnaît

les amants. Son sang se glace dans ses veines ; il est
épouvanté, car il sait bien que si Tristan s'éveille, il
laissera sa tête en gage. S'il prit les jambes à son cou, il
ne faut pas le demander. Tristan dormait auprès de
son amie, en péril de mort. De ce taillis où était la
loge, il y avait bien deux lieues jusqu'à l'endroit où se
tenait l'assemblée. Le veneur va grand erre, car il avait
bien ouï le ban que l'on avait fait de Tristan : celui qui
découvrirait au roi son refuge aurait une grande
somme d'argent, et son silence lui coûterait la vie. Le
roi le voit arriver, à grosse haleine. Il lui dit : « Sais-tu
quelque nouvelle, toi qui as l'air si pressé ? Viens-tu te
plaindre de quelqu'un ? As-tu fait une mauvaise
rencontre ? — Écoute-moi, roi, s'il te plaît. On a
proclamé par ce pays que celui qui pourrait trouver
ton neveu devrait plutôt se laisser périr qu'il ne le prît
ou ne vînt t'en informer. Eh bien, je l'ai trouvé et je
crains ton courroux. Aussi je te mènerai là où il dort
avec la reine. Que je meure si je ne te l'ai pas dit la
vérité. Certes, j'eus grand-peur quand je les vis, car les
flèches de Tristan ne manquent jamais leur but. » Le
roi l'entend ; il souffle, sa face s'envermeille d'émoi et
de colère : « Dis-moi, veneur, fait-il tout bas en se
penchant à son oreille, où sont-ils ? — En une loge de
Morois, à deux bonnes lieues d'ici. Je les ai vus,
endormis dans les bras l'un de l'autre. Viens tôt, et
châtie les auteurs de ta honte. Si tu n'en prends âpre
vengeance, tu n'as plus le droit de tenir ta terre. » Le
roi lui dit : « Si tu tiens à la vie, garde-toi bien de dire
à qui que ce soit ce que tu m'as appris, qu'il soit
étranger ou privé. Va à la Croix-Rouge, hors du
chemin, là où l'on enfouit les corps, et m'y attends. Je
te donnerai de l'or et de l'argent autant que tu

voudras, je te le garantis. » Le veneur laisse le roi, s'en
vient à la Croix-Rouge, et s'y assied. Male goutte lui
crève les yeux ! Mieux lui eût valu s'entremettre
d'autre chose, car depuis, il mourut à grand-honte,
comme vous verrez ci-après.

Le roi appelle ses privés et leur dit : « J'ai une chose
dont je désire m'assurer par moi-même. Je vais donc
vous laisser une heure. Je vous commande que nul de
vous ne soit si hardi que de me suivre et de voir où je
vais. » Tous se regardent ébahis. Chacun dit : « Roi,
est-ce un gab ? Vous vit-on jamais aller seul quelque
part ? Jamais fut-il un roi qui n'eût une garde ? Quelle
nouvelle avez-vous ouïe ? Ne vous dérangez pas pour
un rapport d'espion. — Taisez-vous, dit le roi, je ne
sais nulle nouvelle d'importance. Mais une pucelle
m'a mandé en hâte. J'irai sans écuyer ni compagnon
pour cette fois, seul sur mon destrier. — Voilà qui
nous pèse, répond un de la ménie du roi. Caton
recommande à son fils d'éviter les lieux écartés. — Je
le sais, dit le roi, mais laissez-moi faire mon plaisir. »
Le roi a ceint son épée et monte en selle. Il repasse en
son esprit et déteste le méfait que Tristan commit
lorsqu'il lui ravit Iseut au clair visage et lorsqu'il
s'enfuit avec elle. S'il les trouve, il leur fera payer sa
honte. Le roi est enfélonné du désir de les détruire. Il
se dit qu'il aimerait mieux être détranché qu'il ne prît
vengeance de ceux qui l'ont déshonoré.

Il vint à la Croix-Rouge où le veneur l'attendait. Il
lui dit de le mener rapidement et par la voie la plus
courte. Ils entrèrent dans le bois, sous l'ombre
épaisse. L'espion va devant ; le roi le suit, se fiant à
son brant dont il a donné mainte colée ; en quoi il est
un peu outrecuidé, car s'il trouvât Tristan éveillé et

que bataille s'ensuivît, il mourût sans doute avant de
venir à ses fins. Le roi Marc dit au veneur qu'il lui
donnerait vingt marcs d'argent, s'il s'acquittait bien
de sa besogne. Ils étaient maintenant près du lieu où
dormaient les amants. L'espion fit descendre le roi de
cheval. Il lie la rêne du destrier à la branche d'un
hêtre, et quand ils ont découvert la loge, ils avancent à
pas comptés. Le roi délaça son manteau dont les
agrafes étaient d'or fin ; il tient son épée hors du
fourreau et entre sous la ramée ; l'espion va derrière.
Quand le roi Marc vit qu'Iseut était chastement vêtue,
que Tristan avait ses braies et que les lèvres des deux
amants ne se touchaient, et quand il vit l'épée nue qui
était entre eux deux, il s'arrêta ébahi. Une douce
obscurité régnait dans la loge, hors un chaud rayon
qui glissait des feuilles et luisait sur le pommeau de
l'épée et sur le doux visage de la reine aux cheveux
d'or. « Dieu ! dit le roi, qu'est-ce que cela veut dire !
Ce ne sont pas là les manières qu'ils ont accoutumé
d'avoir ensemble, au rapport de mes espions. Que
faire ? Les tuer ? Ce serait un affreux péché. Me
retirer ? Peut-être ! Ils sont depuis longtemps dans la
forêt. Je puis bien croire que, s'ils s'aimassent de fol
amour, ils ne se fussent point là endormis en leurs
chainses et leurs bliauts, mais plutôt enlacés nu à nu,
et il n'y aurait pas entre eux cette épée. J'étais venu en
intention de les tuer : je ne les toucherai pas, je ferai
taire mon ire et ma rancœur. Que dirait-on dans le
royaume si, après avoir éveillé ce jeune homme qui
dort, je le frappais ou s'il me frappait, et que l'un de
nous tombât pour ne plus se relever ? Je ferai mieux ;
je leur laisserai la preuve que je les ai vus dans leur
loge et que j'ai eu pitié d'eux. Je vois au doigt d'Iseut

l'émeraude que je lui donnai jadis, et j'ai un anneau qui fut autrefois le sien. Je changerai les anneaux, et je prendrai l'épée de Tristan, et laisserai la mienne en échange. » Le roi se pencha vers la reine, admira un instant avec un long soupir la merveilleuse beauté et le rayonnant visage, et tout doucement, tout souef, tira du doigt l'anneau vert et y glissa le sien. Puis il ôta l'épéé qui gisait entre les deux corps, et y mit la sienne. Au moment où il sortait de la ramée, il vit un trou dans le feuillage par où tombait le chaud rayon qui illuminait le visage de la reine, et pour la préserver du hâle et de l'éclat du soleil qui aurait pu l'incommoder, il étoupa le trou de son gant de vair.

Le roi et l'espion ne furent pas lents à se remettre en selle ; ils piquèrent de l'éperon et tant allèrent qu'ils revinrent bientôt là d'où ils étaient partis. Les chasseurs venaient de prendre un porc et attendaient le roi pour le défaire. On lui demanda d'où il venait et où il avait été si longtemps. Il mentit de son mieux : nul ne sut jamais où il était allé, ni pour quelle besogne.

Les amants dormaient toujours, et Iseut faisait un songe. Il lui semblait qu'elle était dans une grande forêt, sous un riche pavillon ; deux lions affamés venaient à elle, menaçant de la dévorer, mais tout à coup, chacun la prenait par la main. De l'effroi qu'elle eut, Iseut jeta un cri et s'éveilla. Le gant de vair tombe sur son épaule. En même temps, Tristan ouvre les yeux et se dresse sur son séant. « Dieu ! s'écrie Iseut, c'est le gant du roi, celui-là même que j'ai apporté d'Irlande ! » Tristan en grand émoi veut saisir son épée ; il reconnaît celle de son oncle et, au doigt d'Iseut, le propre anneau du roi Marc. « Nous sommes perdus, s'écrie la reine, le roi nous a trouvés

ici ! — Nous n'avons plus qu'à fuir. Le roi était seul ;
il est allé sûrement chercher des gens pour nous
prendre. Dame, enfuyons-nous vers le pays de
Galles. »

Sur ces entrefaites, Gorvenal entra. Voyant Tristan
tout pâle, il lui dit : « Qu'avez-vous ? — Par ma foi,
maître, j'ai que le noble roi Marc nous a trouvés ici,
tandis que nous dormions ; il m'a laissé son épée et
emporté la mienne. Je crains qu'il ne suive le conseil
de Félonie. Il a pris l'anneau d'Iseut et mis le sien à la
place : par ces échanges, nous pouvons bien apercevoir
qu'il veut nous décevoir. Il était seul quand il
nous découvrit ; il a eu peur et il s'est éloigné, mais il
est allé certainement appeler à la rescousse quelques
hommes à tout faire. Il n'a pas renoncé à jeter nos
cendres au vent. Nous n'avons d'autre ressource que
la fuite. »

Ils montent et partent aussitôt. Et tandis qu'ils vont
à bonne allure, ils entendent au loin le glatissement
des brachets et la voix des chasseurs du roi qui ont fait
lever un grand cerf ; et le galop de leurs destriers se
mêle à la belle noise et au mélodieux tintamarre que
font la menée des cors, et les cris des hommes, et
l'aboi des chiens et des lévriers lancés à la poursuite, et
le retentissement de la chevauchée à travers la forêt.

## XI

*Remords de Tristan. — Conseils de l'ermite Ogrin. — Le bref de Tristan et la réponse de Marc. — Les adieux. — Le Gué Aventureux. — Le forestier Orri.*

Ils allèrent à grandes journées, traversèrent toute la forêt de Morois et atteignirent la marche de Galles. Amour les aura durement éprouvés et fait passer par de terribles frissons. Ils ont connu ses joies, mais aussi ses travaux. Il semble qu'ils aient épuisé de la coupe d'amour tout le miel et tout le fiel. Leur pâleur révèle leur lassitude, leur silence pensif le trouble de leur âme.

Vous savez le breuvage dont ils burent sur la nef qui les ramenait d'Irlande, mais on ne vous a pas dit que les effets du lovedrink, du vin herbé, avaient été déterminés pour une durée de trois ans ; la mère d'Iseut l'avait fait pour sa fille et pour le roi Marc ; un autre en éprouva la puissance, hélas ! pour sa joie et pour son malheur. Tant que durèrent les trois ans, le boire amoureux bouillonnait dans les veines de Tristan et d'Iseut, tant que rien au monde ne pouvait en surmonter la vertu. Le lendemain de la Saint-Jean d'été échut le terme prévu par la reine d'Irlande. Iseut reposait encore. Tristan s'était levé de bon matin. Il suivait le fil d'un ruisseau, quand un cerf débûcha ; Tristan tira ; le cerf s'enfuit, une flèche dans le flanc. Tristan se mit à l'enchausser si bien et bel qu'au soir la poursuite durait encore. Soudain, il s'arrêta. C'était l'heure où il avait bu sur la nef, et soudain voici que la tristesse envahit son âme… « Ha Dieu ! fait-il, j'ai tant de peine ! Il y a juste trois ans aujourd'hui que je porte le faix d'amour, le dimanche comme au long de la semaine. J'ai oublié la chevalerie, j'ai négligé cours et baronnies. Je suis banni du pays, loin de mes pairs. Tout me manque, et vair et gris. Ha Dieu ! mon cher oncle m'eût tant aimé si je n'eusse méfait envers lui ! Comment ai-je pu commettre telle traîtrise ! Je devrais être à la cour, avec cent demoiseaux à mon service. J'ai bien envie d'aller comme soudoyer chercher fortune en terre étrangère. Je souffre de donner à la reine une loge de feuillage au lieu de courtines de soie, ou une grotte au milieu des bois, quand elle devrait habiter en belles chambres pourtendues de riches étoffes, avec une nombreuse suite de demoiselles. Par ma faute, elle a pris la mauvaise voie. Je prie Dieu, le Seigneur du monde, qu'il m'octroie le courage de rendre à mon oncle la paix de son foyer. Certes, je le ferais très volontiers, si la reine pouvait s'accorder avec le roi qui l'a épousée selon la loi de l'Église romaine. » Ainsi Tristan, appuyé sur son arc, regrette le tort qu'il a fait au roi Marc et l'inimitié qu'il a mise entre lui et sa femme.

De son côté, Iseut se lamentait : « Lasse, dolente, à quoi bon la jeunesse ? Vous êtes au bois comme une

serve, vivant misérablement et besognant de vos
mains. Je suis reine, mais j'en ai perdu le nom par le
poison que nous bûmes en mer : c'est la maladresse
de Brangaine qui en fut cause. Hélas ! que ne fît-elle
meilleure garde ! Je devrais avoir avec moi les demoiselles des terres nobles, les filles des francs vavasseurs ; elles m'auraient loyalement servie, et je les
aurais, pour leur loyer, mariées à de hauts hommes.
Ami Tristan, nos erreurs viennent de ce vin herbé
qu'on nous fit boire.

— Noble reine, lui dit Tristan, nous usons mal de
notre jeunesse. Si je pouvais par quelque moyen
m'accorder avec le roi, qu'il oubliât son ressentiment
et accueillît notre serment que jamais ni en fait ni en
dit je n'eus de ma volonté privauté et accointance avec
vous qui pût être tenue à vilenie, il n'y aurait chevalier
en ce royaume, de Lidan à Dureaume, s'il prétendait
que notre amour fût déshonnête, qui ne me trouvât
armé pour lui répondre. Et si le roi Marc m'octroyait,
quand vous serez justifiée, de reprendre place en sa
ménie, je le servirais honnêtement comme mon oncle
et mon seigneur ; il n'y aurait soudoyer qui le servît
mieux en guerre. Et s'il lui plaisait de vous reprendre
et de refuser mes services, j'irais les offrir au roi de
Frise, ou bien je passerais en Petite Bretagne, avec
Gorvenal, sans autre compagnie. Reine franche, où
que je sois, je me clamerai toujours vôtre. Ce départ
ne me serait pas venu à la pensée, si notre vie
commune ne vous contraignait à tant de privations
que vous souffrez depuis si longtemps en ce désert.
Vous avez perdu pour moi le nom de reine ; vous
pouviez être heureuse, honorée avec votre époux,
dans votre riche palais, sans ce vin herbé qui nous fut

donné en mer ! Franche Iseut, belle reine, conseillez-moi sur ce que nous devons faire. — Sire, grâces soient rendues à Jésus, quand vous voulez guerpir le péché. Ami, qu'il vous souvienne de frère Ogrin qui nous prêcha la loi de l'Écriture et tant nous exhorta dans son ermitage. Beau doux ami, si le remords vous presse, il ne pouvait mieux avenir. Courons retrouver frère Ogrin ; je suis certaine qu'il nous donnera bon conseil, par quoi nous pourrons mériter encore la félicité éternelle. — Noble reine, dit Tristan avec un soupir, oui, allons voir frère Ogrin, et mandons au roi notre résolution par bref, sans autre cérémonie. »

Cela dit, ils retournent en arrière et chevauchent tant qu'ils viennent à l'ermitage. Ils trouvent Ogrin qui faisait une pieuse lecture. L'ermite les aperçoit le premier ; il les appelle : « Jeunesse déchassée par l'honneur et reboutée de Dieu, leur dit-il, avec quelle rigueur le péché vous malmène ! Combien durera votre folie ? Vous n'avez que trop erré par les mauvais chemins. Allons ! repentez-vous ! — Oui, dit Tristan, il y a longtemps que nous suivons cette voie, mais telle était notre destinée. Depuis trois ans, jour pour jour, nous connaissons les tribulations de l'amour. Je voudrais maintenant pouvoir accorder le roi et la reine, et je quitterais le pays. Je m'en irais en Loonois ou en Petite Bretágne, ou, si mon oncle voulait me souffrir à sa cour, je le servirais comme je dois. Pour Dieu, sire Ogrin donnez-nous le meilleur conseil, et nous ferons ce que vous commanderez. » La reine s'incline aux pieds de l'ermite ; elle le supplie de les accorder avec le roi. « Car je n'aurai de ma vie pensée d'amour criminel. Je ne dis pas que je me repente jamais d'aimer Tristan d'une amitié sans déshonneur :

tels que vous nous voyez, nous avons renoncé à la vie
commune. »

L'ermite est touché de ces paroles, et il en remercie
Dieu : « Sire omnipotent, je vous rends grâces de
m'avoir laissé vivre assez pour voir ces jeunes gens
venir à moi dans l'intention de guerpir le mal. Je jure
ma créance qu'ils auront bons conseils de moi.
Écoute, Tristan, un petit, et vous, reine, entendez ma
parole. Quand un homme et une femme ont commis
le péché, s'ils se sont quittés et viennent à pénitence et
ont le repentir, Dieu leur pardonne leur méfait, tant
soit-il laid et horrible. Pour ôter la honte et couvrir le
mal, on doit mentir un peu avec adresse. Vous m'avez
demandé conseil, je vous le donnerai sans délai.
J'écrirai un bref sur parchemin. Il sera transmis à
Lancien. Vous manderez au roi avec bons saluts que
vous êtes au bois avec la reine, mais que, s'il voulait la
reprendre et vous pardonnât, vous iriez à la cour. Que
le roi vous fasse pendre si l'un des barons vous accuse
d'avoir pris vilainement druerie avec la reine et si vous
ne pouvez vous justifier. Tristan, j'ose te donner ce
conseil, parce que je sais qu'il ne se trouvera personne
pour bailler gage contre toi. Le roi ne peut refuser
cette demande. Quand il vous condamna au bûcher, à
cause du nain, de nombreux témoins l'attestent, il ne
voulut pas de plaidoirie. Sans l'intervention de Dieu
qui te permit de t'échapper, tu serais mort à déshonneur. Ta fuite sauva la reine. Depuis vous avez vécu
tous deux dans la forêt. Ce n'est merveille : c'est toi
qui l'amenas de sa terre d'Irlande et la donnas au roi à
Tintagel où eurent lieu les noces. Tout cela fut fait :
Marc le sait bien. Il eût été mal de faillir à la reine ; il te
sembla meilleur de fuir avec elle. Si le roi veut bien

écouter ta défense, offre-lui de la présenter à sa cour, devant grands et petits, et, s'il lui paraît bon, quand il sera certain de ta fidélité, au conseil de ses vassaux, qu'il reprenne sa femme. Si la chose ne le fâche pas, tu demeureras auprès de lui et le serviras comme son soudoyer. Et s'il ne veut de ton service, tu passeras la mer de Frise et iras servir un autre roi. Tel sera le contenu de la lettre. — Je l'octroie, dit Tristan. Qu'on mette en outre sur le parchemin, s'il vous plaît, beau sire Ogrin, que je n'ose me fier à lui, à cause du ban qu'il a fait crier. Mais que je le prie, comme seigneur que j'aime de bon amour, qu'il me réponde par un autre bref où il me dise son plaisir. Qu'on porte le bref à la Croix-Rouge et qu'on le pende à un arbre. Je n'ose lui mander où je suis, car je crains encore sa colère. Je croirai ce qu'il me mandera et ferai tout ce qu'il voudra. Maître Ogrin, que le bref soit scellé. C'est tout ce que j'ai à vous dire. »

L'ermite se leva ; il prit penne, encre et parchemin et mit par écrit toutes ces paroles. Quand ce fut fini, il prit un anneau et scella la lettre avec la pierre. « Qui la portera ? dit-il à Tristan. — Moi-même. Je connais les êtres du château. Beau sire Ogrin, sauve votre grâce, la reine demeurera ici, tandis que j'irai à Lancien. Je partirai à la nuit avec mon écuyer. Nous descendrons au bas de la pente, et j'entrerai seul dans la ville, tandis que Gorvenal gardera les chevaux. »

Le soir, après le coucher du soleil, quand le ciel commence à se rembrunir, Tristan se mit en route avec son maître. Ils arrivent aux portes de la ville. Tristan descend, franchit le fossé, tandis que les guettes cornaient de loin en loin. Il vint promptement jusqu'au palais. Son cœur bat fort. Il s'avance jusqu'à

la fenêtre de la chambre où le roi dort. Il n'a garde
d'éveiller l'attention du voisinage en criant à haute
voix ; il appelle doucement son oncle. « Qui es-tu, dit
le roi, qui viens à telle heure ? Que désires-tu ? Dis-
moi ton nom. — Sire, on m'appelle Tristan. J'apporte
une lettre. Je la mets là, au bas de la fenêtre. Je n'ose
vous parler plus longuement. Lisez cette lettre, bel
oncle. Je m'en vais. » Le roi se penche à la fenêtre,
appelle par trois fois son neveu. Mais Tristan s'est
enfui au plus vite. Il rejoint Gorvenal. Tous deux
montent, fuient à toute vitesse, et s'embattent dans la
forêt.

Ils ont tant erré qu'au petit jour ils sont à l'ermitage. Ils entrent ; ils trouvent Ogrin qui priait Dieu de
défendre de tout encombre Tristan et son écuyer.
Quand il les voit, son cœur sautèle de joie. Ne
demandez pas si Iseut fut contente : depuis leur
départ, elle n'avait cessé de verser des larmes.
Combien le temps lui avait paru long : « Ami, dis-
moi, fait-elle, tu as donc été à la cour ? » Tristan lui a
tout raconté, comment il vint aux portes de Lancien,
comme il arraisonna le roi, comment celui-ci le
rappela, comment il laissa le bref à la fenêtre et
comment le roi trouva l'écrit. « Je rends grâces à
Dieu, dit Ogrin ; Tristan, vous ne tarderez pas à
recevoir de ses nouvelles. »

Le roi cependant faisait lever son barnage ; il mande
d'abord son chapelain. Il lui tend le bref : celui-ci
brise la cire et ouvre le pli. En tête de la lettre, il lit le
salut de Tristan au roi, et parcourt rapidement ce qui
suit ; il a dit au roi tout le contenu du message. Le roi
l'écoute bonnement ; sa joie est grande. Il fait venir les
plus prisés de ses barons : « Seigneurs, leur dit-il, un

bref vient de m'être envoyé. Je suis votre roi et vous mes marquis. Le bref vous sera lu. Après quoi, vous me conseillerez ; je vous le requiers. » Dinas de Lidan se leva ; il dit à ses pairs : « Seigneurs, écoutez-moi. Si je ne parle pas bien, ne suivez pas mon avis. Que celui qui saura mieux dire parle à son tour, fasse le bien et laisse la folie. Nous ne savons d'où nous vient le bref qui nous est transmis. Qu'il soit lu premièrement, et selon ce qu'il contiendra, que celui qui peut donner un bon conseil le donne sans hésiter. Il n'est forfait plus grand que de conseiller mal son droit seigneur. » Les Cornouaillais dirent au roi : « Dinas a parlé comme un homme de cœur », et au chapelain : « Dan Chapelain, devant nous tous, lisez le bref de point en point. »

Le chapelain s'assied, déplie le bref des deux mains. « Écoutez. Tristan, le neveu de notre seigneur, mande d'abord salut au roi et à tout son barnage. " Roi, tu sais comment fut fait le mariage de la fille du roi d'Irlande. C'est moi qui allai par mer demander sa main ; je l'ai conquise par ma prouesse, ayant délivré le pays du grand serpent crêté. Je l'amenai en ta contrée, et tu la pris pour femme devant tes chevaliers. Tu n'es guère demeuré avec elle, car des félons jaloux et des losengers de ton royaume te firent accroire des mensonges. Je suis prêt à en donner gage, si quelqu'un voulait jeter le blâme sur la reine, et l'alléger, beau sire, contre mon pair, à pied ou à cheval, chacun ayant armes égales. Et si je ne puis le prouver et me justifier moi-même, en ta cour, fais-moi juger devant ton ost. Vous savez, sire, que dans votre colère, vous voulûtes nous brûler, mais Dieu nous prit en pitié. J'échappai à la mort en faisant un

saut du haut d'un grand rocher ; lors la reine fut
abandonnée aux méseaux : je la sauvai, et depuis lors
elle a fui avec moi et partagé mon exil. Comment
aurais-je pu l'abandonner, puisqu'elle s'était exposée
à la mort pour moi ? Quand nous fûmes dans la forêt,
je n'osai plus en sortir. Vous fîtes crier un ban pour
qu'on se saisisse de nous. Maintenant, si c'était votre
plaisir de reprendre Iseut au clair visage, nul baron de
ce pays ne vous servirait mieux que je ne ferais. Si l'on
vous détourne de me prendre à votre service, je m'en
irai chez le roi de Frise, et vous n'entendrez plus
jamais parler de moi. Conseille-toi sire, fais ton plaisir. Je ne peux plus vivre en tel tourment : ou je
m'accorderai avec toi, ou je ramènerai Iseut en sa
contrée, et elle sera reine d'Irlande. " — Sire, dit le
chapelain, il n'y a rien de plus dans cet écrit. »

Les barons ont ouï la demande de Tristan qui leur
offre la bataille pour la fille du roi d'Irlande. Et tous
sont du même avis : « Roi, disent-ils, reprends ta
femme. Ceux-là n'eurent pas le sens commun qui
médirent de la reine. Je n'approuve guère que Tristan
demeure deçà la mer. Qu'il aille plutôt en Galvoie
offrir ses services au riche roi de ce pays qui guerroie
avec le roi d'Écosse. Mandez-lui par lettre qu'il
vienne et vous amène la reine à bref délai. » Le roi
appela son chapelain : « Écrivez promptement ce
bref, lui dit-il ; vous avez ouï ce que vous y mettrez.
Hâtez-vous, j'ai le cœur serré : il y a longtemps que
je n'ai vu la malheureuse Iseut. Scellez le bref et
pendez-le à la Croix-Rouge dès ce soir. N'oubliez pas
les saluts de ma part. »

Le bref fut écrit, porté et pendu à la Croix-Rouge.
Tristan ne dormit pas de la nuit. Avant le jour, il a

traversé la Blanche Lande et pris la charte scellée. Il la
porte à Ogrin. « Tristan, dit l'ermite après avoir lu la
lettre, sois heureux. Ta parole a été entendue. Le roi
reprend la reine, selon le conseil de ses gens. Mais ils
n'ont pas osé l'exhorter à te retenir comme soudoyer.
Va donc servir en autre terre et demeure un an ou
deux, après quoi tu reviendras à la cour, si le roi le
veut. Dans les trois jours, le roi est prêt à recevoir la
reine. L'entrevue aura lieu au Gué Aventureux. C'est
là que tu devras la conduire. Le bref ne dit pas autre
chose. »

Dans le petit jardin d'Ogrin Tristan parle à Iseut :
« Voici bientôt le moment de nous séparer ; est-il
deuil plus cruel que de perdre son amie ? Mais il faut
nous y résigner, à cause de la souffraite de biens que
vous avez si longtemps endurée. Vous avez assez pâti,
reine. Quand le moment viendra de nous quitter,
nous échangerons un gage. Durant mon séjour en
terre étrangère, je ne laisserai pas de vous envoyer des
messages. De votre côté, belle amie, mandez-moi tout
ce qu'il vous plaira. — Tristan, dit Iseut avec de longs
soupirs, tu me donneras Husdent, ton brachet :
jamais chien de chasse ne sera gardé à tel honneur ;
bête ne sera mieux hébergée ni couchée en si belle
cage, car Husdent me rappellera notre vie dans la
forêt. Ami Tristan, je vous donnerai mon sceau de
jaspe vert. Pour l'amour de moi, portez l'anneau à
votre doigt, et s'il vous vient à la pensée de me mander
quelque chose par message, faites-moi présenter cet
anneau. Nul ne m'empêchera alors, dès que je verrai
l'anneau (que ce soit sagesse ou folie) de faire ce que
me dira votre messager, pourvu que l'honneur soit
sauf. Je vous le promets au nom de notre parfait

amour. Ami, voulez-vous me donner Husdent le baut ? — Oui, chère Iseut, je vous donne Husdent par druerie. — Merci. Ayez donc l'anneau en échange. » Tristan prend le beau jaspe vert et en orne son doigt. Deux baisers scellent le marché.

Frère Ogrin se hâta d'aller au Mont Saint-Michel de Cornouaille. Il acheta vair et gris, draps de soie et de pourpre, écarlate et chainsil plus blanc que fleur de lis, et un palefroi à douce allure, harnaché d'or flamboyant. Ogrin barguigne, achète au comptant et à crédit, de sorte que la reine sera richement vêtue.

Le roi Marc a fait hucher par toute la Cornouaille qu'il s'accorde avec la reine Iseut. L'accord sera pris devant le Gué Aventureux : la renommée l'a claironné partout. A cette assemblée ne manquera ni chevalier ni dame. Ils étaient avides de voir la reine qui était aimée de toutes gens, hormis les félons que Dieu damne. Il y eut foule au Gué Aventureux, le jour du parlement. Maints pavillons et maintes tentes sont dressés, sur toute l'étendue de la prairie. Tristan chevauche avec sa mie. Il a endossé son haubert sous son bliaut, car il craint toujours quelque embûche. Il aperçoit les tentes et reconnaît le roi et ses barons. « Dame, dit-il à Iseut, retenez Husdent et ayez-en bien soin. Voyez là-bas le roi, votre mari, avec les hommes de son honneur. Nous n'aurons plus désormais long entretien ensemble. Voici les chevaliers, les soudoyers du roi, qui viennent au-devant de nous. Pour Dieu, le glorieux du Ciel, si je vous mande aucune chose, pensez à faire ma volonté. — Ami Tristan, foi que je vous dois, s'il se présente un messager sans votre anneau, je ne croirai rien de ce qu'il me dira, mais dès que je verrai l'anneau, il n'est ni tour, ni mur, ni château fort qui me retiendra que je ne fasse aussitôt le commandement de mon ami, loyalement. — Dieu t'en sache gré! dit Tristan en pressant Iseut sur son cœur. — Ami, écoute. Par le conseil d'Ogrin l'ermite, tu vas me rendre au roi. Je te prie de ne partir de ce pays tant que tu saches comment le roi se comportera avec moi, ta chère drue. Va donc t'héberger chez le forestier Orri; que ce séjour ne t'ennuie : nous y avons couché mainte nuit. Les trois félons qui nous persécutent finiront par y trouver leur perte. Que l'Enfer s'ouvre pour les engloutir! Je les redoute encore. Cache-toi bien dans le cellier d'Orri. Je te manderai par mon chambellan Périnis les nouvelles de la cour. Prends ton mal en patience. — Je serai sage, Iseut. Mais qui te reprochera folie se garde de moi comme d'ennemi! »

Ils sont tant allés, que le roi s'est avancé à leur rencontre. Ils s'entre-saluent. Le roi venait très fièrement à une portée d'arc devant ses gens avec Dinas le sénéchal. Tristan tenait par la rêne le palefroi d'Iseut. « Roi, fait-il, je te rends la noble reine Iseut. Jamais il ne fut donné à un homme d'accomplir si haut devoir. Je vois ici les barons de ta terre, et en leur présence je veux te requérir que tu me permettes de me justifier et soutenir devant ta cour qu'il n'y eut jamais entre elle et moi quoi que ce soit qui atteigne notre honneur. Ceux qui m'ont accusé n'ont jamais fait la preuve. Permets-moi de combattre à pied ou autrement devant ta cour. Si je suis condamné, qu'on me livre au supplice, et si je sors du combat sain et sauf, retiens-moi parmi tes chevaliers, ou laisse-moi retourner en Loonois. »

Le roi voulut se conseiller : il demande d'abord

l'avis d'Andret. Le félon dit : « Roi, si tu le retiens, il
en sera plus redoutable. » Le roi est hésitant et garde
le silence. Il se tire à l'écart et laisse la reine avec Dinas
qui était homme sincère et loyal et coutumier de faire
bonnes manières aux gens. Dinas joue et gabe avec
Iseut ; il lui ôte du cou sa chape qui était de riche
écarlate ; elle avait vêtu une tunique sur un beau bliaut
de soie. Certes, l'ermite Ogrin ne regretta pas d'avoir
payé la robe un bon prix : la reine était belle à
merveille. Le sénéchal s'égaie avec elle, ce qui ne laisse
pas de faire enrager Gondoïne et ses amis. Ils
s'approchent du roi. « Sire, font-ils, nous te donnons
un sage conseil. La reine a encouru le blâme et fui
hors de ta contrée. Si tu les laisses ensemble, on dira
que tu consens à leur félonie. Fais partir Tristan de ta
cour, et dans un an, quand tu seras assuré qu'Iseut
t'est fidèle, tu manderas à Tristan de revenir. Tel est le
conseil que nous te donnons de bonne foi. » Le roi se
recueillit un moment et dit : « Barons, je suivrai votre
avis. » Les barons se retirent et répètent les paroles du
roi.

Quand Tristan entend que le roi veut qu'il s'éloigne
sans délai, il prend congé de la reine. Ils se regardent
l'un l'autre simplement ; la reine était rouge ; elle avait
vergogne à cause de l'assemblée. Tristan s'en va, et ce
départ rend bien des cœurs pensifs. Le roi met à sa
discrétion or et argent, et vair et gris. Il lui demande
où il ira. « Roi de Cornouaille, répond Tristan, je ne
prendrai pas une maille de ce que vous m'offrez ; je
vais mettre mon épée au service du roi de Galvoie qui
est en guerre avec ses voisins. » Tristan eut un beau
convoi. Il fut accompagné du roi à cheval et de
nombreux barons. Iseut le suit de ses yeux mouillés

de larmes. Ceux qui ont accompagné Tristan retournent au bout d'un certain temps. Dinas seul le
reconduit longtemps encore. Enfin il prend congé de
son ami. Tous deux se jurent de se revoir. « Dinas,
entends un peu. Si je te mande par Gorvenal quelque
besogne pressante, fais tôt comme tu dois. » Dinas
répond que Tristan peut compter sur lui. Ils s'embras-
sent et se séparent non sans tristesse.

Dinas rejoignit le roi qui l'attendait sous un arbre.
Or les barons chevauchent vers la ville. Le peuple en
sort par milliers, tant hommes que femmes et enfants,
pour fêter joyeusement le retour de la reine. Les
cloches sonnent à toute volée. Quand on apprend que
Tristan s'en va, les visages se rembrunissent. Ils
démènent grande joie pour Iseut : sachez qu'il n'y
avait pas une rue qui ne fût pourtendue de draps de
soie ou au moins de courtines, et jonchée de fleurs. Le
roi avec sa suite se rend au moutier Saint-Samson ;
évêque, abbé, moines et clercs vont à sa rencontre,
revêtus d'aubes et de chapes. La reine est descendue ;
l'évêque l'a prise par la main et la mène à l'autel.
Dinas le preux lui apporte un parement d'orfroi qui
vaut bien cent marcs d'argent. La reine en fait
offrande à l'église et le pose sur l'autel ; une chasuble
en fut faite, qu'on ne tire du trésor qu'aux grandes
fêtes annuelles : elle est encore à Saint-Samson, disent
plusieurs qui l'ont vue. Quand Iseut sortit du moutier, le roi, les comtes et les princes la conduisirent au
haut palais où il y eut grande fête : les portes en furent
grandes ouvertes, et chacun put y venir manger.
Jamais depuis ses noces la reine n'avait été autant
honorée. Le roi affranchit cent serfs et adouba vingt
demoiseaux à qui il donna armes et haubers. Pendant

ce temps-là, Tristan chevauchait par la forêt. Il a tant
erré par voie et sentier qu'il est venu à la maison
d'Orri. Le forestier était homme franc et grand
chasseur ; il prenait sangliers et laies avec des panneaux, cerfs et biches, daims et chevreuils à la haie. Il
n'était pas chiche et donnait beaucoup à ses sergents.
Il logea Tristan dans un cellier souterrain qui avait
une entrée secrète. Il hébergea aussi Gorvenal qui
servait son maître du mieux qu'il pouvait. Par Périnis,
le franc meschin, le banni eut des nouvelles de sa mie.

# XII

Il était dit que les trois félons n'auraient fin ni cesse de tourmenter le roi Marc. Un mois s'était à peine écoulé. Le roi était allé en plaine avec deux fauconniers. Il regarde en l'air un épervier qui chasse une alouette ; l'alouette monte si haut qu'on ne la voit plus qu'à peine. Le fauconnier tient sur son poing un autre épervier qui convoite l'oiseau, et soudain il le laisse aller ; il part raide comme une flèche et tire contremont de toute la vitesse de ses ailes, atteint l'alouette, l'avillonne et ne la peut saisir. Et l'alouette plonge et fond à terre avec l'épervier ; elle se délivre et vient se mettre entre les chevaux ; elle se croit sauvée, mais déjà l'épervier l'a prise entre ses serres. Le roi s'égayait à ce déduit si plaisant à regarder, quand soudain viennent les trois félons qui lui disent : « Roi, écoute, si la reine n'est pas coupable, elle ne s'est toutefois encore justifiée. Les barons de ce pays t'ont requis de faire faire la preuve judiciaire ; si tu conti-

nues à te dérober, on le tiendra à vilenie. Ce soir, à ton
coucher, dis à ta femme ta ferme résolution d'ordon-
ner le jugement, et si elle refuse chasse-la de ton
royaume. » Le roi écoute les barons. Le sang lui
monte à la tête. « Seigneurs Cornots, dit-il, vous ne
cessez de blâmer la reine. Il faudrait en finir avec cette
affaire. Demandez-vous qu'elle se retire en Irlande ?
Que voulez-vous ? Tristan offrit de la défendre, mais
nul de vous n'eût osé prendre les armes. Aujourd'hui
il est hors du pays. Vous avez eu raison de moi ; j'ai
banni Tristan, et maintenant il faut que je bannisse la
reine ? Puissent-ils avoir male fin, ceux qui me
poussèrent à l'exiler ! Par saint Étienne le martyr,
vous me demandez trop. Jamais on ne vit tel acharnement. Vous n'avez cure de ma tranquillité ; avec vous
je ne puis avoir la paix. Mais dès demain, je vous
mettrai en demeure de choisir. Nous verrons bien. »
    Les paroles du roi ont tellement effrayé les barons
qu'ils ne voient d'autre ressource que la fuite. « Dieu
vous confonde ! s'écria Marc, vous qui avec tant
d'ardeur pourchassez ma honte. Mais cela ne vous
vaudra rien. Je ferai venir le baron que vous avez fait
fuir. » Ils s'en vont, tête basse. Ils disent : « Que
faire ? Le roi est plein de rancune. Bientôt il mandera
son neveu ; rien n'y fera ; et si Tristan revient, nous
sommes morts. Il ne trouvera en forêt ou sur le
chemin nul d'entre nous qu'il ne lui passe l'épée à
travers le corps. Disons au roi que nous sommes pour
la paix, et que nous ne lui parlerons plus jamais de
l'aventure de sa femme. » Le roi était dans une éteule
avec ses fauconniers. Il n'a cure de ce que les félons
peuvent lui conter ; il le jure entre ses dents. Et il se
dit que s'il avait sa force avec lui, il les ferait arrêter

tous les trois. Ceux-ci reviennent. « Sire, font-ils,
entendez-nous. Vous êtes marri et courroucé, parce
que nous vous parlons de votre honneur. Cependant
un roi ne devrait savoir mauvais gré à ceux qui le
conseillent. Malheur à celui qui te hait ! Mais nous qui
sommes tes féaux, nous te donnons loyalement notre
avis. Puisque tu ne nous crois pas, fais ce qu'il te plaît.
Tous nous tairons désormais là-dessus. Pardonne-
nous de t'avoir fâché. » Le roi ne répond rien ; il reste
accoudé à son arçon et ne daigne pas tourner la tête. Il
leur dit enfin : « Seigneurs, il y a peu, vous entendîtes
le défi que mon neveu vous porta au sujet de ma
femme. Vous avez esquivé le combat. Désormais, je
vous interdis. Déguerpissez de ma terre. Par saint
André que l'on va requérir en Écosse, vous m'avez
fait au cœur une blessure qui ne se fermera pas d'ici
un an. » Gondoïne, Ganelon et Denoalan voient que
le roi s'éloigne sans avoir voulu entendre raison. Ils
vont de leur côté, pleins de rage et de haine. Ils ont
des châteaux forts bien clos de pieux, bâtis sur hauts
puis et assis en la roche. Ils donneront du tourment à
leur seigneur, si la chose n'est amendée.

Le roi n'a pas fait longue demeure avec ses fauconniers. Il est descendu à Tintagel devant sa tour. Nul ne
le suit. Il entre dans les chambres, l'épée ceinte. Iseut
s'est levée à sa rencontre, puis s'est assise à ses pieds.
Le roi la prend par la main et la relève. La reine
s'incline ; il la regarde bien en face. Il la vit très cruelle
et fière ; elle s'aperçut qu'il était fâché : il était venu en
petite compagnie. Elle pense : « Mon ami a été
trouvé, le roi l'a pris ! » Le sang lui monta au visage,
et elle eut froid dans le ventre. Elle tombe à la
renverse, pâmée. Le roi l'a prise entre ses bras ; il la

couvre de baisers. Il pensait qu'un mal soudain l'avait
frappée. Quand elle fut revenue à elle, le roi lui dit :
« Ma chère amie, qu'avez-vous ? — J'ai peur, sire. —
De quoi ? » Elle est rassurée, ses couleurs reviennent.
Elle dit doucement : « Sire, je vois que vous n'avez
pas passé une bonne journée. Est-ce les chiens ou les
oiseaux ? » Le roi se déride, embrasse Iseut. « Amie,
fait-il, j'ai trois félons qui de longue-main cherchent à
nous désunir. Je ne sais ce qui me retient de les chasser
hors de ma terre. Ils ne craignent pas de me faire la
guerre. Ils m'ont assez éprouvé et je leur ai trop
consenti. Il n'y a plus à y revenir. Leurs faux rapports
ont été cause que j'ai chassé mon neveu loin de moi.
Mais je n'ai cure de leurs menaces. Tristan reviendra
prochainement ; il me vengera des trois félons. »

La reine l'a entendu ; elle eût bien dit tout haut ce
qu'elle pensait, mais elle n'osait. « Dieu a fait miracle,
songe-t-elle ; mon seigneur déteste ceux qui ont levé
le blâme contre moi. Puissent-ils être châtiés ! » Et
simplement, comme celle qui sait parler à propos :
« Sire, fait-elle, quel mal ont-ils dit de moi ? Chacun
peut dire ce qu'il pense. Je n'ai d'autre défenseur que
vous. Que Dieu les maudisse ! Ils m'ont tant de fois
fait trembler ! — Dame, dit le roi, trois de mes barons
les plus prisés m'ont abandonné. — Pour quelles
raisons ? — Ils me blâment à ton sujet. — Pourquoi,
sire ? — Je te le dirai. Il n'y a pas eu d'épreuve
judiciaire touchant le cas de Tristan. Si tu ne veux
présenter ta défense, ils diront que c'est parce que tu
es coupable. — J'y suis prête. — Quand ? — Aujour-
d'hui même. — Le terme est court. — Il est assez
long. Sire, écoute-moi pour Dieu. N'est-ce pas chose
monstrueuse qu'ils ne me laissent une heure en paix ?

Dieu m'aide, je n'accepterai d'autre défense que celle que je te deviserai. Si je leur faisais serment en ta cour, devant tes gens, ils devraient m'assurer qu'ils n'exigent pas autre justification. Roi, je n'ai parent en ce pays qui pour ma défense se mît en guerre ou en rébellion. Je m'en tiens à mon offre et ne me soucie de leur refus. S'ils veulent que je jure, et s'ils veulent le jugement de Dieu, ils passeront par mes conditions. Au jour marqué, j'aurai sur la place le roi Artur et sa ménie. Si devant lui je suis mise hors de cause, les gens d'Artur sauront prendre ma défense contre les Cornots ou les Saînes qui tenteraient de m'accuser encore. C'est pourquoi il convient que ceux-là y soient et voient de leurs yeux ma justification. Le courtois Gauvain, le neveu d'Artur, Girflet et le sénéchal Keu et les autres combattront contre ceux que j'ai dits. Les Cornots sont médisants, tricheurs de mainte façon. Fixe un terme et mande-leur que tu veux que tous, pauvres et riches, soient en la Blanche Lande. Déclare clairement que tu confisqueras leur héritage à ceux qui manqueront à l'appel. Ma personne sera en sûreté, dès que le roi Artur verra mon message, car il viendra ici ; je suis certaine de ses sentiments. — Vous avez parlé comme il sied », dit le roi. Le terme du jugement est assigné à quinze jours de là. Le roi le mande aux trois fuyards qui ont traîtreusement quitté la cour.

Or tous savent par la contrée le jour marqué pour l'assemblée et que le roi Artur y viendra avec la plupart des chevaliers de sa ménie. Iseut ne s'est pas attardée. Elle mande par Périnis à Tristan tous les tourments qu'elle a soufferts naguère pour lui. Que la paix lui soit enfin rendue ! Tristan le peut, s'il veut.

« Dis-lui qu'il connaît bien le marais qui se trouve au
Mal Pas, au bout de la planche : j'y salis un jour mes
vêtements. Sur la motte, en haut de la planche, qu'il se
tienne, accoutré en méseau, le jour qu'on lui mar-
quera ; qu'il ait une béquille et un hanap de bois avec
une bouteille attachée par une courroie. Que son
visage soit tuméfié à souhait, et qu'il porte devant lui
son hanap, et demande l'aumône aux passants ; il
gardera l'argent jusqu'à ce que je le voie privément en
chambre secrète. — Dame, dit Périnis, comptez sur
moi pour accomplir le message. »

Périnis quitte la reine et s'en va tout seul par la
forêt ; à la tombée de la nuit il arrive au refuge de
Tristan. Orri et Gorvenal viennent de se lever de
table. Ils le conduisent au cellier. Tristan est bien
heureux d'apprendre des nouvelles de sa drue. Il
prend la main du franc valet et le fait asseoir. Périnis
lui a tout conté du message de la reine. Tristan
s'incline un peu vers la terre et jure par tous les saints
que ses ennemis ont fait ce tripot pour leur malheur et
qu'ils ne pourront éviter que leurs têtes ne pendent
aux fourches. « Dis à la reine, fait-il, mot pour mot,
que j'irai au rendez-vous, qu'elle n'en doute pas.
Qu'elle s'entretienne en joie et santé. Je ne prendrai
un bain jusqu'à tant que mon épée soit teinte du sang
de ses tourmenteurs. Dis-lui que tout sera bien
imaginé pour la garantir des effets du serment. Je la
verrai quelques instants seulement. Va, dis-lui qu'elle
n'ait aucune crainte. Je serai au plaid, accoutré comme
truand. Le roi Artur me verra assis au bout du Mal
Pas, mais il ne pourra me reconnaître : je lui tirerai
son aumône, comme aux autres. Raconte à la reine
tout ce que je t'ai devisé dans le souterrain, et porte-

lui plus de saluts qu'il n'y a en mai de boutons sur l'aubépine. — Je lui dirai tout cela, dit Périnis en montant les degrés. Je vais maintenant au roi Artur, beau sire ; je dois le prier à son tour de venir ouïr le serment, avec cent chevaliers qui seront les garants de la reine, au cas où les félons mettraient sa loyauté en doute. »

Il sort du souterrain et enfourche son bon chasseur. Il ne tirera la rêne qu'il ne soit venu à Carduel. Il va au château, s'enquiert du roi ; on lui dit qu'il est à Senaudon. Il fait boire son cheval et lui donne son picotin. Il passa la nuit dans les bois. Au petit jour il se remit en chemin et chercha tant qu'il vit les tours de Senaudon. Un berger était dans la lande qui sonnait du flageolet. « Ami, dis-moi, le roi est-il ici ? — Certainement, sire, à l'heure qu'il est, il est assis à la Table Ronde, avec toute sa ménie. » Le valet descendit au perron. Il passa la porte. Il y avait là foule de fils de comtes et de riches vavasseurs. L'un d'eux accourt au roi. « Sire, il y a là dehors un valet qui demande à te parler. »

Périnis entra dans la salle, s'avança jusqu'à l'étage où le roi était assis, entouré de ses barons. « Dieu, fait-il, sauve le roi Artur et tout son barnage, de par la belle Iseut, son amie ! » Le roi se lève de table : « Dieu la sauve et garde, dit-il, et toi, ami ! Il y a longtemps que je n'ai reçu d'elle un message. Valet, devant ma ménie, je t'octroie tout ce que tu requiers. Tu seras fait chevalier, toi tiers, en l'honneur de la plus belle qui soit d'ici jusqu'en Espagne. — Sire, merci. Oyez pourquoi je suis venu. Que tes barons entendent, et notamment messire Gauvain. La reine s'est accordée avec son seigneur, ce n'est plus un secret. A cet accord furent présents tous les barons du royaume. Tristan offrit de se porter garant de la loyauté de la reine. Mais nul parmi les barons ne voulut prendre les armes. Or, sire, derechef, ils réclament le jugement de la reine. Il n'est à la cour du roi homme noble, Irois ou Saîne, qui soit de son lignage. J'ai ouï dire que celui-là nage très bien dont on soutient le menton. Roi, si je mens, tenez-moi pour cuivert. Le roi change souvent d'avis ; il n'a pas courage entier. La belle Iseut lui a répondu qu'elle ferait justice devant vous. Elle vous requiert et vous supplie, comme votre amie chère, que vous soyez au jour convenu au Gué Aventureux. Venez-y avec cent de vos compagnons. Elle sait qu'il y a en votre cour maints chevaliers loyaux et sans reproche. Elle sera acquittée devant vous. Dieu garde qu'il ne lui arrive malheur ! Car alors vous lui seriez garant et ne lui manqueriez si peu que ce soit. D'aujourd'hui en huit jours aura lieu l'assemblée. »

En entendant le messager, les chevaliers pleurent grosses larmes ; il n'en est un seul qui ne soit ému. « Dieu ! fait chacun, qu'est-ce que ces barons demandent encore ? Le roi a fait ce qu'ils ont commandé. Tristan est parti du pays. Jamais n'entre en paradis qui refusera d'aider la reine Iseut, la belle ! » Gauvain s'est levé. « Oncle, dit-il, si tu me l'octroies, le procès tournera mal pour les trois félons. Le plus infâme est Ganelon : je le connais, et il me connaît bien aussi. Je le jetai dans un bourbier après une rude joute. Si je puis le tenir, Tristan reviendra à la cour du roi Marc, car je lui ferai assez d'ennuis, et il sera pendu haut et court. » Girflet se lève après Gauvain : « Roi, Denoalan, Gondoïne et Ganelon haïssent la reine de longue-main. Que Dieu me fasse perdre le sens si je ne défie Gondoïne, et si je ne lui perce le flanc d'outre en outre de ma lance de frêne, que jamais je n'embrasse belle dame sous la courtine ! » Périnis approuva d'un bel enclin de tête. Ivain, le fils d'Urien, prend la parole à son tour : « Je connais assez Denoalan ; il applique tout son engin à diffamer. Il sait bien faire muser le roi ; il lui en dira tant que l'autre le croie. Si je le rencontre sur mon chemin, comme il m'avint naguère, et qu'il ne gagne la bataille, que je sois clamé sans foi ni loi si je ne le pends de ma main. » Périnis dit au roi Artur : « Sire, je suis certain que les félons qui ont brouillé le roi avec la reine recevront le châtiment qu'ils méritent. Jamais homme de lointaine contrée n'a menacé à ta cour que les tiens n'en soient venus à bout. » Le roi Artur sourit de contentement. « Sire valet, fait-il, allez manger. Ceux-ci penseront à venger votre dame. » Puis il dit à haute voix, pour que Périnis l'entende : « Ménie franche et honorée, gardez que pour l'assemblée vos chevaux soient bien nourris et reposés, vos écus neufs et vos draps magnifiques. Nous allons jouter devant la belle Iseut. Celui-là aimera bien peu sa vie qui hésitera à prendre les armes. »

Le roi a fait son ban. Tous les barons l'acclament et jurent de se trouver au jour dit à la Blanche Lande. Périnis le bien-né demande congé. Le roi monte sur Passelande, son bon cheval, car il veut convoyer avec une nombreuse suite le messager d'Iseut. Ils vont devisant le long du chemin : le sujet de l'entretien est la belle par qui tant de lances seront mises en pièces. Avant de s'en séparer, le roi promit à Périnis de l'armer chevalier un jour prochain et de lui faire présent de tout son harnais. « Bel ami, dit-il, allez, et saluez de ma part votre dame, comme son propre soudoyer qui vient à elle pour lui rendre la paix. Je ferai toutes ses volontés, ce qui ne manquera pas d'accroître mon prix et ma renommée. » Périnis remercia le roi, le salua et piqua le chasseur, tandis que le roi s'éloignait avec sa suite. Il chemine aussi tôt qu'il peut. Il ne séjourna nulle part, tant qu'il vint d'où il était parti et rendit compte à la reine et au roi de son message.

## XIII

*La Blanche Lande et le Mal Pas. — Tristan ladre. — Ruse d'Iseut. — Le Noir de la Montagne et les chevaliers d'Artur. — Le serment ambigu.*

Le terme est venu du jugement de la reine. Tristan n'a pas perdu son temps : il s'est fait une robe bigarrée : il est sans chemise, en cotte de vieille bure, avec de laides bottes de cuir à carreaux, et chape toute enfumée. Ainsi affublé, on le prendrait pour un lépreux. Toutefois, il a sous son accoutrement son épée étroitement nouée entre ses flancs. Il sort de son hôtel en cachette, avec Gorvenal qui lui fait ses dernières recommandations : « Sire Tristan, ne soyez bricon. Gardez que la reine ne vous fasse semblant ni signe. — Maître, fait Tristan, soyez tranquille : je me tiendrai comme il faut. De votre côté, faites ce que je désire. Je dois craindre d'être reconnu. Prenez mon écu et ma lance et apportez-les-moi avec mon cheval sellé et enfréné, maître Gorvenal. Si besoin est, tenez-vous bien embuissonné au bon passage que vous connaissez. Le cheval est blanc comme fleur ; cachez-

le bien sous le feuillage afin qu'on ne puisse l'apercevoir. Le roi Artur sera là avec ses gens, et le roi Marc
de même. Des chevaliers étrangers behourderont
pour acquérir los et renom, et moi, pour l'amour
d'Iseut, j'y ferai une joyeuse entrée. Qu'à la lance pende
la manche dont la belle me fit don. Allez, maître, et
faites pour le mieux pour notre sûreté. » Tristan prit
son hanap et sa béquille et s'éloigna.

Gorvenal vint à son hôtel, vêtit son harnais et se mit
aussitôt à la voie. Tandis qu'il se cache dans le bois,
tout près du Mal Pas, Tristan s'établit, sans s'embar-
rasser autrement, sur une motte, au bout du marécage. Il fiche devant lui le bourdon qu'il avait pendu à
son cou. Tout autour de lui s'étendent les bourbiers.
A voir sa carrure, on ne pouvait le prendre pour un
homme contrait ou infirme ; son visage, son pis,
étaient boursouflés comme ceux d'un ladre ; par la
vertu de l'herbe dont il s'était frotté, il avait peau
d'oie, âpre et raboteuse. Il faisait cliqueter sa bouteille
contre son hanap de bois pour apitoyer les passants.
« Malheur, gémissait-il d'une voix rauque, malheur !
Qui aurait pu penser que je vivrais d'aumône ?
Bonnes gens, ce métier n'est pas le mien, mais je n'en
puis faire désormais un autre. » Les passants tirent
leurs bourses ; Tristan reçoit l'argent sans mot dire.
Tel a été sept ans truand qui ne sait si bien manger à
l'écuelle d'autrui ; il demande même aux courlieux à
pied et autres garçons qui vont mangeant sur le
chemin. L'un lui donne, l'autre le paie de horions.
Cette vile piétaille l'appelle arlot et mignon. Tristan
écoute et ne répond rien, sinon : « Pour Dieu, je vous
pardonne ! » Mais quand un de ces ribauds l'approche
de trop près, il le reconduit avec sa potence. Les

francs valets de bon lignage lui donnent ferlin ou maille esterline ; il les reçoit et dit qu'il boit à tous, et qu'il a tel feu au corps qu'il ne pourra jamais l'éteindre. Ils pleurent de pitié, et il n'est nul parmi eux qui puisse le soupçonner de feindre.

Hébergeurs et écuyers cependant se hâtaient de préparer les logements. Et voici les chevaliers qui viennent le long des chemins et des sentes. Il y a grande presse en ces fondrières où les chevaux entrent parfois jusqu'aux flancs, où plus d'un trébuche à grand-peine. Tristan ne s'en émeut guère. Il leur crie : « Tenez bien vos rênes, seigneurs, et piquez de l'éperon : plus loin vous serez à l'aise. » Les chevaliers embourbés font tous leurs efforts, mais le marais croule sous eux. Chacun s'enfonce, et qui n'a houseaux en est bien privé. Le ladre joue de sa cliquette, et à celui qui patauge dans la fange il dit : « Pensez à moi. Que Dieu vous tire du Mal Pas ! Aidez-moi à renouveler ma robe. » Il frappe son hanap de sa bouteille. Il appelle et requiert tous ceux qui passent avec un malin plaisir, et avec la secrète pensée de se faire remarquer d'Iseut la Blonde.

Il y a grande noise en ce Mauvais Pas. Les passants souillent leurs vêtements, et c'est à qui criera le plus fort. Et voici le roi Artur qui vient voir les chevaucheurs empêtrés dans le marais. Tous ceux de la Table Ronde étaient au Mal Pas avec leurs écus neufs, leurs chevaux gras et séjournés et leurs atours les plus magnifiques. Ils vont behourdant devant le gué. Tristan connaissait bien le roi Artur. Il l'appela : « Sire Artur, je suis malade, estropié, méseau, et défait. Mon père était pauvre ; onc il n'eut terre. Je suis venu ici chercher l'aumône. J'ai entendu dire

beaucoup de bien de toi ; tu ne dois pas m'éconduire.
Tu es vêtu de beau grisain de Rennebourg, je pense.
Ta chair est plus blanche que toile de Reims. Je vois
tes jambes chaussées de riche soie brochée, et tes
guêtres sont de fine écarlate. Roi Artur, vois comme
la peau me démange et comme je grelotte de fièvre !
Pour Dieu, donne-moi ces guêtres. » Le noble roi a
pitié du ladre. Deux demoiseaux l'ont déchaussé. Le
malade prend les guêtres, et se rassoit sur son tertre.
Des barons de la suite d'Artur lui jettent d'autres
vêtements ; il en a maintenant à grand plenté.

Voici maintenant le puissant roi Marc qui s'avance
vers le palud. Tristan va essayer d'avoir du sien. Il
cliquette de plus belle de sa bouteille et de son hanap,
et crie d'une voix enrouée avec un sifflement du nez :
« Pour Dieu, roi Marc, un petit don ! » Le roi Marc
tire son aumusse et dit : « Tiens, frère, elle est un peu
usée ; mets-la sur ton chef. — Sire, merci, fait Tristan ;
elle est encore bonne contre le froid. » Ce disant, il la
glisse sous sa chape avec tout ce qu'il a détourné.
« D'où es-tu, ladre ? fait le roi. — De Carlion, fils
d'un Gallois. — Depuis combien d'années vis-tu
retiré du monde ? — Sire, il y a trois ans, sans mentir.
Tant que je fus bien portant, j'avais courtoise amie.
C'est à cause d'elle que j'ai ces bosses ; elle me fait
sonner nuit et jour de cette tartevelle dont le bruit
étourdit ceux à qui je demande l'aumône pour
l'amour de Dieu. » Le roi repart : « Raconte-moi
donc comment ton amie t'a donné cela ! — Sire roi,
son mari était méseau : je faisais avec elle la petite joie,
et ce mal me vint de la vie commune. Mais, certes,
jamais il n'y eut une femme plus belle. — Comment

l'appelles-tu ? — La belle Iseut. » Le roi éclate de rire,
et il s'éloigne.

A ce moment le roi Artur revenait de jouter, lance
levée. Il était gai. Il s'enquit de la reine. « Elle vient
par la forêt, sire roi, Andret l'accompagne. » Et ils se
disent l'un à l'autre : « Quelle fondrière que ce Mal
Pas ! On ne sait comment en sortir. Il serait plus sage
de rester ici. »

Les trois félons, que le feu d'enfer arde, viennent à
leur tour au gué et demandent au malade l'endroit où
l'on peut passer. Tristan avec sa béquille leur montre
un grand croulier : « Voyez, là, cette tourbière après
cette mare, c'est droit de ce côté : j'en ai vu passer
plusieurs. » Les félons entrent dans la fange, là où le
ladre leur enseigne, et bientôt s'y embourbent tous
trois d'un coup jusqu'aux auves de la selle. « Piquez à
force, leur crie le méseau du haut de sa motte,
seigneurs, vous n'avez plus qu'un petit chemin à
faire ! » Et de plus en plus les chevaux enfoncent dans
la vase, tandis que ceux qui les montent sont en grand
émoi de n'y trouver rive ni fond. Les chevaliers qui
joutaient sur le mont accourent à bride abattue. Le
ladre leur crie : « Seigneurs, tenez-vous bien à vos
arçons ; vous n'avez que quelques brasses à faire pour
traverser le marais. Je vous dis que j'ai vu des gens y
passer aujourd'hui. » Si on l'eût vu alors hocher sa
cliquette et heurter le hanap ! Voici enfin Iseut la
belle : elle ne se tint pas de joie quand elle vit la
mésaventure des envieux. Il y avait foule de barons
autour du roi qui regardaient les chevaliers se débattre
dans l'eau et la boue. Et le méseau les relance :
« Seigneurs, la reine est venue ici pour établir son
innocence. Allez ouïr le jugement. » Il avise Denoa-

lan. « Prends-toi à mon bâton, lui crie-t-il, et tire de
tes deux mains tant que tu pourras ! » Denoalan
avance la main ; le ladre lui tend le bâton, puis le
lâche, et le félon tombe en arrière et disparaît dans le
bourbier. Il en sort à gand-peine. « Je n'en peux mais,
fait le méseau, j'ai les jointures et les nerfs engourdis
et les mains raides depuis que j'ai pris le mal d'Acre ;
la podagre m'a enflé les pieds et mes bras sont comme
une écorce. » Dinas était avec la reine ; il cligne de
l'œil à Tristan qu'il a reconnu sous sa chape. Il se
réjouit fort de voir les félons pris à la trappe. Les
accusateurs se sont tirés du marais non sans encombre ; il leur faut maintenant prendre un bain et
changer de draps. Mais oyez du franc Dinas. « Dame,
dit-il à la reine, ce ciglaton sera gâté ; c'est un endroit
plus propre à faire rouir le chanvre qu'à se promener
avec une dame. Je serais fâché que votre robe fût
tachée. » Iseut sourit, et, pour toute réponse, lui
guigne de l'œil : il entend la pensée de la reine. Il fait
un détour avec Andret, derrière un buisson d'épines,
et trouve un gué, où ils passent à peu près nets.

Iseut était restée seule. De l'autre côté du Mal Pas
se tenaient les deux rois et leur barnage qui la
regardaient. Elle vint à son palefroi tout tranquille-
ment, prit les franges de la sambue qu'elle noua sur les
arçons, ôta le frein, le poitrail et les lorains du cheval
qu'elle disposa sous la selle, mieux que nul écuyer ou
garçon palefrenier. Tenant sa robe d'une main et de
l'autre sa courgie, elle s'approche du gué, cingle son
palefroi qui s'élance et passe outre le marais. L'assemblée regardait ébahie. La reine avait bliaut de soie de
Bagdad fourré d'hermine et manteau à traîne. Ses
cheveux sortaient de dessous sa guimpe en deux

longues tresses galonnées de blancs cordons et de fils d'or, et tombaient sur ses épaules, et un cercle d'or ceignait son chef de part en part. Elle s'adresse vers la planche et parle au méseau : « Ladre, j'ai besoin de toi. — Franche reine débonnaire je suis à votre service, mais je ne sais ce que vous me demandez. — Je ne veux pas crotter ma robe dans ce bourbier ; tu me serviras d'âne et me porteras tout doucement par la planche. — Arrier ! reine franche, demandez-moi plutôt autre chose. Je suis ladre, pustuleux et maléficié. — Truand, viens çà et écoute. Crois-tu que je prenne ton mal ? N'aie pas peur. — Ah ! Dieu, que voulez-vous donc ? — Tu es gros et fort, tourne-toi, mets là ton dos ; je te monterai comme un valet. » Le faux infirme rit ; il courbe l'échine, Iseut noue sa robe, et elle monte. L'assemblée, là-bas, n'en croit pas ses yeux. Il soutient ses jambes de sa béquille, soulève un pied et pose l'autre ; souvent il fait semblant de choir et prend une mine douloureuse. Jambe deçà, jambe delà, Iseut le chevauche. « Or, disent les gens, regardez donc ! La reine à cheval sur un méseau ! Il cloche du pied ; il va choir sur la planche avec sa béquille. Allons à sa rencontre au sortir de ce marchais. »

Le roi Artur s'avance, et tous les autres à la file, tandis que le ladre, tête baissée, arrive au bout de la planche et descend la reine, nette comme au sortir de son palais. « Vous me baillerez bien quelque chose pour ma peine ? — Il l'a bien mérité, reine, dit Artur, donnez-lui. — Foi que je vous dois, sire, il est fort truand ; il a assez ; il ne mangera aujourd'hui tout ce qu'on lui a donné ; sous sa chape, j'ai senti sa gibecière qui n'est pas petite ; elle est pleine de demi-pains et de pains entiers, sans compter le reste. Il a des vivres et de quoi se vêtir. S'il veut vendre vos guêtres, il en aura bien cinq sous d'esterlins, et de l'aumusse de mon seigneur, il pourra acheter un bon lit avec draps et couettes, ou un âne qui passe le marécage. C'est un arlot qui a trouvé bonne pâture ; il n'emportera pas de moi un ferlin vaillant ni une maille. » On fait fête à Iseut. On amène son palefroi. Les deux rois s'empressent autour d'elle et lui tiennent l'étrier.

Cependant, Tristan trousse ses bagues et se hâte de déguerpir. Il rejoint Gorvenal qui l'attend en un détour, avec deux chevaux de Castille munis de selles et de freins, deux écus et deux lances. Que vous dirai-je des chevaliers ? Gorvenal avait couvert son chef d'une guimpe blanche qui ne laissait paraître que les yeux. Tristan s'enveloppe la tête d'un voile noir. Il cache sa cotte d'armes et son écu sous une serge de même couleur. A sa lance pend l'enseigne que son amie lui a transmise. Chacun monte son destrier. Gorvenal a un cheval bel et gras ; Tristan monte le Beau Joueur : il est revêtu comme son maître d'une housse noire. Tous deux, ils ont ceint le brant d'acier. Ainsi armés, ils vont trottant par un pré vert et débûchent au grand galop en la Blanche Lande. Gauvain, le neveu d'Artur, dit à Girflet : « Voyez venir ces deux ! Je ne les connais pas. Sais-tu qui ils sont ? — Je les connais, dit Girflet. L'un a cheval noir et noire enseigne : c'est le Noir de la Montagne. Je connais l'autre aussi qui a des armes vaires : il n'y en a guère en ce pays. Ces deux chevaliers sont féés, j'en suis certain. » Les deux compagnons portaient leurs atours comme s'ils fussent nés avec. Le roi Marc et le roi Artur parlaient d'eux plus qu'ils ne faisaient de tous les autres répandus dans la large plaine. Quand ils paraissent entre les rangs des chevaliers, on ne regarde qu'eux. Ils brochent ensemble vers le tertre, mais ils ne trouvent à qui se joindre. La reine les reconnut tout de suite : elle se tenait d'un côté du rang, avec Brangaine. Andret piqua vers Tristan, lance levée : il ne le reconnaissait point, mais Tristan savait bien à qui il avait affaire. Il fond sur lui, le frappe dans l'écu et le jette à terre avec un bras cassé. Il gît aux pieds de la reine, sans relever l'échine.

Gorvenal vit venir des trefs le veneur qui avait voulu livrer Tristan à la mort, quand il était endormi dans la forêt. Il s'adresse à lui à toute allure et lui plante son fer dans le corps.

Girflet, Cinglor, Ivain, Taulas de la Déserte, Coris et Gauvain virent malmener leurs compagnons. « Seigneurs, fait Gauvain, que ferons-nous ? Le veneur gît là, béant. Sachez que ces deux sont féés. Nous ne les connaissons ni tant ni quant. Or ils nous tiennent pour ribaudaille. Brochons vers eux, allons les prendre ! — Qui pourra nous les amener, dit le roi, nous aura servis à notre gré. » Tristan et Gorvenal passèrent de l'autre côté de l'eau. Les autres n'osèrent les suivre ; ils demeurèrent au Pas, en grande angoisse ; ils pensaient bien que les deux chevaliers étaient des fantômes. Plusieurs abandonnent la joute et retournent aux héberges.

Les tentes étaient nombreuses sur la lande ; elles étaient de toile aux solides cordeaux, ornées au sommet d'un pommeau qui reluisait au soleil ; le dedans était jonché moins de roseaux que de fleurs. Il y avait foule sur la Blanche Lande. Maint chevalier jouait avec sa drue, en tressant des chapeaux de fleurettes. On entendait au loin la menée d'un cor de

ceux qui chassaient le grand cerf. Chaque roi se tenait
à la disposition des demandeurs. Entre les riches
barons il y eut maint échange de présents. Après
manger le roi Artur va faire visite au pavillon du roi
Marc avec sa ménie privée, en riches atours de soie ou
d'écarlate teinte en graine. Avec eux, il y avait maint
ménestrel qui jouait de son instrument, chalemie,
freteau, bedon ou bousine. Les deux rois réglèrent le
plaid de la reine qui devait avoir lieu le lendemain,
devant tout le barnage. Puis Artur va se coucher avec
ses barons et ses drus.

Quand les guettes cornèrent le jour, chacun se leva.
Le soleil était déjà chaud sur la prime ; le brouillard
tomba, et la rosée. Les Cornouaillais s'assemblent : il
n'y a chevalier dans tout le royaume qui n'ait avec lui
sa femme. Un drap de soie brodée fut étendu par
terre, devant le tref du roi Artur : c'était une étoffe de
Nicée, ouvrée menu à bêtes. Toutes les reliques du
royaume de Cornouaille renfermées en trésors, en
armoires, en masses, en filatères, fiertes, écrins ou
châsses, en croix d'or ou d'argent, furent entassées sur
le drap. Les deux rois se mettent de chaque côté ; ils
veulent qu'il y ait loyal accord. Artur le premier
prend la parole : « Roi Marc, dit-il, qui t'a conseillé
une chose injuste s'est conduit de manière déloyale ;
tu t'es engagé légèrement dans cette affaire. Tu ne dois
croire une parole fausse. Les dénonciateurs ont trop
beau jeu de se dérober, quand on les somme de
soutenir leur accusation par les armes ; ils doivent
répondre de leur personne. La franche Iseut ne veut
répit ni terme. Ceux-là doivent savoir de certain qu'ils
seront pendus, si après sa défense ils continuent à

l'accuser de folie. Or, oyez, roi : la reine s'avancera de
telle sorte qu'elle puisse être vue de loin, et elle jurera
de sa main droite sur les corps saints que jamais elle
n'eut aucun commerce avec ton neveu que l'on puisse
tenir à vilenie. Et quand elle aura ainsi juré,
commande à tes barons de faire la paix. — Ah ! sire
Artur, qu'en puis-je mais ? répondit le roi Marc. Tu
me blâmes et tu as raison, car fol est celui qui croit les
envieux ; je les ai crus, hélas ! bien malgré moi. Mais
s'il y a jugement en ce pré, nul ne sera si hardi de
persister dans sa haine, quand la reine sera justifiée,
qui ne reçoive un châtiment mérité. »

Le conseil est fini. Tous s'assoient en rang. Iseut est
entre les deux rois qui la prennent par la main.
Gauvain est près des reliques, et toute la ménie
d'Artur autour de lui. « Entendez-moi, belle Iseut,
dit le roi Artur, oyez de quoi on vous appelle :
déclarez que Tristan ne toucha à votre corps et n'eut
aucun amour autre que l'amour légitime qu'il doit
porter à son oncle et à la femme de son oncle. » Iseut
répondit à haute voix : « Seigneurs, je jure sur les
saintes reliques que jamais homme ne se mit entre mes
jambes, hormis le ladre qui se fit bête de somme pour
me porter outre le gué, et le roi Marc mon époux. De
ces deux je ne puis m'éconduire. Si l'on juge que je
doive subir l'épreuve du fer rouge, je suis prête. »
Tous ceux qui l'ont ouïe approuvent la défense :
« Elle a parlé comme elle devait. — Dieu ! avez-vous
ouï ce serment ? — Elle a fait justice. — Elle en a plus
dit que ne requéraient les félons. L'affaire est jugée.
Elle a juré que nul n'entra entre ses cuisses que le
méseau qui l'a portée, hier, à l'heure de tierce, outre le

gué, et le roi Marc, son droit époux par la loi de Sainte
Eglise. Malheur à qui refusera de la croire ! »

Le roi Artur dit au roi Marc, devant tous les
barons : « Roi, nous avons vu, ouï et entendu la
défense de la reine. Maintenant, que Denoalan, Ganelon et Gondoïne se gardent de leurs calomnies !
Guerre ou paix ne me retiendront, dès qu'Iseut m'en
requerra, que je n'accoure armé avec les miens,
défendre sa cause ! » Ils s'en vont. Iseut la Blonde
remercie le roi Artur. « Dame, répond celui-ci, je
garantis votre sûreté. Il ne se trouvera désormais, tant
que je serai en vie, un seul homme qui ose médire de
vous. Ces trois traîtres l'ont fait à leur dommage. Je
prie le roi, votre sire, de ne plus ajouter foi au rapport
d'un félon. — Si je le fais dorénavant, dit Marc,
blâmez-moi. »

Là-dessus les deux rois se séparèrent ; chacun
retourna aux affaires de son royaume. Le roi Artur
alla à Dureaume. Le roi Marc demeure en Cornouaille.

## XIV

*Remembrances d'amour. — Vengeance de Tristan sur ses ennemis. — Tristan soudoyer. — Petit-Crû. — Aventures en Espagne et en Petite Bretagne. — Caherdin.*

Le roi a rétabli la paix avec les siens ; tous le craignent de loin et de près. Il donne mille marques d'amour à Iseut, l'emmène en ses déduits et se peine à lui faire plaisir en toute circonstance. Iseut souffre cette vie d'assez bon courage, mais son vrai refuge est le sommeil et le songe. Quand la journée est finie et qu'elle dort, alors commence sa véritable vie. Pour Tristan, c'est une lutte terrible qui se livre en son cœur. Certes, le breuvage merveilleux avait épuisé ses effets, mais l'amour est de telle nature que le remembrer est, bien plus que l'œuvre, chose périlleuse, et ce remembrer tuait en lui le repentir. Il retombait dans son péché à chaque occasion, et son esprit avisé faisait naître presque chaque jour une occasion nouvelle. Puis il se blâmait et concevait une grande tristesse de persévérer dans le mal et de mentir sa foi de chevalier. Il lui souvint des conseils d'Ovide et de ses remèdes

d'amour. Fuir l'oisiveté : mais est-ce que sa vie
remplie de peines et de travaux l'avait jamais détourné
d'aimer ? Chercher les défauts et les secrètes imper-
fections de celle qu'on aime : il en trouvait trop peu
pour s'y arrêter une heure. Ce qui l'eût retenu
davantage, c'était la pensée qu'il méconnaissait le roi
Marc et trahissait son amour, bien qu'il l'aimât et qu'il
eût donné sa vie pour lui. Il considérait aussi les
grands dommages causés par les ardeurs de la chair :
discordes, mensonges, trahisons, guerres, séditions et
toutes manières d'homicides. Parfois encore, il avait
honte de ces déguisements et jongleries auxquels il se
rabaissait, pour contenter sa passion désordonnée.
Mais, quand Aristote s'était avili au point de se laisser
mettre la bride et la selle et chevaucher par la femme
d'Alexandre, pouvait-il espérer être plus sage qu'A-
ristote ? En bref, plus il se débattait dans les rêts
d'Amour, plus il en sentait l'étreinte, et moins il
pouvait s'en échapper. Il ne lui restait qu'une ressource : fuir très loin et ne plus revenir.

Cependant les trois félons, dans leur rancœur,
cherchent encore à lui nuire. Un espion avide d'argent
est venu à eux. « Seigneurs, leur dit-il, le roi, l'autre
jour, vous sut mauvais gré de vos paroles et vous prit
en haine à propos de sa femme. Je consens à être
pendu si je ne vous fais voir Tristan allant à son
rendez-vous. Je connais sa cachette. Quand le roi va
chasser, il en sort. Tristan a autant de ruses que
renard. Il connaît maint moyen de s'introduire dans la
chambre de la reine. Allez à la fenêtre de derrière, à
droite : vous y verrez venir Tristan, l'épée ceinte,
tenant un arc avec deux flèches. — Comment le sais-
tu ? — Je l'ai vu hier matin. — Qui a-t-il avec lui ? —

Son ami Gorvenal. — Où logent-ils ? — Dans un
hôtel aux environs. — Chez Dinas ? — Sans doute. —
Ils n'y sont pas à son insu. — C'est probable. — Où le
verrons-nous ? — Par la fenêtre de la chambre, c'est la
pure vérité. Si je vous le montre, combien me
donnerez-vous ? — Un marc d'argent. C'est promis.
— Or écoutez, dit l'espion. Il y a dans la chambre de
la reine un petit pertuis qui donne sur le ruisseau du
verger ; là, les roseaux sont très épais. Que l'un de
vous y aille par la fraite du jardin neuf, et tout
doucement s'approche de la fenêtre. Faites une longue
brochette d'une épine aiguisée au couteau ; piquez la
courtine qui est derrière pour l'écarter, et vous verrez
tout clair ce qui se passe dans la chambre. Si d'ici trois
jours vous ne voyez ce que je vous ai dit, je veux bien
qu'on me passe l'épée à travers le ventre. — C'est
chose entendue », disent les barons. Lors ils délibè-
rent lequel d'entre eux ira voir, le premier, le merveilleux train d'amour que mène Tristan avec celle qui a
son cœur et sa pensée. D'un commun accord ils
choisirent Gondoïne. Sur quoi chacun s'en va de son
côté.

La reine ne se souciait plus des félons ni de leur
tripot. Elle avait mandé à Tristan par Périnis qu'il vînt
le jour suivant, à la brune. Le lendemain donc, par la
nuit obscure, Tristan s'est mis à la voie. A l'issue d'un
bois, il regarda sur sa gauche et reconnut Gondoïne
qui venait à cheval. Tristan s'arrêta, se cacha derrière
une touffe d'épines, et attendit, l'épée à la main. Mais
Gondoïne prit une autre voie. Tristan hésite, sort du
buisson, veut rejoindre Gondoïne, mais pour néant,
car celui-ci est déjà loin. Au bout d'un moment,
Tristan vit Denoalan qui chevauchait le long d'un

sentier : il allait l'amble, sur un palefroi noir, suivi de deux grands lévriers. Il se mit à l'affût contre un pommier. Denoalan a lancé ses chiens dans un fourré pour en déloger un sanglier. Tristan avait ôté son manteau et son chaperon. Avant que Denoalan pût se garder, il se jeta sur lui et l'enferra si bien de son épée qu'il lui arracha l'âme du corps. Après lui avoir coupé les tresses pour les montrer à Iseut, il remit son manteau et son chaperon et gagna au plus vite la chambre de sa drue.

Gondoïne, guettant au pertuis, vit, dans la chambre qui était jonchée, Brangaine peigner la blonde Iseut ; après quoi elle sortit avec Périnis. Le félon appuyé contre la paroi vit ensuite entrer Tristan : il tenait son arc et deux flèches d'une main, et de l'autre deux longues tresses. Tandis qu'Iseut lui mettait les bras autour du cou, elle aperçut l'ombre de la tête de Gondoïne ; elle fut effrayée, mais se contint sagement. « Amie, dit Tristan, voici les tresses de Denoalan ; j'ai pris ma vengeance : il ne vous fera plus de mal. » Iseut songe que si Gondoïne peut s'échapper, la guerre recommencera entre Tristan et le roi Marc. Elle n'avait cure de gaber. « Tristan, dit-elle doucement, encorde une flèche et tends ton arc. Je vois là quelque chose qui m'ennuie. » Tristan a compris. Il encoche et tire. Émerillon ni hirondelle ne volent si vitement de la moitié que la flèche qui va se planter dans le têt et la cervelle et en ressort plus tôt que si ce fût une poire molle. Le félon tombe, se heurte à un pilier. Il n'eut loisir de dire seulement : « Confession ! » Ainsi finit Gondoïne.

Ganelon n'eut pas un plus beau sort. A quelque temps de là, Gorvenal suivait la chasse du roi Marc. Il

s'était arrêté à un ruisseau et faisait boire son cheval,
quand une flèche tirée de grande raideur vint se ficher
dans l'arbre où il était adossé ; il s'en fallut d'un
empan qu'elle ne lui perçât l'œil et le chef. Gorvenal
fit quelques pas ; il voit Ganelon qui fuit à bride
abattue. Le traître pensait venger la mort de ses deux
amis sur l'écuyer de Tristan, en attendant mieux. Mais
peu lui valurent son arc et sa saïette. Gorvenal saute
sur son cheval, enchausse le traître au grand galop,
l'atteint et de son brant lui fait voler la tête.

Tristan s'en alla. Il laissa la Cornouaille. Il se loua
comme soudoyer en Norgalles, en Galvoie. Il apporta
aux rois et aux ducs de ces pays l'aide de son épée,
détruisit çà et là de mauvaises coutumes et vit croître
partout son prix et sa renommée. Entre autres bons
faits, il défia et tua en combat singulier Nabon le Noir
et délivra deux mille hommes et femmes, que celui-ci
tenait prisonniers. C'est ainsi que le Val du Servage
devint la Franchise Tristan : les Bretons ont fait un lai
sur cette aventure.

Après plusieurs voyages et chevauchées, il était
revenu dans le pays de Logres, chez un duc nommé
Gilan qui l'honorait de son amitié et le tenait cher sur
tous les autres pour sa prouesse et pour son habileté
de harpeur. Il avint qu'un jour Tristan était pensif
comme celui qui a laissé sa joie au loin. Le duc vit la
tristesse de son hôte et il voulut le divertir. Il fit
apporter les dés et les tables, mais Tristan refusa de
jouer. Le roi demanda alors les échecs, mais Tristan
ne put rien tirer de ses péonnets, de son roc et de son
aufin ; il retombait toujours dans ses pensées. Le duc
Gilan, voyant qu'il ne parvenait pas à le dérider, lui

dit : « Ami Tristan, je vais vous faire voir un jeu que
je ne montre à personne, et ce serait merveille si vous
n'y trouviez confort. » Il appela son chambellan et lui
dit : « Qu'on m'apporte Petit-Crû ! » Bientôt des
sergents entrèrent ; l'un portait un beau petit tapis de
laine bariolée, l'autre un chiénet à peine plus gros
qu'une belette et tel que nul homme jamais n'avait vu
le semblable. Il venait de l'île d'Avalon et avait
appartenu à Morgue la fée. C'était une bête au corps
mignon et faite à compas par Nature ; son poil était
d'une étrange couleur ; vous n'auriez su dire si elle
était inde ou vermeille, argentine ou diaprée, tant elle
était changeante. Au vrai, si l'on regardait le petit
chien de face, il semblait vert comme cive ; de côté il
semblait rouge coquart et fauvelet, et par-derrière
jaune comme penne d'oriot. A le voir si doux, si
docile, si gai et joli, on ne pouvait se lasser de le
remirer ; et plusieurs en étaient restés longtemps
éblouis et dévoyés de leur sens, tant ils s'étaient
délités en ces décevables couleurs. Les valets étendi-
rent le tapis sur une table et posèrent le chien dessus.
Tristan vit qu'il avait au cou un petit grelot d'argent,
et ce grelot se mit à tinter, aux mouvements que
fit Petit-Crû, d'un tintement si souef et si menu
et si mélodieux qu'on eût dit qu'il venait du Paradis. Et aussitôt Tristan se mit à oublier son chagrin, car le grelot de Petit-Crû avait telle vertu que,
quand il sonnait, il n'y avait homme si dolent et si
déhaité, si encombré d'ennui, si éploré, si forclos
de joie, si plein d'ire et de pesance, qui ne fût aussitôt conforté et guéri. Tristan était tout yeux tout
oreilles, et il regardait Petit-Crû, et lui passait la
main sur le poil qui était doux comme la soie. Et

il pensait qu'Iseut serait bien heureuse d'avoir un tel chiénet avec le collier et le grelot. S'il pouvait tant exploiter que le duc lui en fît don pour son amie !

Le lendemain, après dîner, tandis que le duc était dans la salle, Tristan vint avec sa harpe. Le duc Gilan lui dit : « Tristan, vous me faites plus belle chère aujourd'hui qu'hier. Vous avez apporté votre instrument. Il y a longtemps que je ne vous ai entendu. — Sire, si c'est votre plaisir, je chanterai volontiers. » Alors il se mit à chanter, en s'aidant de sa harpe, quelques-uns des lais qu'il avait composés au cours de sa vie errante. C'était le Lai de Pleur où il se remembrait son voyage à l'aventure pour chercher remède à la blessure que lui avait faite le Morhout, et le Record de Victoire où il célébrait la défaite du grand serpent crêté. « Tes lais sont beaux, dit le duc. Je ne me lasse pas de les ouïr. Poursuis, Tristan : tu auras bon loyer. » Tristan dit : « Sire, je vous chanterai maintenant le Lai du Boire Amoureux : c'est l'histoire d'une fille de roi à qui sa mère donna, la veille de ses noces, un vin fait par nigromance afin de retenir son baron dans les lacs d'amour, mais, hélas ! ce ne fut pas le baron qui le but... » Gilan était ému de douceur et de pitié ; il ne savait ce qu'il devait admirer le plus, des vers ou de la note ; l'eau du cœur lui coulait des yeux. « Écoute, Tristan ; demande-moi ce que tu voudras, mais chante encore. — Sire, oyez le Lai de Joie où deux amants se rencontrent dans la gaudine par un beau jour de mai. Après je vous dirai le Lai de Mort où mon jouvenceau annonce son intention de finir en vrai martyr du dieu d'Amour. Mais auparavant, je vous chanterai le Chèvrefeuille. »

Tristan trouva ce lai un matin qu'il guettait le convoi
de la reine. Il avait coupé un bâton de coudrier, l'avait
équarri et paré, et il y avait gravé ces mots : « Ni vous
sans moi, ni moi sans vous. » C'était un signe de
reconnaissance entre eux. Quand Iseut trouvait le
bâton sur le chemin, elle savait que son ami était tout
près. Dans ce lai, Tristan se comparait au chèvrefeuille
qui se prend au coudrier ; tant qu'ils sont enlacés, ils
peuvent bien durer ensemble, mais dès qu'on les
sépare l'un de l'autre, le coudrier dépérit, et tout ainsi
le chèvrefeuille.

Sur la fin de la journée, Tristan dit au duc : « Sire,
vous m'avez promis une récompense. — Certes, et je
suis tout prêt à te l'octroyer. Dis-moi donc, ami, ce
que tu veux. — Quelque chose dont il vous coûtera de
vous dégarnir. — Mais non, ami, rien ne me coûtera,
et je ne paierai jamais assez cher la joie que tu m'as
donnée. — Eh bien ! sire, je voudrais le petit chien au
grelot merveilleux. » Le duc Gilan se fit un peu prier ;
il eût mieux aimé bailler une robe, un palefroi, et
même une grande terre, que de se séparer de Petit-
Crû. Mais il dut tenir parole.

Tristan se mit en quête aussitôt d'un messager pour
aller en Cornouaille et porter de sa part Petit-Crû à la
reine. Iseut reçut le chiénet plaisant à regarder comme
une pierre précieuse ; elle ouït tinter le grelot d'argent,
et toute sa tristesse s'envola ; elle n'eut que joie à
songer de Tristan et de leurs amours passées. Petit-
Crû ne la quittait pas ; il dormait dans sa chambre sur
un coussin de soie ; et quand elle chevauchait avec le
roi, elle le faisait porter devant elle dans une cagette
faite d'un treillis d'or.

Après son séjour auprès du duc Gilan, Tristan fut en Espagne. Là il vainquit en bataille un géant redoutable. Ce géant était le neveu du fameux Outrecuidé qui d'Afrique alla requérir les princes et les rois de terre en terre. L'Outrecuidé était hardi, très fort et renommé en prouesses ; il se battit avec tous, en tua et mit à mal plusieurs et leur coupa les barbes. Il se fit faire de toutes ces grandes barbes une robe fourrée ample et traînante. Il ouït un jour parler du roi Artur, si vaillant que nul, disait-on, n'avait pu l'outrer en joute ou défaire en bataille. Il lui fit dire, non sans l'avoir salué comme son ami, qu'il avait de nouvelles barbes de rois et de barons déconfits, mais qu'il lui manquait encore une bordure et des franges pour se faire une pelisse telle qu'elle est due à barbes de si hauts seigneurs ; et parce qu'il est le plus grand roi de la terre, il lui mande par amour qu'il fasse raccourcir la sienne et veuille bien lui en faire honneur ; si Artur ne veut pas l'octroyer, le géant fera ainsi qu'il a accoutumé : il mettra comme enjeu la pelisse avec la barbe du roi et lui livrera bataille ; et le vainqueur aura à la fois la barbe et la pelisse. Quand Artur reçut cet orgueilleux message, il contremanda au géant qu'il le combattrait plutôt que de donner sa barbe et de passer pour un couard. Le géant, ayant appris la réponse du roi, vint jusqu'aux marches de son royaume le requérir de se mesurer avec lui. La pelisse et la barbe furent mises en enjeu, et le combat commença ; il dura tout le jour. Enfin Artur eut raison du géant et lui ôta à la fois la pelisse et la tête.

Cette aventure ne se rapporte à mon histoire sinon parce que le géant combattu par Tristan était le neveu de celui qui recherchait les barbes des rois. Il vint demander la barbe du seigneur que Tristan servait alors en Espagne. Le sire ne trouva nul de ses parents ou amis qui osât défier le géant ; ce dont il fut très dolent et se plaignit devant toute sa ménie. Alors Tristan entreprit de châtier l'Outrecuidé à la place de ces pautonniers. Ce fut une joute très dure, une bataille acharnée où finalement le géant perdit la vie.

En revenant d'Espagne, Tristan entendit parler du duc de Bretagne qui était vieux et impotent, et que ses voisins guerroyaient sans merci. C'étaient tour à tour les Normands et le comte d'Anjou qui entraient dans ses terres, et allaient larronnant et meurtrissant par le plat pays, et mettaient toutes les villes à flamme et à saquement. Le duc Hoel, ayant su le los et grand renom de Tristan, le manda à Carahès et lui donna le commandement de son ost. Tristan occupa plusieurs fertés et forts châteaux ; et il assaillit par surprise une cité bastillée de hautes murailles et de grosses tours où les Angevins avaient fait retraite. Dès qu'ils voient les Bretons, ils se hâtent de courir aux armes, vont levant les ponts à chaînes, ferment portes et potis. Vous eussiez vu alors les assaillants embrasser targes et écus, brandir martel de fer et guisarme et se ruer sur la grande tour ! Mainte saïette est tirée et maint carreau décoché. Ceux du dedans se défendent de lances et d'épieux, de matras, de pierres et de cailloux. Grande est la noise et la huée. Les Bretons de Tristan sont de merveilleux vasselage. A la fin la tour est emportée, et la ville prise, et le comte d'Anjou est contraint de se retirer dans ses terres, après avoir payé une forte rançon.

Le duc Hoel avait un fils qui se nommait Caherdin ;

il fit la guerre avec Tristan, et ce fut le commencement d'une amitié qui devait durer toujours. Ils avaient le même âge. Caherdin était bien aligné de corps, grêle par les flancs, doux et avenant, simple et franc de manières et de chère gaie et riante. Grâce à lui, Tristan devint sire de l'hôtel sur tous chamberlains, maréchaux et connétables. Le duc Hoel lui fit grand honneur, et lui donna du sien à bandon. Au bout de quelques mois, Tristan était prisé plus que tous les nourris du vieux duc, et celui-ci, non plus que Caherdin, n'entreprenait rien sans lui demander conseil.

## XV

Or Caherdin avait une sœur belle et sage, de noble maintien et gracieuse contenance ; il n'était pucelle plus douce et plus courtoise de Nantes jusqu'à Tréguier. On l'appelait Iseut aux Blanches Mains. La première fois que Tristan l'entendit nommer, il tressaillit et sentit une pointure au cœur ; et quand il la vit, il s'émerveilla de la ressemblance non seulement du nom, mais du corps et du visage. Iseut aux Blanches Mains était blonde comme l'autre, sinon que ses cheveux tiraient un peu sur l'auborne, tandis que la fille du roi d'Irlande les avait sors et luisants comme le soleil. A cause de cette ressemblance avec la dame de ses pensées, il trouvait plaisante douceur à regarder la pucelle et à l'étrenner de paroles aimables et de mille petits soins. La sœur de Caherdin ne savait pas pour quelle raison il aimait sa compagnie, et elle recherchait la sienne avec la simplicité et la modestie qui étaient dans sa nature.

En ce temps-là, Tristan avait fait plusieurs motets et chansonnettes qu'il chantait le soir pour se déduire et se consoler. Il y en avait un où étaient ces mots : « Iseut ma drue, Iseut ma mie, en vous ma mort, en vous ma vie. » Ceux qui entendirent ces vers où revenait le nom d'Iseut crurent de bonne foi qu'ils s'adressaient à la fille du duc Hoel, et déjà l'on parlait de mariage. Au demeurant, c'était le vœu le plus cher de Caherdin de voir Tristan épouser sa sœur. Mais qu'importait à Tristan Iseut aux Blanches Mains ? La seule Iseut qui remplissait son cœur était celle en qui il avait mis sa foi.

Son cœur se débat en des contradictions doulou-reuses : « Iseut, belle amie, soupire-t-il, quelle diffé-rence entre nos deux vies ! Depuis cette cruelle départie, notre amour n'est pour moi que décevance. J'ai perdu la joie et vous l'avez jour et nuit. Ma vie se passe en tristesse et moleste, et la vôtre dans le plaisir et les délices. Je ne connais que le désir que rien n'apaise, et vous ne pouvez éviter que vous n'éprou-viez pas le contentement de la chair. Le roi fait sa volonté de votre corps et mène sa joie, tandis que je suis en peine de vous. Ce qui était mon bien est devenu sa proie. Il me convient renoncer à ce que je ne puis posséder, car je sais bien qu'Iseut ne peut se satisfaire d'un vain songe. Que mon sort diffère du sien ! Je dédaigne toutes les femmes pour la seule Iseut, et ne cherche aucun réconfort. Mais quelle angoisse de me sentir désiré par une autre ! Je ne puis faire ce que je veux, et ne veux pas faire ce qui est en mon pouvoir. — Hélas ! quelle folie de fuir la joie quand elle est à la portée de la main ! A quoi bon s'entêter d'une idée d'où nul bien ne peut venir ? Il est

hors de doute que le cœur d'Iseut a changé et que
mon nom est enfoui dans les oubliettes de sa
mémoire. — Non ! Ce changement n'est pas possible.
Comment renoncerait-elle à un amour dont je n'ai pu
m'affranchir ? Je suis certain que si elle ne vivait plus
dans ma pensée, quelque chose en son cœur le lui eût
révélé. De même, je sais tout ce que pense Iseut, soit
en bien, soit en mal : si elle m'avait oublié, j'aurais
entendu en moi un secret avertissement. Or je sens
qu'Iseut m'a gardé sa foi. Si je ne puis présentement
me rendre à ses vœux, je ne dois pas pour tant changer
et la délaisser pour une étrangère. — Certes Iseut ne
me trahit pas ; toutefois elle se détache de moi peu à
peu par la force des choses. Si elle m'aimait assez, ne
m'enverrait-elle pas un message ou ne chercherait-elle
à me voir ? — Il est vrai qu'elle n'ose à cause de son
seigneur ! C'est trop lui demander de vouloir qu'elle
abandonne cette cour où elle est aimée et honorée. Et
comment pourrait-elle sans vilenie offenser celui qui
l'a comblée de tant de biens ? — La souvenance et
mémoire des joies passées ne la détourne pas des joies
présentes. Pourquoi ne ferais-je pas comme Iseut ?
Pourquoi tant penser et la haïr et aimer tour à tour ?
Que plutôt je me fasse une raison comme elle, si du
moins je le puis... — Je veux essayer de trouver soulas
par faits et par œuvres sans que le cœur y ait part. Je
verrai si le mariage me fera oublier mon amour. »

Tristan peu à peu se sent pris du désir de posséder
celle qui a le nom et la beauté d'Iseut la Blonde. Il
veut savoir comment la reine se comporte avec son
oncle, et si l'on peut avoir vie commune avec une
femme qu'on n'aime pas. Il fait tant d'amitiés à la
meschine, et de son côté Iseut aux Blanches Mains

met si bien son entente à lui plaire, qu'il se résout à la prendre, et elle à se donner, et que les parents consentent au mariage.

Jour est pris. Les apprêts des noces sont achevés. Tristan entre au moutier avec les siens ; le roi Hoel et Caherdin conduisent Iseut devant l'autel. Le chapelain dit la messe et fait tout ce qui regarde son ministère selon l'ordre de sainte Église. Après ils s'assoient au manger ; puis ils vont s'ébanoyer à la quintaine, au cembel, aux javelots, à la palestre, à des jeux de diverses sortes, comme il convient à de pareilles fêtes, suivant la coutume des gens du monde.

La journée est finie. Les barons saluent le roi et sa parenté et s'en vont. La nuit est proche et les lits sont préparés. La pucelle est défublée et couchée par ses meschines. Tristan se fait dépouiller du bliaut dont il était revêtu, étroitement ajusté aux poignets et séant à merveille. En tirant la manche, ils ont fait tomber l'anneau du doigt de Tristan, cet anneau qu'Iseut lui donna en druerie, le jour de leur dernière rencontre. Tristan regarde, voit l'anneau, et soudain il entre en une nouvelle pensée : il est en transe et ne sait plus à quoi se résoudre. Il est saisi de remords, car il pense à la convention dont cet anneau est le gage. Il demeure un long temps muet et comme endormi. Enfin il a vergogne devant la jeune épouse qui l'attend. Il se couche, mais il est plus froid que glace. Iseut l'accole, lui baise la bouche et la face ; de profonds soupirs sortent de sa gorge, car elle veut ce qu'il ne désire. Tristan connaît un nouveau tourment : la nature l'attrait à la pucelle ; l'amour le retient ; la raison éteint son ardeur et tue la volonté de sa chair. Iseut aux Blanches Mains s'étonne d'une telle honte et

d'une telle froideur ; alors Tristan s'excuse en lui
mentant : « Ma douce amie, ne tenez pas ma conduite
à vilenie ; je vous ferai un aveu que je vous prie de
bien celer, que nul ne le sache en dehors de nous. Ici
sur le côté gauche, j'ai une infirmité qui m'a déjà fait
souffrir depuis longtemps, et aujourd'hui encore m'a
cruellement torturé. Je n'ai pas le cœur à m'ébattre.
Demain, sans doute, j'irai mieux. — Ami, répondit la
pucelle, j'ai deuil de vous savoir malade, mais, pour le
demeurant, je puis et veux fort bien m'en passer. »

Telle fut leur première nuit. Et celles qui s'ensuivi-
rent ne furent pas plus joyeuses.

Ici nous laisserons Tristan à Carahès, et nous
dirons de la reine qui est à Tintagel.

Iseut la Blonde soupire toute seule en sa chambre
pour Tristan qu'elle désire ; elle n'a autre volonté, ni
autre amour, ni autre espoir. Elle n'a plus de nouvelles de son cher Tristan, ne sait seulement s'il est mort
ou vif. Converse-t-il toujours en Galvoie ou dans le
pays de Logres ? Est-il en France ou en Espagne ? Le
bruit de ses hauts faits n'est point parvenu aux oreilles
d'Iseut, car c'est la coutume que l'Envie publie le mal
et taise le bien ; l'Envie cèle les bonnes œuvres,
répand partout les mauvaises. C'est pourquoi le Sage
dit à son fils dans le vieux écrit : « Mieux vaut être
seul que hanter les jaloux et se passer de compagnon
qu'en avoir un qui ne soit vrai ami. » Tristan avait
assez de faux amis dont il était haï ou peu aimé ;
autour du roi Marc il en demeurait encore ; ils
n'avaient garde de dire à la reine, de Tristan, le bien
qu'elle souhaitait : mais en qualité d'envieux, ils
disaient ce qu'elle détestait le plus.

Un jour Iseut était assise en sa chambre et chantait

un lai piteux d'amour : comment dan Guiron fut
surpris et occis pour l'amour de sa dame qu'il aimait
sur toute créature, et comment le mari par droite
diablerie donna à sa femme le cœur de Guiron à
manger, et comment la dame eut deuil indicible quand
elle sut la mort de son ami. La dame chante doucement ; la voix s'accorde à l'instrument ; les mains sont
belles, le lai beau à pleurer, douce la voix, grave le ton.
Alors survient le comte Andret. Il était à peine guéri
et répassé de sa rencontre avec le Noir de la Montagne. Depuis le départ de Tristan, il avait tenté
plusieurs fois de prier la reine d'amour, mais en vain :
il n'avait pu se faire bienvenir tant qu'il tirât d'elle
seulement un gant ou autre menue druerie. Il était
beau parleur, lime sourde, comme on sait, très
envieux des avantages d'autrui et peu prisé d'armes et
de chevalerie. Il trouve la reine qui chantait son lai ; il
dit en gabant : « Dame, on dit, quand entend la
frésaie, qu'on va parler de mort d'homme, mais cette
fois je crois bien que la frésaie annonce sa propre
mort. — Andret, dit la reine, il est assez de huants et
de frésaies par le monde. Vous pouvez bien craindre
de mourir, quand vous redoutez mon chant, mais
vous êtes vous-même oiseau de mauvais augure. Je ne
sais si jamais vous conterez une histoire dont j'aie
sujet d'être contente ; jamais vous ne vîntes à moi sans
m'annoncer de mauvaises nouvelles. Vous êtes de ces
paresseux qui ramponent les autres et qui jamais
n'accompliront quelque fait dont on parle. — Reine,
vous voilà fort en colère. Mais je ne m'offenserai pas
de vos paroles. Je suis le huant, vous êtes la frésaie.
Pour ma mort, il ne m'en chaut ; mais je vous apporte
une triste nouvelle de votre ami Tristan. Dame Iseut,

vous l'avez perdu : il a pris femme en autre terre.
Vous pouvez bien à présent chercher ailleurs, car il
dédaigne votre amour : il a épousé une demoiselle de
haut parage, la fille du duc de Bretagne. » Iseut
répond par grand dépit : « Toujours vous avez été
huant pour dire du mal de Tristan. Que je n'aie plus
jamais de joie, si à votre égard je ne suis frésaie. A
mon tour, je vous annoncerai une chose qui ne vous
plaira qu'à demi. Je ne vous aime pas, et vous ne
recevrez, nul jour, de moi la moindre druerie. J'eusse
mal exploité si je vous eusse écouté, quand vous me
priiez d'amour. J'aime mieux avoir perdu l'amour de
Tristan qu'accueilli le vôtre. Vous m'avez annoncé
une chose dont vous ne tirerez pas profit. »

Andret vit qu'Iseut était très courroucée. Il ne
voulut pas railler et irriter davantage sa douleur. Il
sortit. La reine demeura seule, en proie à une grande
détresse. Tristan s'était parjuré. Tristan ! Était-ce
possible ? Elle ne croyait plus à l'amour. Elle eût
voulu s'assurer de la vérité du fait, mais elle était
tellement blessée et humiliée en son cœur qu'elle ne se
confia à personne qui vive, ni à Brangaine la sage, ni
au franc Périnis.

Tristan menait une vie étrange, mais il s'évertuait de
la celer à chacun. Le vieux duc l'ignora toujours ; il
croyait sa fille garnie de biens à sa devise et n'ayant
rien à souhaiter ; au reste, c'eût été honte à elle de
révéler telles privetés et de se plaindre de Tristan
qu'elle aimait. Caherdin ne sut rien pendant longtemps. Tristan avait semblant d'homme heureux, sain
et haité ; il faisait belle chère à tous. Il ne refusait
jamais une bataille d'échecs ou de tables, et pour la
chevauchée, les déduits de gibier et de rivière, il était

toujours prêt. Un jour, Hoel l'emmena en forêt, et, tout en errant, ils vinrent au bord d'une eau large et profonde qui courait de grand randon parmi les rochers. « En ce lieu, dit le duc Hoel, finit ma terre. Il y eut là, naguère, de terribles combats, mainte targe trouée et maint heaume embarré, et maint chevalier navré à mort, et maint champion conquis en bataille. Depuis ce temps, il ne nous est plus permis de trépasser ce fleuve. La contrée appartient à un géant redoutable, très riche et d'outrageuse puissance. Béliagog est son nom. Au prix de lui, Braihier, Fièrebrace, Ferragus, Isoré, Agolafre n'étaient que nains et menuaille. Il m'a occis des milliers de mes prudhommes et contraint à lui abandonner cette terre qui fut autrefois mienne. Nous avons conclu la paix par telle convenance qu'il ne viendrait jamais dans mon royaume et qu'en retour nul de mes Bretons ne passerait outre ce val. J'observerai la trêve aussi longtemps que je pourrai, car si je la rompais, il aurait le droit d'envahir mes terres et de mettre tout à feu et à sang. Je vous dis ceci pour que vous vous gardiez de forcer ce gué, car ce serait votre perte et la mort assurée. — Béliagog, répondit Tristan, peut bien aller et venir dans sa forêt ; je ne m'en soucie ; il en est assez d'autres où je puisse mener mes chiens et exercer mon arc. — Maintenant, nous pouvons retourner », dit le duc. Ils revinrent au château. Déjà on cornait le souper, et les sergents mettaient les nappes. Toute la nuit Tristan pensa au grand géant Béliagog. Il était curieux de le voir. Il lui vint à l'esprit que, s'il pouvait accomplir quelque nouvelle chevalerie, la renommée la porterait peut-être à Iseut, et son prix en serait rehaussé.

Quelques jours après, il partit sans rien dire avec son destrier et chevaucha tant qu'il fut à la rivière qui marquait les fins et limites des terres d'Hoel et du géant. Il chercha un gué, mais connaissant mal les lieux, il se jeta au plus profond. Peu s'en fallut qu'il ne fût emporté dans le courant. Mais il tira tant sur sa rêne et tant gauchit et tant s'évertua qu'il parvint à l'autre rive. Il ôta le frein et la selle à son cheval, le mit au repos, fit sécher ses vêtements, puis il remonta et piqua dans la forêt. Il erra longtemps en lieux déshabités, étranges et sauvages, parmi dérubes, trépas resserrés et roches pendantes ; puis comme l'aventure tardait, il prend sa trompe et mène si grand effroi que monts et vaux en rebondissent et contresonnent tout à l'entour.

Béliagog l'a entendu. Il accourt comme forsené. Il avait bien deux aunes du chignon à la plante du pied, il était corsu à démesure, haut enjambé, avec une tête grosse et carrée et des yeux enfoncés qui luisaient comme des braises. Il tenait à la main une grande massue de fer emmanchée d'un jarron de chêne. A peine a-t-il aperçu Tristan sur son destrier qu'il crie : « Que venez-vous faire ici ? Et qui êtes-vous ? » Tristan répond sans se troubler : « Sire, j'ai nom Tristan ; je suis le gendre du duc Hoel. J'ai vu ce bois et ces beaux arbres, et je me suis pourpensé que j'y prendrais volontiers le merrain dont j'ai métier pour une maison que je veux faire bâtir. — Sire truand, tu es bien osé de vouloir disposer à ton gré et sans congé de moi, des arbres de ma forêt. Dieu me sauve ! Si je n'étais en paix et bonne amitié avec le duc, tu ne sortirais pas d'ici. Retourne au plus tôt d'où tu viens, et sois heureux qu'à cette condition je te laisse la vie.

— Sire géant, je n'ai point accoutumé d'obéir à la menace. Je veux marquer ici les plus beaux arbres et je les ferai abattre pour les charpentiers. Mais si tu t'y opposes, je t'offrirai la joute, et l'issue du combat décidera de nous deux à qui appartiendront les arbres que j'ai dits et le demeurant de la forêt. — Jeune fou, tu me tiens, je le vois, un géant comme il s'en trouve en Espagne. Tu seras déçu et plus tôt que tu ne penses. » En disant ces mots, Béliagog, tout flambant de colère, fait tournoyer sa massue et la lance de grande vigueur. Tristan esquive le coup. Béliagog courut ramasser son arme ; mais il ne put l'atteindre que Tristan ne sautât, înel comme un chevreuil, l'épée brandie ; il va fauchant de merveilleuse randonnée, si bien qu'il atteint durement le géant et lui tranche la jambe. Béliagog roule à terre et demande merci. « Je t'accorde la vie sauve, dit Tristan, par tel convenant que tu me serviras fidèlement ; j'ai besoin de ton aide pour l'œuvre que j'ai méditée. — Tu puiseras à ton gré dans mon trésor, dit le géant, et mes hommes, mes serfs et tout ce que j'ai dans mon domaine, seront à ton service. Je suis désormais ton homme et ferai tout à ta volonté. » Tristan pansa et habilla la plaie de Béliagog, et il corna tant que ses gens vinrent. Ils l'emportèrent sur une bière ; puis ils s'entremirent de lui tailler une jambe de bois. Béliagog répéta devant ses hommes le serment et l'hommage qu'il avait faits à Tristan. Puis ils conclurent un accord par lequel le géant devait fournir toutes sortes d'ouvriers maçons, charpentiers, fèvres, huchers, huissiers, perriers et cristalliers, peintres et tailleurs d'images, ainsi que tout le merrain, et les pierres, et le métal qui lui seraient nécessaires.

La nuit qui suivit, Tristan ne dormit guère. Il raconta à sa femme qu'il avait laissé échapper un sanglier et n'aurait de relâche qu'il ne l'eût pris au panneau. Il se leva à la pointe du jour et chevaucha en hâte vers la forêt et le recet de Béliagog, et il fit de même tous les jours, pendant deux mois. Béliagog tint ses engagemènts ; il ouvrit ses coffres et abandonna à Tristan tout l'or et l'argent dont il avait besoin, et lui procura les ouvriers, et lui dit de prendre tout le merrain qu'il voudrait dans ses bois.

Il y avait au fin cœur de la forêt un grand tertre qui recélait dans ses flancs la plus merveilleuse grotte qui se pût imaginer. L'entrée était haute et carrée et donnait lumière à une première cave barlongue à voûte aiguë, d'environ dix toises de longueur et large de moitié, au bout de laquelle était un pertuis et une deuxième salle grande du double de la première. Cette salle était éclairée contremont par une baie naturelle qui laissait voir le ciel et les étoiles, et par où tombaient les pluies et s'amassait l'eau qui descendait, à travers les crevasses du rocher, jusque dans les profondeurs de la terre.

Tristan commanda tout d'abord de clore la grotte par une porte à ferrures dorées, faite de plusieurs bois précieux, assemblés par grande maîtrise. Au-dedans les parois furent taillées et peintes de rinceaux, fleurs, fruits, feuillages, hommes cornus, marmions, serpenteaux volants, luitons et autres monstres périlleux. Pour éclairer la grande salle, il fit clore la baie par une grande vitre faite de verres de diverses couleurs sertis en plomb et qui semblait toute reluisante de grenats, rubis, crisolites, saphirs et alebandines. Quant aux images et merveilles qui furent léans assises et édifiées, je vous les deviserai ci-après. Toutes ces choses se firent secrètement et en larcin ; nul ouvrier ne fut si hardi qu'il sonnât mot de sa besogne ; Tristan avait longuement pourpensé ce palais souterrain où il mit tout son soin et toute son entente. Il venait au chantier dès le petit jour et s'en retournait à la nuit. La grotte fut de chef en chef pavée de mosaïque. Un huis à tourbillon de cuivre, niellé d'or et d'argent, fut établi entre les deux salles, dans la première desquelles fut assise une manière d'orgue à cent buseaux qui faisait entendre ensemble et tour à tour gigue, chifonie, harpe, bousine, flûte, tambour, cymbales et clochettes. Trois poètes, sages docteurs qui surent de nigromance, l'avaient bâtie et ouvrée autrefois à Rome, et l'empereur Aurélien en avait fait don et saisine à un sénateur de la Gaule. Quand on défermait le grand huis de la grotte, l'orgue se mettait à sonner de toutes ses voix, et douze demoiseaux, très bien faits, de fût et d'ivoire peinturés, et autant de pucelles, tous affublés de soie et d'orfrois, ballaient et menaient la carole. Ils figuraient la jeunesse de Cornouaille faisant joie et réjouissance de la victoire de Tristan et de la défaite du Morhout. Celui-ci était représenté gisant mort sur son bateau ; et droit contre lui était le serpent d'Irlande qui se dressait sur sa queue, gueule béante et griffes en bataille.

La deuxième salle était ornée plus richement encore que la première, mais on n'y voyait que deux images, de grandeur d'homme, taillées et peintes par tel engin et maîtrise qu'on aurait pu les croire vivantes. L'une était la reine Iseut, et l'autre sa chamberlaine à qui nul de ses secrets et arcanes ne fut jamais celé. Iseut était vêtue d'un long surcot d'écarlate brodée ; un tissu

ferré d'argent la ceignait parmi les flancs, auquel
pendait une aumônière ; elle portait sur son chef, d'où
tombaient deux longues tresses blondes, un cercle
d'or orné de pierres, et un riche collier descendait sur
sa gorge qui semblait se soulever et respirer. Iseut
avait au doigt un jaspe vert, et la main tenait déroulée
une liste où se lisaient ces mots : « Tristan, prenez cet
anneau, gardez-le pour l'amour de moi, et qu'il vous
souvienne toujours de nos joies et de nos peines. » La
figure du méchant nain Frocin, coulée en laiton, était
mise sous ses pieds en guise d'escabeau. En face, sur
un autre pilier, se tenait Brangaine ; à ses pieds gisait
Husdent que Tristan avait pourtrait lui-même. Brangaine tenait à la main un hanap ciselé à trifoire, avec
cet écriteau : « Reine Iseut, prenez ce breuvage. »

Quand toutes les besognes furent parfournies et
toute l'œuvre achevée, Tristan ferma la grotte, et
emporta les clés, non sans avoir recommandé à
Béliagog de faire si bonne garde que nul ne fût si osé
que d'en approcher à plus d'une archée ou du jet
d'une petite pierre.

## XVI

*Tourments des quatre amoureux. — L'eau hardie. —*
*Voyage de Tristan et de Caherdin en Cornouaille. — Le*
*convoi de la reine. — Caherdin enfantômé.*

Tristan chevauchait du château à la salle aux images
et en revenait par détours et voies foraines, afin de
dérouter ceux qui auraient pu le suivre et de n'être
surpris de personne. Chaque fois qu'il revoit la chère
image, il la baise et l'accole comme si ce fût la
véritable Iseut. Et il lui recorde les délices de leurs
belles amours, et leurs ennuis et leurs mésaventures. Il
la couvre de baisers quand il est de bon hait, se
courrouce quand quelque tristesse noire le point,
parce que, sur la foi d'un songe, il mécroit Iseut de
l'oublier ou d'avoir un autre ami : comment pourrait-
elle se défendre d'en aimer un autre tout prêt à faire
ses volontés ? Cette pensée le jette dans l'erreur, et
cette erreur abat son courage. Il craint Andret qui
rôde nuit et jour autour d'elle, la sert de son mieux, et
la gourmande à son sujet, mêlant la menace aux
louanges. Il redoute que, n'ayant ce qu'elle veut, elle

ne se laisse aller, et, faute de Tristan, ne se contente
d'un autre. Quand il est joyeux, il s'assied sur une
forme, au milieu de la salle, et chante pour lui plaire le
Record de Victoire ou le Lai du Chèvrefeuille. Quand
les soupçons lui viennent, il montre de la haine à
l'image ; il ne veut pas la regarder, ni lui parler, ni lui
sourire ; c'est à Brangaine qu'il adresse la parole :
« Belle, je me plains auprès de vous du changement
d'Iseut et de sa déloyauté. » Il dit à l'image tout ce
qu'il pense, puis peu à peu il perd son assurance ; il
regarde en la main d'Iseut qui veut lui donner son
anneau ; il revoit le doux semblant qu'elle lui fit
quand ils se séparèrent ; il lui souvient de l'accord
qu'ils conclurent quand ils se dirent adieu ; alors il
pleure et demande pardon d'avoir pensé une chose
folle ; il voit combien il a été abusé par de fausses
apparences. C'est pour cela qu'il fit ouvrir cette
image, car il n'a personne à qui il puisse découvrir ses
bonnes ou mauvaises pensées, sa joie ou son décon-
fort. Telle est la contenance de Tristan, le méchant
d'amour : il fuit tour à tour et revient à l'image, lui
montre belle chère ou lui fait triste mine. Tels sont les
effets de la passion qui induit l'âme en trouble et
erreur périlleuse. S'il n'aimait pas Iseut sur toute
chose, il ne s'embarrasserait pas de l'idée d'un rival.
D'autre part, s'il avait un autre amour, sa jalousie
n'aurait aucune raison d'être ; il n'est jaloux que parce
qu'il a peur de perdre ce seul et unique amour ; il a
d'autant plus peur de le perdre que rien n'est capable
de le contrebalancer. Ce qui nous est indifférent, peu
nous chaut qu'il aille bien ou mal. Comment pour-
rait-on craindre pour une chose qu'on n'a pas dans la
pensée ?

Entre ces quatre amants, il y a bien étrange amour : les uns et les autres vivent en déplaisance et mélancolie, et nul d'entre eux ne connaît le plaisir. Premièrement le roi Marc redoute qu'Iseut ne lui soit pas fidèle et qu'elle aime un autre que lui : qu'il le veuille ou non, il a deuil et pesance ; il peut faire sa volonté du corps d'Iseut, mais cela ne lui suffit, quand un autre a le cœur, ce dont il forsène et enrage : qu'Iseut ait donné son amour à Tristan, c'est pour lui un tourment que rien ne saurait apaiser. Iseut, à son tour, a ce qu'elle ne veut pas, et elle est sevrée de ce qu'elle désire. Le roi n'a qu'une tristesse, la reine en a deux : elle veut Tristan et ne peut l'avoir ; elle doit demeurer auprès de son maître et seigneur ; il lui est défendu de le laisser, et elle ne peut se plaire en sa compagnie ; elle a le corps et refuse le cœur, voilà son premier tourment ; elle désire Tristan, le seul homme qu'elle puisse aimer, et Marc lui défend de le voir ; tel est son second tourment. Quant à Tristan, il veut la reine, comme la reine veut Tristan, et ne peut l'avoir. Mais il ressent double peine et double douleur : il est l'époux d'une Iseut qu'il ne peut ni ne veut aimer ; il n'a pas le droit de l'abandonner ; bon gré mal gré, il convient qu'il la garde, puisqu'elle ne veut le tenir quitte de ses serments. Quand il l'embrasse, il a peu de plaisir ; seul le nom d'Iseut qu'elle porte l'aide à vivre ; il est mécontent de ce qu'il a et s'afflige plus encore de ce qu'il ne peut posséder : la belle reine en qui est sa mort et sa vie. Pour cet amour se deut d'autre part la femme de Tristan, Iseut aux Blanches Mains. Celle-là n'est dédommagée d'aucun plaisir ; elle n'a joie de son seigneur ni amour de nul autre ; elle désire son mari, et son désir n'est jamais exaucé ; au contraire de Marc qui peut jouir d'Iseut la Blonde, bien qu'il ne puisse changer son cœur. Je ne puis juger lequel des quatre souffre la pire angoisse et n'en sait dire la raison ; car il faudrait éprouver à la fois ce qu'éprouvent ces quatre. Que les amants concluent à leur gré lequel est le plus mal loti par l'amour, ou le mieux partagé.

Il y a deux ans que Tristan est en Bretagne. Il passe son temps et se console comme il peut. Voici maintenant qu'il entreprend d'édifier une nef qui puisse courir par fleuve et par mer. Un grand manoir sied sur la falaise, où le duc Hoel séjourna longtemps dans sa jeunesse ; il l'a donné à son gendre qui y vient passer l'été avec Iseut aux Blanches Mains. En contreval, il y a un bon port avec foison de nefs, de barges, de chalands. Tristan mande ses fèvres et charpentiers : ils abattent des arbres, charroient le fût et le merrain, taillent et scient, et vont dolant les ais, les clouent et chevillent, assemblent le tison et les planchers, puis ils dressent les mâts sur la nef, l'encordent de funains, la munissent de barre et de guindeau. Puis ils la tirent sur l'arène et la mettent à l'eau, et l'ancrent dans le port. Tristan eut grande joie quand il vit achevée cette belle nef, car il pensait qu'un jour prochain il pourrait passer la mer et retourner en Cornouaille.

La belle Iseut aux Blanches Mains dormait pucelle avec son seigneur ; je ne sais quelle était leur joie ou leur ennui. Tristan ne la guerdonne d'aucun des plaisirs qui sont coutumiers à femme épousée. Je ne sais si elle connaît rien de ces liesses, ni si elle prise ou non cette manière de vivre. Sans doute, si elle avait eu

lieu de se plaindre, ne l'eût-elle pas celé, comme elle
fit alors, à ses amis.

Or il avint que sire Tristan et sire Caherdin durent
aller à une fête pour y faire leurs dévotions. Tristan y
mène Iseut ; Caherdin chevauche à sa droite, sa sœur
se tient à gauche. Ils devisent gaiement, et ils sont
tellement à ce qu'ils disent qu'ils laissent leurs chevaux aller à leur guise. Celui de Caherdin fait un écart
et celui d'Iseut se cabre. Elle le point de l'éperon et
tire sur la rêne. Au moment où elle écarte la jambe
pour éperonner de nouveau, le palefroi saute en avant
et frappe du pied dans une flaque d'eau : Iseut en est
tout éclaboussée. Quand elle sentit le froid sur ses
grèves, Iseut jeta un cri, puis elle fut prise d'un tel fou
rire qu'elle n'aurait pu le contenir, même si elle avait
été à l'église, pendant la sainte quarantaine. Caherdin,
la voyant rire ainsi, pense qu'il a dit une sottise, ou
qu'elle a cru entendre quelque mot malsonnant.
C'était un chevalier modeste, franc et amiteux. Il se
prend à lui demander : « Vous avez ri de bon cœur,
Iseut, mais je ne sais vraiment ce qui apprêtait à rire
dans mes paroles. Si vous ne me dites pourquoi, je
n'aurai plus confiance en vous. » Iseut rougit ; elle
feignait à avouer ce à quoi elle pensait, mais compre-
nant qu'en se taisant elle mécontenterait Caherdin,
elle lui dit franchement sa gorgée : « Je ris à la pensée
d'une aventure qui m'avint. Cette eau qui a rejailli sur
mes cuisses monta plus haut que jamais ne fit main
d'homme ni que Tristan jamais ne me le requit. Frère,
je vous ai dit ce que vous vouliez savoir. » Caherdin
demeure un moment tout coi et honteux. « Iseut, que
dites-vous ? Ne dormez-vous pas ensemble comme
deux époux unis devant sainte Église ? Tristan vit-il

donc comme un moine et vous comme une nonnain ?
— Vous l'avez dit. — Comment ? Il ne vous embrasse
jamais ? — Il me donne tout au plus un baiser, en se
couchant. — Voyons, Iseut, il vous fait bien, de temps
à autre, quelque courtoisie ! — Jamais il n'a touché
mon corps. J'ignore tout du jeu d'amour ainsi que la
plus naïve pucelette. — Mais alors, s'écrie Caherdin,
c'est un outrage non seulement à vous-même, mais à
toute notre parenté ! Il y a certainement une raison. Il
doit chercher plaisir ailleurs. Je tâcherai d'éclaircir la
chose. »

Les jours qui suivirent le pèlerinage, Caherdin fit
mauvaise figure à Tristan : il ne pouvait s'empêcher
de songer à ce que lui avait révélé sa sœur. Un jour,
Tristan lui dit : « Ami, qu'avez-vous donc contre
moi ? Quand vous me rencontrez, votre visage se
rembrunit, et vous ne daignez plus m'adresser la
parole. Vous ai-je blessé de quelque façon ? Avez-
vous un grief contre moi ? » Caherdin fit taire son
mécontentement ; il répondit avec douceur : « Sachez
que si je vous détestais, nul de mes amis et parents ne
saurait m'en blâmer. Car vous nous honnissez tous
par votre manière de vivre et l'outrage que vous avez
fait à ma sœur. Pucelle elle était quand vous l'avez
reçue, et elle est demeurée pucelle. Que trouvez-vous
à reprendre en elle ? N'est-elle pas d'assez grande
beauté ? Pourquoi donc l'avez-vous épousée, si vous
ne voulez pas vous contenir comme un mari le doit
avec sa femme ? — Caherdin, je n'ai rien fait que vous
n'auriez fait à ma place. Il y a là un grand mystère.
Certes votre sœur est belle et courtoise. Mais j'ai une
amie de telle beauté et de si haut rang qu'elle
surmonte toutes les autres. A telles enseignes que si

vous voyiez sa meschine, qui pourtant n'est au prix d'elle non plus que la lune en regard du soleil, vous voudriez l'avoir pour drue et dame de vos pensées. — Tristan, vous gabez, repartit Caherdin ; je n'ai pas le cœur à souffrir vos moqueries. Vous offensez Iseut et tout son lignage. Tel outrage requiert amende. Comment pensez-vous vous acquitter de vos torts ? — Caherdin, vous êtes mon frère et mon meilleur ami. Vous m'avez reçu à grand honneur dans ce duché, et vous m'en avez donné le plus beau témoignage. Je ne voudrais pas agir mal à votre égard. Je suis prêt à vous rendre raison. Voulez-vous voir les beautés dont je vous ai parlé ? Je vous les montrerai, mais jurez-moi bien de vous taire. — Par tous les saints de Bretagne, je vous en donne ma parole. — Eh bien, dit Tristan, tenez-vous prêt à chevaucher demain matin. Je vous montrerai une grande merveille. »

Le lendemain, dès l'aube, Tristan et Caherdin se mirent en route ; ils passèrent landes et forêts et vinrent au gué du fleuve qui bornait la terre de Béliagog. « Où allons-nous ? dit Caherdin. — Outre ce fleuve. — Tristan, vous voulez me perdre et me livrer au grand géant Béliagog qui prend et tue tout ce qui s'aventure dans sa contrée. Si nous passons le gué, nous ne reviendrons pas vivants. — Laissez-moi faire. » Ce disant, Tristan prit sa trompe et par trois fois corna aussi fort qu'il put. Béliagog apparut, clochant sur son échasse et brandissant une massue de fer. Il brait comme un forsené : « Que veux-tu, toi qui m'appelles ? — Laisse aller ce chevalier avec moi et jette ta massue. » L'échassier mit bas son arme et retourna en clochant. Tristan et Caherdin traversèrent

la rivière et chevauchèrent amont à petit amble.
Tristan raconta à son beau-frère comment il avait
conquis Béliagog et comment le géant avait perdu une
jambe dans la bataille. Ils furent bientôt à la caverne ;
ils descendent de leurs chevaux qu'ils lient à un arbre
et vont vers la salle voûtée. Tristan tira une clé de sa
ceinture et déferma le grand huis. Il prit la main de
Caherdin : « Venez, ami, dit-il, céans vous verrez la
meschine admirable, qui sert la reine de mon cœur. »

Caherdin suit Tristan dans la salle, qui odore
l'encens, la myrrhe et la rose ; il s'émerveille de la
musique qu'il entend, des jouvenceaux qui carolent,
de la lumière verte, jaune et vermeille qui descend de
la verrière d'amont sur les parois et sur le pavement de
mosaïque. Ébahi, il voit Tristan qui s'approche d'une
image, plus belle que toutes les autres, l'accole et la
baise mille fois, comme amant enflammé du brandon
d'amour, disant : « Belle Iseut, pardonnez-moi
d'avoir demeuré si longtemps. » Tristan mène ensuite
Caherdin devant l'image de Brangaine, et il lui dit :
« Frère, j'ai choisi la reine ; je vous donne la meschine. » Caherdin regarde le beau visage de la demoiselle, son corps bien compassé, les mamelettes saillant
sous le bliaut et le bras qui tient le hanap d'or.
Caherdin était enfantômé, à peu qu'il crut que les
images allaient se mouvoir et parler.

Au bout d'un long moment, il dit à Tristan :
« J'espère que vous ne voudrez pas décevoir votre
fidèle compagnon. Je tiens que ces figures sont
œuvres de nigromance. Mais je voudrais savoir si elles
sont à la ressemblance parfaite du modèle. Tristan,
vous m'aurez déçu et trompé si vous ne me faites voir
Brangaine en chair après m'avoir montré son image.

— Oui, répondit Tristan, vous verrez les dames au naturel, mais jurez-moi de ne parler de tout ceci et de ce que je vous dirai tout à l'heure. » Caherdin fit de nouveau le serment que Tristan lui demandait. Ensuite Tristan lui devisa et élucida les merveilles de la salle où tout était fait et ouvré par si grand art que jamais œil humain n'avait rien vu qui pût s'y accomparer. « Nous allons retourner au château, dit Tristan. Et dans trois jours nous partirons. Prenez le bourdon et la besace du romier ; c'est vraiment voyage aux lieux saints que nous allons entreprendre. »

Ils font comme Tristan a dit, et aussitôt revenus, ils atournent leur erre, se déguisent en pèlerins, non sans emporter sous leur esclavine haubergeon et miséricorde pour les chemins mal sûrs. Ils prennent congé de leurs parents et amis, de Gorvenal à qui ils confient la garde d'Iseut aux Blanches Mains, puis ils montent dans la belle nef avec leurs chevaux et deux valets sans plus, et voguent vers l'Angleterre.

A quoi bon allonger le conte ? Tant ils ont erré et cinglé, tant ils ont erré et chevauché qu'ils vinrent à une ville où le roi Marc devait s'héberger pour la nuit. Ayant appris la nouvelle, Tristan dit qu'il irait à sa rencontre avec Caherdin. Ils allèrent donc jusqu'à un bois que Tristan connaissait et se juchèrent sur un chêne pour regarder passer le convoi.

La route du roi se signale à grand hutin de ménétriers sonnant timbres, grêles et clairons. En avant viennent les archers, et, au milieu d'eux, un gonfalonier portant le dragon qui ventèle, et ensuite belle compagnie de chevaliers dont les heaumes et le fer des lances reluisent au soleil. Entouré de ses barons les plus prisés, le roi s'avance sur un milsoudor acêmé de harnachure magnifique. Après viennent les garçons avec brachets et chiens courants, et les veautriers, et les courlieux et cuistrons et berniers, et les maréchaux et hébergeurs, et les chevaux de chasse, et les sommiers, et les palefrois qu'on mène en dextre, et les oiseaux qu'on porte à senestre. Caherdin s'émerveille fort de ne voir encore la reine et sa meschine, quand, après la roncinaille et la route de la gent menue, paraît un grand chariot encourtiné et plein de belles demoiselles. « La reine n'est pas loin, sans doute ? demande Caherdin ; et n'est-ce pas Brangaine que je vois là ? — Non, ce sont les lavandières et chambrières foraines et autres béasses, celles qui font les gros ouvrages, atournent les lits et cousent les linceuls. » Un autre chariot, pareillement pourtendu de paile d'outremer, passe au trot de six roncins attelés. « Et celles-ci ? dit Caherdin. — Elles ont pour charge de baigner et d'étuver, et de laver les chevelures des hauts hommes. » Un troisième chariot vint après : c'étaient des tousettes avenantes et de jolies bachelettes qui avaient les cheveux rognés à la guise des chevaliers. « Voici les fileresses et les brodeuses d'orfrois, dit Tristan, et les meschinettes que la reine entretient en ses ouvroirs ; il y a là Fleurie, Mahaut, Marotte, Raimondine, Nicolette, Florette, Mabile, Marguerie, Aiglante, Isabel, Emmelot, Guillemette ; je ne saurais vous les nommer toutes. — Ah ! » De beaux demoiseaux parurent avec des demoiselles qui chevauchaient à sambues ; les demoiseaux étaient bien enseignés et allaient donoyant et chantant sons ou pastourelles ; et les demoiselles, filles de vavasseurs, de princes et de marquis, devisaient avec eux de druerie et de vrai et parfait amour. Elles étaient vêtues de chainses et de beaux bliauts de samit à fleurs ; plusieurs avaient sur le chef des chapelets de roses ; une grève divisait leurs cheveux avelins ou sorets qui descendaient de chaque côté du cou en deux longues tresses galonnées. Un palefroi venait derrière, couvert d'une sambue à crépines d'or, où était assise Brangaine au clair visage. Périnis chevauchait à sa droite. Caherdin faillit tomber de son arbre : c'était bien trait pour trait la belle de la salle aux images. Enfin parut la reine en surcot de pourpre diaprée et fourrée d'hermine, un cercle d'or sur ses beaux cheveux. Une compagnie de chevaliers, lances levées, fermait la grande route qui s'éloigna et disparut dans la forêt.

« Vous ne m'avez pas trompé, Tristan, dit Caherdin, la reine est le rubis des beautés, et Brangaine, après elle, est si belle que plus d'une qu'on admire serait honorée d'être sa chambrière. Si vous pouvez me la faire connaître, rien ne pourra rompre notre amitié. — Eh bien, dit Tristan, ne tarde pas, prends cet anneau et va le présenter à la reine ; je te dirai comment. Tu suivras le convoi ; tu t'approcheras de Brangaine ; tu lui parleras ; et quand elle saura qui t'envoie, elle t'aidera à faire ton message. Mais gardetoi de cet homme que tu as vu à la droite de la reine : c'est Andret ; il m'aime peu, et je crains sa félonie. »

Caherdin laissa Tristan au milieu du fourré ; il se mit à cheval parmi les écuyers et les sergents et chevaucha tout bellement, en attendant le moment favorable. Or il avint qu'à un tournant du chemin les chevaux et les chariots furent serrés les uns contre les autres et durent ralentir, puis demeurer une longue pièce de temps. La reine, tout à coup, pensa à Petit-Crû. Elle fit appeler Brangaine ; elle voulait savoir si l'on avait pris soin du petit chien. « Dame, lui dit la meschine, il est toujours dans sa cagette. — Apporte-le-moi. » Brangaine alla chercher la cagette au treillis d'or. Elle tira amont l'huisset, et déjà la reine tendait les mains pour le prendre, quand Petit-Crû sauta sur le chemin et s'enfuit dans le bois en faisant tinter joyeusement son grelot, si bien que tous ceux qui étaient là se mirent à rire, à danser, à s'ébaudir, à être tout aises et contents, mêmement ceux qui avaient la mine triste et rechignée, et jusqu'à Andret qui en oublia d'aguetter et de ramponer la reine. Caherdin était descendu de cheval ; il courut après Petit-Crû, et le rapporta à Brangaine qui le donna à sa maîtresse. Caherdin salue alors Iseut d'un bel enclin de tête ; il lui dit : « Noble dame, je vous rends votre petit chien ; il mérite bien de s'héberger dans l'or et la soie, car il vaut tous les trésors et toutes les pierres du monde. » Ce disant, il montra le jaspe vert qu'il avait à son doigt. La reine pâlit d'émoi. « Dis, pèlerin, fait-elle, comment cet anneau t'est-il venu ? — Dame, celui qui vous aime plus que tout au monde me l'a donné pour que je vous avertisse de sa venue. Il vous demande de l'attendre au château. — Dis à celui qui t'envoie, fait Iseut à voix basse, qu'il vienne à la tombée de la nuit. » Caherdin monte, tourne bride et ne tarde pas à rejoindre Tristan.

La route s'émut de nouveau, et vers l'heure de none on fut au château. Déjà les gens du roi étaient rentrés et les queux préparaient le souper. « Amie, dit le roi à la reine, avez-vous fait bon voyage ? — Sire, je dois vous dire que je suis un peu lasse. Vous ne m'en voudrez pas si je me retire de bonne heure. — Qu'il soit fait selon votre désir. »

Cependant Tristan et Caherdin chevauchèrent jusqu'à une demi-lieue du château. Là ils laissèrent leurs roncins aux mains de leurs valets qui s'hébergèrent dans le voisinage. Puis ils prirent leurs bâtons pour rejoindre la reine et sa meschine. Depuis qu'elles étaient rentrées, elles s'entretenaient ensemble de l'aventure de Petit-Crû et de l'anneau apporté par l'ami de Tristan. « Oh ! reine, si vous aviez vu comme il me regardait ! dit Brangaine. — Il t'aime sûrement. — Peut-être l'aimerai-je aussi ! — Brangaine, j'ai souvent pensé à te marier. Je crois que tu ne pourrais trouver baron plus bel et avenant. »

Tristan et Caherdin n'eurent pas de peine à s'introduire au château, sous leur habit de pèlerin. La reine avait fait avertir le portier. Vous retracer la joie que s'entrefirent Iseut et Tristan, quand ils se retrouvèrent après quatre années, serait chose impossible, tant eût-on la langue délivrée et aperte, tant fût-on bien-disant et n'épargnant le papier ni la chandelle. Les amants eux-mêmes ne purent suffire à exprimer par des mots ce que leur cœur ressentait : leurs yeux qui riaient et pleuraient à la fois furent plus beaux truchements et meilleurs messagers que leur bouche ; il ne fut pas tenu grand plaid d'Iseut aux Blanches Mains ; au reste le temps pressait ; et peu valent les paroles quand l'heure est venue des soulas et grands délits dont Amour comble ses vrais fidèles quand il les va payant de leur longue attente.

De son côté Caherdin retrouva Brangaine l'avenante, au corps gent, à la bouche riante et vermeille ; il lui dit qu'il l'avait vue plusieurs fois en songe avant de

la connaître. Pour le doux baiser et l'accoler, leurs
lèvres et leurs mains ne demeurèrent point oisives.
Caherdin plut à la belle. Toutefois elle ne voulut pas
lui octroyer si tôt le don de merci. Mais comme il
aurait été périlleux de le renvoyer à cette heure, elle
dut lui permettre de passer la nuit à son côté.
Brangaine avait appris la magie autrefois en Irlande ;
elle connaissait un charme pour faire dormir : c'était
une plume d'un oiseau étrange rapportée jadis de
l'Inde ; elle avait telle vertu que, quand on l'avait mise
sous l'oreiller, celui qui y posait sa tête s'endormait
incontinent et ne remuait non plus qu'un billot,
jusqu'à ce qu'elle fût ôtée. En atournant le lit,
Brangaine n'eut garde d'oublier d'y cacher la plume.
D'où vint que Caherdin fut à peine entré dans le lit,
quand il croyait tenir nu à nu son amie et en faire sa
volonté, qu'il s'endormit profondément pour ne
se réveiller qu'au matin. Brangaine se leva au petit
jour et retira la plume de dessous l'oreiller. « Beau
sire, dit-elle à Caherdin, quand il s'éveilla, levez-
vous ; vous avez assez reposé. » Caherdin enrageait.
Il pensa que la lassitude l'avait pris ou qu'il avait
été enchanté. Il promit de faire bonne garde désormais.

La nuit suivante, le lit fut appareillé comme la
veille, et Caherdin s'y tapit dans l'attente de la
demoiselle. Comme il se remuait et tournait en tous
sens, il secoua si bien l'oreiller qu'il en fit tomber la
plume. Il la ramassa aussitôt et la jeta par la fenêtre,
puis le rusé fit semblant de dormir. Brangaine ne tarda
pas à se coucher. Le faux dormeur n'attendit pas que
la chandelle fût éteinte. « Ma douce amie, il vous faut
payer votre dette maintenant », dit doucement

Caherdin à la belle ébahie. Brangaine ne songea guère à éconduire son jeune amant qui était gracieux et formé à devise. Elle le laissa faire ; le conte dit même qu'elle y prit du plaisir.

## XVII

*Andret et les deux écuyers. — Riotes et vitupères de femmes. — Tristan mendiant. — La brogne de crin. — Tristan pénitent. — Le sommeil de Dinas. — Andret tué par Caherdin.*

Durant une semaine et plus, les quatre menèrent de commun leurs liesses et leurs drueries, et je laisse à penser si leur vie fut un beau songe ; seuls ne peuvent l'imaginer ceux qui n'ont pas été blessés des saïettes de l'enfant Vénus, qui ont nom Beauté, Simplesse et Compagnie, et n'ont pas su mériter le guerdon de leur féauté et de leur persévérance. On dit bien vrai : jamais honteux n'eut belle amie ; la hardiesse de Caherdin fut récompensée autant que la patience de Tristan. Les amants trouvèrent maints tours et maintes finesses pour se revoir ; je ne saurais vous les dire tous, car ils n'étaient pas si coquards qu'ils n'en changeassent à chaque fois. Mais celée ne vaut en cour de roi. Andret avait fini par savoir toute l'affaire du petit chien. Il mit ses rapporteurs à l'aguet. Tristan et Caherdin, se sentant épiés, n'attendirent pas d'être pris sur le fait. Ils coururent au lieu où étaient mussés leurs écuyers et leurs montures. Là ils ne voient hommes ni chevaux. Andret les avait devancés et avait découvert la cachette. Les valets n'eurent que le temps de prendre le harnais de leurs seigneurs et se mirent au frapier. Andret les pourchasse de loin, et il croit voir Tristan et son compagnon. Il leur crie : « Honnis soient ces chevaliers qui fuient par peur ! » Il broche son bai à grands coups d'éperon et se rapproche un peu des fuyards ; il crie encore de toutes ses forces : « Chevaliers, chevaliers, au nom de celles que vous aimez entre toutes, arrêtez ! arrêtez ! » Les valets vont les grands galops, le fond d'un val, et se jettent dans les brosses et les marais, et sautent par les dérubants et les voies étroites et trébucheuses ; ils sont bientôt hors de toute atteinte. Andret grousse entre ses dents : « Quelle honte ! » Il n'aurait pas cru Tristan si failli de courage ! Les deux sont bien à une lieue devant ; force lui est d'abandonner la poursuite. Il rentra au château plein de rage. Il alla trouver Iseut et recommença à dire ses rampones et ses méchancetés. « Qu'est-ce encore ? fait la reine. Andret, vous savez bien que je hais la gent mauparlière. — Reine, il est bon que je fasse entendre mon cri : vous m'avez surnommé le huard. — Oui, l'écoufle qui est cruel aux petits et porte envie aux grands. — Certes, je suis l'écoufle, mais votre ami est le lanier. — Que voulez-vous dire ? — Vous le saurez bientôt. »

Là-dessus, Andret alla arraisonner Brangaine en cette manière : « Brangaine, vous avez dormi avec un qui a le cœur en la braie. Il a fui devant moi comme le lièvre devant les brachets. J'ai eu beau le conjurer au nom de celle qui lui est chère ; il n'a pas osé retourner.

Vous avez bien logé votre amour, et vous avez l'ami que vous méritez, garce folle de pute aire ! »

Ces grosses paroles et la nouvelle de la fuite de Caherdin jettent Brangaine dans le désespoir ; elle va trouver la reine : « Dame, fait-elle en pleurant, je suis morte. Je vous connus à la male heure, vous et Tristan votre ami ! J'ai quitté pour vous l'Irlande, et à cause de votre folie j'ai perdu mon honneur. Certes, je le fis par amour pour vous. Vous m'en promîtes grands avantages, la considération et un rang dans le monde, vous et Tristan le parjure que Dieu châtie ! C'est à cause de lui que je fus tout d'abord déshonorée. Qu'il vous souvienne de votre conduite à mon égard ; vous voulûtes vous défaire de moi ; il ne dépendit pas de votre loyauté que je ne fusse mise à mort par les serfs. Mieux me valut leur haine, Iseut, que ne fit votre amour. Depuis je n'eus pas à me louer de vous avoir crue et de vous avoir aimée et servie ! Pourquoi n'ai-je pas ourdi votre mort, quand sans raison vous cherchiez la mienne ? Sans doute ce forfait fut pardonné, mais vous l'avez renouvelé en me jetant dans les bras de Caherdin. Soyez maudite, reine, si vous payez ainsi mes services ! Est-ce là le grand honneur que vous m'aviez réservé ? Par votre faute, ce Caherdin qui ne cherchait qu'une compagne pour sa joie, m'a traitée en garce folle. Comme vous me l'avez vanté afin que je lui cède ! Il n'y avait, à vous entendre, baron de plus haut prix, homme plus courageux et plus loyal ! Vous me l'aviez représenté comme le meilleur du monde, et c'est le plus failli chevalier qui ait jamais porté écu ni brant. Pour s'être enfui devant le comte Andret, il mérite d'être honni à jamais. Dites-moi, reine, depuis quand êtes-vous Richeut ?

Qui vous a appris à faire le métier de courratière et à trahir une pauvre fille ? Il y a tant de vaillants qui m'ont requise d'amour ; je me suis gardée d'eux, et voici que je me suis donnée à un couard, et c'est vous qui m'y avez poussée ! Mais je me vengerai sur vous et sur Tristan votre ami. »

Quand Iseut entend ces menaces dans la bouche de sa fidèle suivante qui, maintes fois, s'est entremise pour favoriser sa joie ou sauver son honneur, son âme s'emplit de chagrin et d'angoisse tout ensemble. « Ah ! malheureuse, s'écrie-t-elle, c'est grand deuil que je vive : loin de mon pays, je n'ai eu que maux et épreuves. Dieu vous punisse, Tristan ! C'est pour vous que je suis en telle détresse ; c'est vous qui m'avez emmenée en cette contrée où j'ai toujours été en peine. A cause de vous, chacun me fait la guerre, ouvertement ou secrètement, le roi et tous ceux de sa terre. Je l'ai souffert et je pourrais le souffrir encore, si j'avais l'amitié de Brangaine. Mais quand elle se tourne contre moi, je ne sais plus que faire. Je vous rencontrai pour mon malheur, Tristan ; vous m'avez enlevée à ma famille et fait haïr par tous ces étrangers. Et maintenant, vous m'ôtez mon dernier réconfort, la noble Brangaine : nulle demoiselle ne fut jamais si vaillante et si loyale. Vous vous êtes entendu avec Caherdin pour me la ravir et en faire la gardienne d'Iseut aux Blanches Mains. C'est me trahir que me soustraire l'amour de celle que j'ai nourrie. Brangaine, qu'il vous souvienne de mon père et des prières de ma mère. Si vous me laissez ici, en terre étrange, que ferai-je, comment vivrai-je, seule, sans appui ? Brangaine, si vous voulez m'abandonner, vous ne devez pas pour autant me haïr, ni me chercher de mauvaises

raisons. Je vous donnerai un bon congé, si vous
voulez suivre Caherdin dans sa contrée. Dieu punisse
Tristan, car c'est lui qui vous pousse à partir, je le
sais !

— C'est d'un bien mauvais cœur, répond Brangaine, de dire de moi telles folies, des choses qui ne
me vinrent jamais à la pensée. Tristan n'est pas à
blâmer ; c'est vous qui devez porter la honte d'avoir
agi comme vous l'avez fait. Si vous n'aviez la volonté
du mal, vous ne le feriez pas sans relâche. Vous rejetez
votre mauvaiseté sur Tristan ; mais si Tristan n'eût
été, vous en auriez trouvé un pire. Je ne me plains pas
qu'il vous aime, mais que vous m'ayez tendu un piège
pour couvrir votre vice. Me voici honnie et vous en
sûreté. Or maintenant gardez-vous bien, car je pense
bien me venger. Puisque vous vouliez me marier, que
ne m'avez-vous donnée à un vaillant chevalier, plutôt
que de me livrer traîtreusement au plus couard qui fût
jamais ?

— Vous êtes folle, Brangaine, répondit Iseut, je
n'ai jamais pensé tant d'engins et de malices, et vous
n'avez à redouter aucune trahison de ma part. Dieu
m'est témoin que ce que je fis, je le fis par bonne
intention. Caherdin est bon chevalier, riche duc et
guerrier éprouvé. Comment pouvez-vous penser qu'il
ait pu prendre la fuite ? Par crainte d'Andret ? Ceux
qui disent cela sont des envieux. Il est parti pour toute
autre raison. N'allez pas le haïr, ni Tristan, ni moi-
même, pour des mensonges que vous aurez entendus.
Brangaine, ne voyez-vous pas combien tous nos
ennemis seraient heureux de nous brouiller ensemble ? Si vous me montrez de la haine, qui donc voudra
m'aimer ? Si vous me méprisez, par qui donc serai-je

honorée ? Vous connaissez ma vie ; vous pouvez, s'il
vous plaît, me diffamer, mais si par ressentiment vous
découvrez au roi mon secret, on vous reprochera
toujours d'avoir été ma conseillère. Ce que j'ai fait, je
l'ai fait par vous ; il ne doit pas y avoir d'inimitié entre
nous. Je n'ai rien fait pour votre honte, mais pour le
bien et pour l'honneur. En quoi serez-vous plus
avancée quand je serai noircie aux yeux du roi ? Vous
y perdrez l'amitié et l'estime des gens courtois. Tel
pourra bien vous louer qui vous méprisera au fond de
lui-même, et le roi ne pourra que vous haïr. Qu'il me
fasse bonne ou mauvaise figure, ne croyez pas qu'il
vous en aimera davantage. Son amour pour moi est si
grand que nul ne pourrait le changer en haine ; nul ne
pourra nous désunir. Il peut souffrir de ma conduite,
mais à aucun prix il ne peut me haïr ; il peut détester
mes folies, mais il ne peut se détacher de moi ; son
amour est tel que, bon gré mal gré, il faut qu'il
m'aime. Sachez qu'il a peu d'estime pour ceux qui
disent du mal de moi. Votre médisance n'aura pas
plus d'effet sur lui que les rapports de mes ennemis.
Vous ne l'aurez pas servi, quand vous m'aurez
déshonorée.

— Il vous avait fait jurer, il y a deux ans passés, dit
Brangaine, de ne plus avoir d'entretiens secrets avec
Tristan ; vous avez mal tenu votre serment. Dès que
vous en avez eu le pouvoir, malheureuse Iseut, vous
avez été parjure et foimentie. Vous êtes si accoutumée
au mal que vous ne pouvez vous en garder. Il vous
faut suivre cette vieille habitude que vous avez prise
dès l'enfance, et faire sans arrêt ce mal où vous
trouvez délectation. Ce que poulain apprend en
dressage, bon gré mal gré il le retient toujours ; ce

qu'une femme a appris, si on ne la châtie, lui dure toute la vie, dès que son pouvoir est aussi fort que son désir. La complaisance du roi vous a engagée plus avant dans les voies de l'erreur, mais il n'a souffert vos pratiques que parce qu'il n'en fut jamais bien certain. Je lui dirai la vérité là-dessus : qu'il fasse ensuite à sa volonté.

— Vous me jugez trop cruellement, répond Iseut. Vous n'avez ni droiture ni courtoisie. Certes, si je suis foimentie et parjure ou déshonorée en quelque manière, vous m'avez bien conseillée et aidée ; vous m'avez mise dans la voie ; par vous j'ai connu les ruses, les mensonges, les craintes, les larmes, et tout ce que l'amour traîne après lui ; tout ce que nous fîmes, ce fut par vous. Vous me déçûtes d'abord, ensuite Tristan, et puis le roi. Il y a longtemps qu'il aurait tout su, ne fussent vos engins et vos tromperies. Ce sont les mensonges dont vous l'avez entretenu qui enracinèrent le péché en nous. Vous êtes, certes, plus à blâmer que moi dont vous aviez la garde. Le jour où il faudra dire la vérité, je n'en omettrai un seul point. Alors, si le roi prend sa vengeance, qu'il la prenne de vous premièrement ; vous l'aurez bien mérité. Toutefois, à cette heure, je vous crie merci : ne découvrez pas nos secrets et oubliez notre ressentiment. — Non, sur ma foi, je dirai tout au roi Marc ; nous verrons qui a tort ou raison et advienne que pourra ! »

Brangaine a laissé la reine. Elle va trouver le roi. Elle s'est avisée d'un nouvel engin. « Sire, lui dit-elle, veuillez m'entendre. Je vous dois ligeance, loyauté, fidélité et amour pour tout ce qui touche votre personne et votre honneur, et quand j'ai appris qu'on y attente, je ne crois pas devoir vous le cacher. Si j'avais su plus tôt ce que je sais, soyez sûr que je vous l'aurais révélé. Quoi qu'il en soit, je veux vous parler d'Iseut ; elle est dans une mauvaise voie ; son cœur se gâte, et si elle n'est mieux gardée, elle fera folie de son corps : elle n'a pas encore commis la faute, mais elle n'attend que l'occasion. Vous avez été naguère en soupçon, mais pour néant ; aujourd'hui je crains beaucoup, car elle ne veut feindre à aucun prix, si elle peut se passer son caprice. C'est pourquoi je viens vous conseiller de la faire mieux garder. Vous savez le proverbe : Aise de prendre fait le larron. Moi-même j'ai partagé vos doutes et j'ai guetté nuit et jour la reine. Mais il m'est avis que ce fut en pure perte, car nous avons été déçus l'un et l'autre et induits en erreur. Elle nous a tous engignés ; elle a changé les dés ; prenons-la sur le fait, quand elle les jettera. Certes, roi, si le scandale rejaillit sur vous, c'est justice, puisque vous la laissez faire à sa fantaisie et souffrez son galant auprès d'elle. En dépit de vos feintes menaces, je vois bien que vous n'osez pas agir. Je sais que c'est folie de ma part de vous parler ainsi ; vous m'en saurez mauvais gré, sire, mais c'est la vérité. »

Le roi reste d'abord ébahi de ce qu'il entend ; puis il devient rouge de colère et crie : « Pourquoi tant de manières ? Dis-moi la vérité. Tristan est dans la chambre de la reine ? — Roi, dussé-je perdre vos bonnes grâces, et être démise de mon emploi, je ne vous cacherai son tripot amoureux, ni la ruse dont elle s'est avisée. Vous avez cru comme moi qu'elle aimait Tristan : elle nous l'a laissé croire pour nous tromper. Elle a un plus riche soupirant : le comte Andret, votre privé en qui vous avez toute confiance. Il tourne sans cesse autour d'elle ; il l'a tant requise d'amour qu'elle ne tardera pas, je pense, à lui céder. Je m'émerveille que vous le laissiez auprès d'elle et pour quoi vous l'aimez tant. Vous avez peur de Tristan seul, quand vous n'avez rien à redouter de lui. J'ai fini par m'en apercevoir, après m'être méprise comme vous. Quand Iseut ouït dire qu'il venait dans votre terre, c'est elle qui envoya Andret pour lui tendre des embûches et pour l'occire au besoin. Peut-être est-il mort à l'heure qu'il est. Ce sera grand dommage pour le royaume et pour sa parenté : il était preux et bien enseigné, et votre neveu, sire. Jamais vous ne retrouverez tel ami. »

Le roi ne sait à quoi se résoudre. Crier et menacer ne servirait à rien. Il dit tout doucement à Brangaine : « Amie, voici qui va vous convenir : je ne ferai rien contre vous, au contraire ; j'éloignerai Andret, et vous, vous prendrez soin d'Iseut. Ne lui permettez aucun parlement avec quelque baron ou chevalier que vous n'y soyez présente. Dorénavant elle sera entièrement à votre garde. »

Cependant Tristan et Caherdin avaient trouvé asile au château de Lidan ; le bon Dinas ne pouvait parvenir à les réconforter. Quant à Andret, il voit qu'il s'est travaillé sans espoir d'amour pour la reine ; et il n'ose porter son accusation devant le roi qui, de son côté, ne sait plus qui croire.

Tristan commence à regretter d'être parti si soudainement et de ne rien savoir de ce que pense et fait Iseut, non plus que Brangaine la franche. Il recommande à Dieu Caherdin ; il veut retourner sur ses pas, et jure qu'il n'aura de contentement qu'il n'ait appris ce qu'elles sont devenues. Le voilà qui s'accoutre comme coquin, d'une chape mal taillée, toute pleine de paleteaux de diverses couleurs ; des deux parts le surcot lui crève plus d'une pleine paume ; il a chaperon de guingois, heuses grimaçantes, cheveux embroussaillés, sur son œil clos un tacon de sparadrap ; il tient un flageolet à la main et un gré de bois dans l'autre.

Ce jour-là était un jour de fête. Le roi allait au moutier ouïr le grand service. Il est sorti du palais ; Iseut le suit. Tristan est à la porte de l'église, qui flageole et mendie ; il lui demande du sien pour l'amour de Dieu ; les sergents en font leur risée ; l'un le saque, l'autre le boute ; l'un le menace, l'autre le frappe, et ils l'écartent de la presse, Iseut est très ennuyée, elle va lui jeter son aumône. Brangaine s'est approchée, reconnaît Tristan et s'aperçoit de la ruse. Elle appelle les sergents : « Or ça, vilains, dit-elle, éloignez donc ce truand qui harcèle madame ! » Puis à Iseut : « D'où vient que vous soyez si large aujourd'hui que vous donniez au premier venu ? Avec ce que vous donnez à un seul quémand, vous pourriez en nourrir une centaine. » Elle fait chasser Tristan par les sergents. Celui-ci s'éloigne sans mot dire : il en a grande angoisse dans son cœur. Il voit que Brangaine et Iseut le haïssent, et il pleure tendrement. Un vieux palais était dans le voisinage, tout branlant et délabré. Il y entre et se cache sous le degré. Il se sent faible et las, car il n'a pas mangé depuis deux jours. Il languit et déteste la vie. Pendant tout l'office, Iseut est triste et pensive ; elle soupire et cache ses larmes. Après, la cour rentre au palais pour manger et démène grande liesse toute la journée. Mais Iseut n'y trouve nul plaisir.

Sur le soir, le portier, ayant froid dans sa loge, dit à sa femme d'aller quérir de la leigne pour se chauffer. La dame n'alla pas loin ; elle pouvait trouver sous le degré bûche et vieux merrain. Elle entre dans l'obscurité et voit un homme qui dort, roulé dans une vieille chape ; elle pousse un cri. Son mari accourt, allume une chandelle, tâte et trouve l'homme gisant qui lui semble près de mourir. Il finit par reconnaître Tristan qui s'éveille et qui lui raconte comment, mourant de faim, il est venu s'abriter dans cette maison en ruine. Le portier aimait Tristan, et Tristan se fiait à lui. A grand-peine il le conduit jusqu'en sa loge, lui fait un lit, et lui donne à boire et à manger. Il porte son message à Iseut et à Brangaine, comme il avait coutume. Mais quoi qu'il dise ou fasse, il ne peut trouver grâce auprès de la meschine.

La reine implora Brangaine : « Franche demoiselle, Tristan et moi, nous vous crions pitié. Allez lui parler, je vous en supplie. Réconfortez-le : il périt de douleur. Vous qui l'aimiez tant, consolez-le ; il désire vous voir. Dites-lui au moins ce que vous avez contre lui, pourquoi et depuis quand. — Pour rien au monde, répond Brangaine courroucée, il n'aura confort de moi. Désormais il ne me sera plus reproché que je suis cause de votre dévergondage. Je ne veux couvrir la félonie pour être payée de telle sorte. — Laissons cela, Brangaine. Oubliez ce que je vous ai dit, ce que je vous ai fait, si vraiment je me suis mal comportée à votre égard. Pardonnez-moi pour Tristan qui ne sera soulagé tant qu'il ne vous aura pas adressé la parole. » Elle la flatte tant, tant la prie, tant lui promet, tant fait appel à sa pitié que Brangaine va à la loge. Elle trouve Tristan malade, affaibli, pâle de visage et maigre de chair. Elle l'entend soupirer et la prier piteusement de lui dire la raison de sa haine ; il lui jure qu'il est faux que Caherdin ait fui devant Andret et qu'il en fera la preuve. Brangaine finit par se laisser convaincre, et ils se raccommodent. Alors ils vont auprès de la reine, dans la chambre de marbre. Tristan donne à Iseut des marques de son grand amour. Mais bientôt paraît le petit jour, et Tristan est contraint de retourner à sa nef où Caherdin, qui a fait ses adieux à Dinas, l'attend pour le ramener en Petite Bretagne, auprès d'Iseut aux Blanches Mains.

Quand elle se retrouva seule, Iseut la Blonde tomba dans une grande mélancolie. Elle se reprochait d'avoir si mal traité son ami. N'était-elle pas allée jusqu'à le maudire ? Elle fut prise de remords et voulut faire pénitence. La douleur l'a rendue pâle et décolorée ; elle ne se soucie de sa beauté, elle fuit les aises, ne rit plus, met une brogne de crin sur sa chair nue qu'elle portera nuit et jour, sinon quand elle sera contrainte d'entrer dans le lit de son seigneur. Au milieu de ses tristes pansements, il lui arriva de caresser Petit-Crû ; elle ouït tinter le grelot par qui se dissipait tout ennui et s'envolait toute peine. Elle se dit qu'elle n'avait pas le droit d'être gaie lorsque Tristan était malheureux. Alors, pour se punir, elle ôta du collier de Petit-Crû le grelot magique et le jeta dans la mer.

Iseut n'avait pas revu Tristan depuis le mois d'avril. On était presque à la fin de l'été ; le temps lui durait. Périnis prit pitié d'elle. Iseut lui ouvrit son cœur. « Dame, lui dit Périnis, il a été si mal accueilli à son

dernier voyage qu'il craint de revenir. Envoyez-lui un
message. » Il y avait alors à la cour un vielleur,
jouvenceau avisé et de bonnes manières. La dame le fit
appeler. « Écoute, Pilois, lui dit-elle, tu connais la
Bretagne, tu as passé plusieurs fois la mer. Je vais te
charger d'un message. Tu iras à Carahès trouver sire
Tristan. Mande-lui mes saluts, dis-lui combien j'ai
chagrin et pesance de vivre loin de lui et de demeurer
si longtemps sans le voir. Dis-lui que je porte sur ma
chair une brogne de crin de cheval que je n'ôterai tant
qu'il revienne à Lancien ou à Tintagel. » Pilois partit
pour la terre de Tristan. Il passa la mer et alla tant
devant lui qu'il vit les tours de Carahès. Comme il
approchait du château, il rencontra Tristan qui chevauchait, un faucon sur le poing. Il l'arrêta, le salua ;
Tristan le reconnut et pensa bien qu'il venait de la part
de la reine. Quand il eut ouï le message, il dit à Pilois :
« J'ai promis à Gorvenal de ne revoir la reine avant un
an. Dis-lui que je reviendrai au printemps, qu'elle ôte
cette brogne qui honnit et vergonde son beau corps,
que je l'absous ainsi que Brangaine de ses doutes et de
ses soupçons, qu'elle ait foi en Tristan qui ne vit que
pour elle. » Pilois rapporta ces paroles à Iseut qui en
pleura de joie. Elle enleva sa brogne de crin et ne tarda
pas à retrouver sa gaieté et ses belles couleurs.

Quand vint le mois de mai, Tristan s'embarqua
avec Caherdin. Arrivés en Cornouaille, ils s'accoutrè-
rent en pénitents ; déchaux et le bâton à la main, ils
allèrent tant qu'ils vinrent à Lidan. « Voici Dinas,
s'écria tout à coup Caherdin. — Paix ! lui dit Tristan.
Ami, ne trouble pas son sommeil. » Dinas gisait, en
effet, dans l'herbe épaisse et verte, sous un grand
tilleul touffu. Vairon, son cheval, était lié à un arbre,

non loin de là. « Ne vois-tu pas que Dinas dort profondément ? Sans doute il pense à sa belle amie ; il voit l'image adorée et la tient dans ses bras. Il est heureux ; il converse au Pays des Songes. » Ils demeurèrent sur le chemin une bonne heure. Dinas s'éveilla enfin. Il fut bien aise de trouver devant lui Tristan à qui il offrit son service. Grâce à lui, les deux amis purent bientôt pénétrer au palais, et ils eurent les entretiens secrets qu'ils souhaitaient avec leurs chères amies. Brangaine demanda pardon à Caherdin. Nul, cette fois, ne soupçonna leur venue.

A quelques jours de là, le roi tenait une cour plénière. Il y eut belle assemblée et grand manger ; après quoi eurent lieu plusieurs jeux d'escrime et de palestre, sauts gallois ou à la mode de Galvoie, cembeaux, lancements de javelots et autres. Tristan, qui portait ses armes sous son accoutrement de pénitent, se fût laissé pendre plutôt que de n'y paraître à l'impourvu. Mais folie n'est pas vasselage ; il devait s'en apercevoir une fois de plus. Il sauta, il lança le javelot ; toute l'assemblée disait que c'était grande merveille, et qu'il n'y avait que Tristan qui pût ainsi surmonter tous les autres par son adresse. Voilà Dinas qui accourt très effrayé ; il lui dit, en l'oreille : « Tristan, fuyez, vous êtes reconnu ! » Déjà Andret avait soudoyé de nouveaux espions et ordonné l'aguet. Tristan et Caherdin prirent en hâte les chevaux que Dinas leur offrit, les meilleurs de tout le royaume. Ils se lancèrent, ce jour-là, dans une terrible aventure. Ils occirent deux barons sur la place ; l'un fut le beau, le félon Andret, qui avait appelé Caherdin failli et recréant ; Caherdin le tua en joute : c'est ainsi qu'il acquitta le serment fait à Brangaine, le jour où ils redevinrent amis.

Ceux de Cornouaille voulurent venger la mort du comte ; ils poursuivirent Tristan et son compagnon par l'espace de deux lieues, à travers les bois, les landes, les larris, et jusqu'à la mer, mais ils ne les purent atteindre.

## XVIII

*Rébellion du comte de Nantes. — Tristan tondu. — Il se déguise en fou. — Troisième voyage en Cornouaille. — Tristan reconnu par son chien. — Dernières joies.*

Tristan et Caherdin étaient revenus en Petite Bretagne. Là ils oublièrent leurs ennuis en se déportant avec leurs amis et leurs privés ; ils allaient giboyer en bois et en rivière et tournoyer par les marches. Quand ils étaient de loisir, ils s'enfonçaient dans la forêt sauvage et rendaient visite à la grotte merveilleuse où étaient les belles images d'Iseut et de sa meschine ; ils repaissaient leurs yeux de la vue des dames qu'ils aimaient tant ; ils se dédommageaient ainsi pendant la journée des tourments que leur réservaient leurs nuits solitaires.

Cependant le roi Hoel était vieux et malade et ne pouvait plus guère vaquer au gouvernement de sa terre ; plusieurs barons jalousaient Tristan pour l'empire qu'il avait pris sur Caherdin, et ils avaient tenté plusieurs fois de se rebeller contre leur droit seigneur. On dut châtier le comte de Nantes qui était à la tête

des révoltés. Tristan amena son ost sous les murs de la
ville. Le siège dura peu : le comte Brian fut pris,
tandis qu'il fuyait par une poterne. Une seule tour,
qui s'élevait hors de l'enceinte, résistait encore, tenue
par Gorvel au Court Menton. A l'assaut, Tristan
reçut sur la tête une grosse pierre qui lui entama le
cuir ; une autre pierre tranchante lui fendit la joue et
l'abattit dans le fossé. Tristan commanda de miner la
tour. Les assaillants entrèrent par la brèche ; les
traîtres se rendirent aussitôt. Aucuns d'entre eux
furent pendus aux portes de Nantes. Quant au comte
Brian, il fut emmené à Carahès et mis en chartre à
perpétuité.

Tristan fut tôt guéri à force d'onguents ; mais il
garda le chef tondu. Au milieu du repos où il se
trouvait condamné, il se mit de nouveau à penser
angoisseusement à Iseut, et le désir douloureux lui
vint de la revoir une fois encore. Il se promenait un
jour sur la marine, pourpensant engins de mainte
sorte afin de la rejoindre delà la mer ; Gorvenal
l'accompagnait en silence. Il dit sa volonté à son vieux
maître ; combien de fois il s'était présenté devant le
roi Marc, accoutré en marchand, en jongleur, en
malade, en pénitent ! Nul n'était si savant dans l'art de
se déguiser. Cette fois, il craignait bien d'être
reconnu. « Ha ! sire, pour Dieu, lui dit Gorvenal,
vous ne courez guère le danger d'être pris pour
Tristan, car vous ressemblez trop mieux fou que
soudoyer, avec votre tête rasée. — Me dis-tu vrai ? —
Certes », répondit Gorvenal.

Le lendemain, en cachette, Tristan se teignit la
figure du jus d'une herbette jaune, se fit tailler une
gonelle de vieux bureau et mit dans sa besace foison

de petite monnaie. Il prit un pieu à une cépée et s'en fit une massue. Puis il s'en va pieds nus, ainsi affublé, la massue au cou, au bord de la mer. Une nef était au port, qui s'apprêtait à lever l'ancre. Tristan s'approcha des mariniers, parlant sotois et jetant çà et là ses deniers. « Voilà un plaisant fou », dirent-ils au maître de la nef qui était un marchand de Tintagel. Celui-ci, voyant que le sot avait de quoi payer son passage, pensa qu'il pourrait l'offrir au roi de Cornouaille. Il le laissa monter à bord.

La nef cingla tant qu'ils arrivèrent à Tintagel. Tristan sort de la nef et va droit au palais du roi. Le portier l'appelle : « Eh ! l'ami, viens çà ! Il y a longtemps qu'on ne t'a vu. Où étais-tu donc ? — J'ai guerpi mon royaume, répond le fou ; je fus aux noces de l'abbé du Mont ; il a épousé une grosse dame voilée ; il n'y a, de Guincêtre jusqu'à Nicole, prêtre, moine ni clerc couronné qui ne fussent au mariage, et tous y portaient crosses et pelisses. En ce moment ils jouent et tournoient par la lande. Quant à moi, je me partis d'eux, car je dois servir le roi aujourd'hui à sa table. » Le portier ouvrit le guichet. Tristan entra. Aussitôt la garçonnaille lui court sus, le huant et criant au fou. Valets et écuyers le convoient à coups de poing et de pied, lui lancent eau de broc et vieilles savates. Mais il leur en cuit. Tristan se retourne et de son gourdin frappe à droite et à gauche, et il en étend plus d'un tout plat sur le pavement.

Il traverse la cour et commence à faire ses soties ; il semblait fou à merveille. Il voit le roi à la fenêtre ; il entre dans la salle. « Fou, comment t'appelles-tu ? dit le roi. — J'ai nom Picolet. — De qui es-tu fils ? — D'un luiton. — Et qui t'enfanta ? — Une licorne de

mer. — Où ? — Sur la roche aux sirènes. J'ai une
sœur, bon roi ; je vous l'amènerai et vous me donnerez Iseut en échange. — Si nous changeons, dit le roi,
que feras-tu ? — Écoute, roi, là-haut dans les airs il y a
une maison de cristal, toute pleine de roses : elle pend
entre la nue et le ciel, et ne se meut par les plus grands
vents. Le soleil y va rayant toute la journée parmi les
fleurs : c'est là que je conduirai Iseut, et qu'elle et moi
nous nous déduirons. »

La reine et plusieurs chevaliers s'étaient approchés.
« Il semble bien fou de nature, dirent quelques-uns.
Sire, tu devrais le loger au château. Il te divertirait. —
Je n'ai pas encore fini mon conte, s'écria Picolet en
levant son bâton, à ces barons à qui Dieu donne
malaventure ! Roi Marc, je tuai le dragon et j'en mis la
langue dans ma chausse. Je suis allé deux fois en
Irlande, et j'ai appris à Iseut des lais de harpe. Reine,
regardez-moi bien, est-ce que je ne ressemble pas à
Tantris ? — Cet homme est ivre, dit la reine. — Oui,
dame, je suis ivre, mais c'est d'avoir bu certain
breuvage, il y a longtemps déjà. Roi Marc, demoiselle
Brangaine versa à Tristan une boisson d'herbes dont il
souffrit depuis grand ahan. Iseut que je vois ici et
moi-même nous en bûmes. C'est un songe sans doute,
dame Iseut, car j'y ai encore songé cette nuit. Roi, tu
ne sais pas tout encore. J'ai fait un grand saut ; j'ai jeté
au ruisseau des copeaux de bois ; j'ai vécu de racines
dans la forêt et tenu entre mes bras la reine. J'en dirai
davantage encore, s'il m'en prend fantaisie. —
Repose-toi, Picolet. Tu gaberas un autre jour. — Peu
me chaut de votre ennui ; je n'en donnerais pas une
poire blette. » Les chevaliers dirent : « Ne le contra-
riez pas. Parole de fou est sans conséquence. — Qu'il

vous souvienne d'une grande peur que vous eûtes,
sire, quand vous nous trouvâtes gisant sous la feuillée,
mon épée nue entre nous deux. Je faisais semblant de
dormir, n'osant fuir. Il faisait chaud comme à la Saint-
Jean ; par la loge tu vis un rai de soleil qui luisait sur sa
face. Dieu a bien travaillé pour nous : tu boutas ton
gant dans le pertuis, et tu t'en allas. Je n'en dirai pas
plus : dame Iseut doit bien se rappeler ces choses. »
Marc regarda la reine. « Mal feu arde ces mariniers,
s'écria-t-elle, qui céans vous amenèrent, fou ! Ils
eussent mieux fait de vous jeter à l'eau ! — Dame, la
male goutte prenne ce coupaud ! s'écrie le fou. Si vous
saviez de certain qui je suis, je crois bien qu'huis ni
fenêtre ne vous retiendraient de me suivre. J'ai encore
l'anneau que vous me donnâtes, quand nous nous
sommes dit adieu. Maudit soit ce jour ! Il m'a valu
mainte semaine douloureuse ! Dédommagez-moi,
dame, en doux baisers de fine amour et embrasse-
ments sous courtines. Réconfortez-moi, car autrement ma vie ne tient plus qu'à un fil. Onc Ider qui
occit l'ours n'eut tant de travail pour Genièvre, la
femme d'Artur, que j'en ai de votre fait, car j'en
meurs. J'ai laissé la Bretagne ; nul ne le sait, pas même
la sœur de Caherdin. J'ai tant erré par mer et par terre
que je suis venu vous requérir. Si je m'en vais sans
avoir joie, j'aurai perdu ma peine. »

En la salle maints chevaliers parlaient à voix basse
du fou, et l'un disait à l'autre en l'oreille : « Sur ma foi,
ce fou en dit tant que messire finira par le croire ! »
Iseut dit : « Ne mettrez-vous pas ce dêvé à la porte ?
— Ma mie, répondit le roi, entendons jusqu'au bout
ses falourdes. » Et s'adressant à Tristan : « Fou, je
veux t'employer. Tu mangeras à la maison. Mais je

voudrais savoir auparavant de quel métier tu sais
t'entremettre. — Roi, j'ai servi ducs et comtes. —
Sais-tu les déduits de chiens et d'oiseaux ? — Certes,
et j'en ai vu de beaux. Roi, quand il me plaît de
chasser au bois, je prends les grues avec mes lévriers.
Mes limiers m'attrapent à la file les cygnes et les oies,
et quand je tire à l'épieu, je tue malards, plongeons et
butors. » Le roi rit, débonnaire, et rient aussi chevaliers, valets et sergents. « Ami, que sais-tu prendre en
rivière ? — Roi, j'y prends tout ce que j'y trouve ;
avec mes autours je vole le grand ours et le loup des
bois ; mes gerfauts me ramènent des sangliers, et
mes petits faucons des daims et des chevreuils ; je
prends le goupil à l'épervier, le lièvre à l'émerillon, et
avec mes hobereaux le chat-loup et le bièvre. » Le roi
hausse les épaules. Il a demandé ses chevaux ; il veut
voler l'outarde : il y a longtemps que ses oiseaux ne
sortirent des mues. Tous s'en vont. La salle est vide.
Et Tristan se laisse tomber sur un banc.

La reine entra dans sa chambre pavée de marbre.
Elle appela Brangaine. « As-tu ouï pareilles folies ? lui
dit-elle. Le diable emporte ce dêvé qui me rappelle
mes faits et ceux de Tristan, ce Tristan que j'ai tant
aimé et que j'aime encore, je l'avoue. Hélas ! il m'a en
dédain, et moi je languis de son absence ! Va donc me
chercher ce fou. »

Brangaine fait aussitôt ce que veut sa dame. « Sire
fou, ma dame vous demande. Vous vous êtes mis fort
en peine aujourd'hui de lui raconter votre histoire.
Vous êtes plein de rêverie. Dieu m'aide ! On ferait
bien de vous couper la langue. — Non, Brangaine :
plus fou que moi va à cheval ! — Ce sont les diables
d'enfer qui vous ont appris mon nom ! — Belle, il y a

longtemps que je le sais. Par mon chef qui fut blond
jadis, j'ai perdu la raison, et ce fut par votre faute.
Mais aujourd'hui, je vous demande en retour que la
reine me paie le quart de mon service ou la moitié de
mon travail. » Là-dessus, il pousse un long soupir.
Brangaine l'a bien regardé ; elle voit qu'il a beaux
bras, belle main, et corps bien compassé. Certainement sa tête est saine, et son mal est ailleurs.
« Chevalier, fait-elle, Dieu te conseille et te donne
joie ! Mais qu'il ne tourne à déshonneur à la reine ni à
moi qui suis sa demoiselle et son amie. Pardonne-moi
ce que je vais te dire. Fais ce qu'il te plaît, mais
couvre-toi d'un autre nom que de celui de Tristan.
— Je le ferais volontiers, mais le boire amoureux
qu'Iseut avait dans son trousseau m'a tant ravi le cœur
et la raison que je n'ai d'autre pensée que de la servir
en amour. Dieu m'accorde de venir à bonne fin ! Ce
breuvage fut apprêté pour mon malheur ; il a changé
mon sens en forsenerie, et vous, Brangaine, qui nous
le donnâtes, vous fîtes mal et péché. Ce boire fut fait
pour nuire de plusieurs herbes maléfiques. Et certes
l'effet fut différent pour Iseut et pour moi, puisqu'elle
vit pour un autre et que je meurs pour elle. — Dieu !
s'écrie Brangaine. Seriez-vous... — Tristan lui-
même. » A ce mot, Brangaine tombe à genoux et
demande pardon. Tristan lui prend la main, la relève
et la baise plus de cent fois. Il la prie maintenant de
l'aider dans sa besogne.

Brangaine l'emmène dans la chambre d'Iseut. La
reine est toute tremblante encore de ce qu'elle a
entendu. Tristan s'est avancé. « Dieu sauve la reine,
fait-il, et Brangaine sa meschine ! Elle aurait tôt fait de
me guérir : il lui suffirait de m'appeler ami. Je suis son

dru, elle est ma drue. L'amour n'a pas été partagé
équitablement entre nous. Je souffre pour deux, j'ai
toute l'amertume, et elle n'a nulle pitié. J'ai enduré la
faim, la soif, pain sec, lit dur ; pensif d'amour, je n'ai
connu qu'encombre, ennui et contre-joie et très
angoisseux déplaisir. Je n'ai en rien méfait par oubli
ou nonchalance. Or donc, que le Dieu qui règne sans
fin et qui fut tant courtois bouteillier aux noces de
l'Architriclin qu'il changea l'eau en vin, que ce Dieu
lui donne désir et courage de me jeter hors de cette
folie ! » Iseut se tait : « Dame, dit Brangaine, quel
accueil faites-vous au plus loyal amant que la terre ait
porté ? Ne voyez-vous pas comme l'amour de vous le
tourmente ? Qu'attendez-vous pour vous jeter dans
ses bras ? Pour vous, il s'est tondu comme fou.
Doutez-vous encore qu'il soit Tristan ? — Brangaine,
tu as tort ; c'est un rusé garçon et un vilain. On voit
bien que tu ne l'as pas entendu. Pourquoi l'a-t-on
laissé entrer au palais ? Mieux eût valu qu'il fût
enfermé dans la cale ! — Dame, si je me suis livré à
toutes ces folies, c'était pour me couvrir et pour
égarer le roi et ses gens. Je ne sus jamais le métier de
devin. Ne vous souvient-il comment je vous ai
connue ? Je fus votre harpeur, et vous fûtes ma
mirgesse et mon infirmière. Et tandis que j'étais au
bain, vous découvrîtes avec votre mère mon épée
ébréchée, et votre valet Périnis apporta la pièce qui
manquait, et vous sûtes qui j'étais. Alors toutes deux
vous vîntes à moi courroucées, et votre mère leva sur
moi pour me frapper le brant qui avait ôté la vie au
Morhout. Je vous eus bientôt dédommagée avec le
conte de la Belle aux cheveux d'or, dont j'eus depuis
grand deuil. Vous me fûtes baillée pour le roi Marc.

Une nef nous emmena en Cornouaille, mais, au troisième jour, le vent nous faillit. Il faisait très chaud ; nous eûmes soif. Brangaine, qui est ici devant vous, courut en hâte à la soute ; elle se méprit contre sa volonté. Elle apporta un breuvage et en emplit la coupe : il était sans couleur et innocent en apparence ; elle me le tendit et j'en bus une gorgée. — Vous avez appris de bon maître, dit Iseut. Mais vous en aurez peu de profit. Que me conterez-vous encore ? — Le saut de la chapelle. Quand vous fûtes jugée à ardoir et octroyée aux lépreux, ceux-ci allaient menant grande noise, et débattant qui d'entre eux vous aurait dans le bois. C'est alors que je me mis à l'aguet avec Gorvenal. Ils furent assez malmenés, non par moi qui n'en touchai un seul, mais par Gorvenal, que Dieu aide ! Vous rappelez-vous notre vie dans la forêt ? Est-ce que l'ermite Ogrin vit encore ? Dieu lui donne bonne fin ! — Assez parlé de Tristan. Vous n'avez rien de commun avec lui. Vous savez bien enginer le monde, maître truand. Vous pouvez avoir surpris des secrets et même dérobé un anneau ! — Mon chien n'aurait pas besoin d'anneau pour me reconnaître. Dites-moi, qu'est devenu Husdent ? On l'avait enfermé dans le donjon, et il ne voulait boire ni manger ; peu s'en fallut qu'il n'enrageât ; et quand on l'eut délié et qu'on lui eut ouvert la porte, il n'eut fin ni cesse qu'il ne m'eût trouvé dans la forêt. — Foi que je vous dois, je garde Husdent pour celui à qui je le destine, car nous ferons encore joie ensemble. — Pour moi, il laisserait Iseut la Blonde ! Montrez-le donc pour voir s'il me connaît ! — Je crois qu'il prisera peu votre truandise, car, depuis que Tristan s'en

alla, nul n'en approcha qu'il ne voulût dévorer. Il
gît en bas dans la cuisine. Demoiselle, amenez-le
céans ! »

Brangaine court délier Husdent. Quand le brachet
entend la voix de Tristan, il fait voler le lien des mains
de la meschine. Il se jette aux pieds de son maître,
trépigne des pattes, aboie joyeusement, lève le museau
et lui lèche les mains et la face. Jamais bête ne fit
pareille fête à son maître retrouvé. Tous sont ébahis.
Iseut change de couleur. Tristan dit au brachet :
« Béni soit le jour où je t'ai nourri, Husdent. Tu m'as
reconnu sous mes haillons ; tu n'as pas renié ton
amour ; tu m'as fait plus beau semblant que celle que
j'ai tant aimée. Elle croit que je feins ; elle verra le
signe de reconnaissance qu'elle me donna en me
baisant quand nous nous séparâmes : ce petit annelet
d'or fin. Il fut mon compagnon ; maintes fois je lui
parlai et lui requis conseil. Quand sa réponse ne
venait pas, j'avais envie de le fondre. Plus d'une fois,
quand j'en baisai le jaspe vert, les pleurs me mouillè-
rent les yeux. » Iseut avait vu la joie d'Husdent et
reconnu l'anneau. Elle demande mille fois pardon à
Tristan de l'avoir soumis à une si longue épreuve. Elle
se pend des deux bras à son cou, et ne se lasse pas de
lui baiser les yeux et le visage. « Ha ! Tristan, qui dira
tout ce que vous avez souffert pour moi ? Que je ne
sois pas fille de roi si je ne vous donne ample
guerdon ! Qu'en dis-tu, Brangaine ? Prépare un bain
et des vêtements, et peine-toi de servir Tristan jusqu'à
ce que le roi revienne de rivière ! » Peu de temps
après, Tristan entrait sous la courtine et tenait dans
ses bras la reine.

Iseut manda son chambellan et lui dit : « Périnis, tu feras faire un lit en bas pour ce fou qui divertira monseigneur ! » Périnis appareilla sous le degré, en un anglet, un peu d'étrain avec deux linceuls que la reine lui donna. Tristan coucha là et y demeura trois semaines. Quand le roi était parti à la chasse, il allait rejoindre la reine, sans que nul le sût, sinon Brangaine. A chef de pièce, le roi fit une chevauchée, et emmena grande partie de son barnage, et il laissa Iseut à la garde d'un nouveau chambellan. Un huissier qui était à la porte de la chambre aperçut une nuit Brangaine qui décliquait l'huis et Tristan qui entrait, et il ouït la clé qui tournait et le gros verrou qu'on boutait dans sa crampe. Il fut curieux de voir de quelle besogne le fou allait s'entremettre en tel lieu et à telle heure. Lors regardant par le trou de la serrure, il le vit couché avec la reine. Le lendemain, il dit au chambellan : « Sire, la reine couche avec son fou ; j'ai bien vu et ouï. Mais sachez pour vrai que ce fou n'est autre que Tristan. » Le chambellan tressue d'ire et de peur. Il se dit qu'il mettra des espions dans la chambre, bien mussés sous des tapis de muraille, de telle façon que la reine n'y prendra garde.

La nuit suivante, Tristan se glissait le long des parois quand son œil perçant lui révéla plusieurs hommes armés en l'angle d'une voûte et dans l'ouverture d'une fenêtre. Il revint à son grabat. Le matin, il vit Iseut et lui dit : « Amie, je suis découvert ; il me faut partir sans délai. » Tous deux pleurent tendrement. « Ah ! Tristan, dit Iseut, l'un de nous sera mort quand nous nous reverrons ! — Peut-être ne nous reverrons-nous plus, dit Tristan, mais promettez-moi encore, si je vous envoie un messager avec mon anneau, de faire en tout point ce que je vous manderai. Qui sait ? Il en ira peut-être de ma vie. » Tristan presse une dernière fois Iseut sur son cœur ; il avale les degrés, passe le pont et s'en va, le chef tondu, la massue au cou, en sa vieille gonelle déchirée.

## XIX

*Tristan le Berger. — Combat des deux Tristan contre Estout*
*l'Orgueilleux. — Blessé à mort, Tristan envoie Caherdin à*
*Tintagel. — Embarquement d'Iseut.*

Un jour, Tristan et Caherdin étaient allés à la
chasse ; ils étaient seuls, sans autres compagnons. Au
retour, traversant une lande et regardant vers la mer,
ils virent venir un chevalier au galop ; il montait un
destrier vair et était richement armé ; il portait un écu
d'or frété de vair et avait de même la lance, le pennon
et la connaissance. Tristan et Caherdin s'arrêtèrent,
étonnés, sur le chemin, et attendirent. Arrivé près
d'eux, l'inconnu les salua courtoisement. Tristan lui
rendit son salut et lui demanda où il allait en si grande
hâte. « Sire, dit le chevalier, pouvez-vous m'enseigner
le château de Tristan l'Amoureux ? — Que lui voulez-
vous donc ? repartit Tristan. Qui êtes-vous ? Quel est
votre nom ? Nous vous mènerons bien à la maison, si
vous le désirez, mais si vous voulez parler à Tristan,
vous n'avez pas besoin d'aller plus avant, car c'est
ainsi qu'on me nomme. Or dites-moi ce que vous me

voulez. — Je suis heureux de ce que vous me dites. Sachez que je me nomme Bédenis et que l'on m'appelle plus communément Tristan le Berger, à cause de mon gros entendement et pour ma grande niceté et débonnaireté naturelle. Je suis de la marche de Bretagne. J'y ai château et belle amie épousée devant sainte Église. Hélas ! par grand péché je l'ai perdue. Estout l'Orgueilleux de Châtel-Fier la convoitait depuis longtemps. J'ai su depuis qu'il avait pris les empreintes des serrures et qu'il avait donné à un fèvre les sceaux de cire pour qu'il lui forgeât des clés ; et avant-hier au soir, profitant d'une allée que je fis, il entra au château, et me ravit celle que j'aime plus que tout au monde. Il la retient dans son recet, et sans doute en fait ce que bon lui semble. Vous m'en voyez triste, dolent, et le cœur si serré que peu s'en faut que je ne meure de chagrin ; je ne sais que faire ; sans mon amie je ne peux pas vivre ; elle était ma joie, ma consolation, tout mon plaisir et toute ma vie. Sire Tristan, j'ai ouï dire que celui qui perd ce qui lui tient au cœur par-dessus tout, bien peu lui est du surplus. Jamais je n'ai senti telle douleur, et c'est pourquoi je suis venu à vous. Sire Tristan, vous êtes le meilleur chevalier qui soit, le plus vaillant et le plus redouté, le plus franc, le plus droit, et celui qui a le plus aimé parmi tous ceux qui furent et qui seront. Aussi je vous crie merci et requiers votre noblesse et vous prie humblement qu'en ce besoin vous veniez avec moi et m'aidiez à reconquérir mon amie. Je vous ferai hommage et ligeance, si vous m'apportez votre secours. — Ami, répondit Tristan, je vous aiderai selon mon pouvoir ; mais allons d'abord à la maison. Demain nous parferons la besogne. » Quand le

chevalier entendit ces mots, il s'écria courroucé :
« Par ma foi, vous me trompez, vous n'êtes pas ce que
vous dites. Je sais bien que si vous étiez Tristan, vous
auriez compassion de ma peine, car Tristan a tant
aimé qu'il sait les tourments que les autres endurent.
Si Tristan voyait ma douleur, il ne remettrait pas au
lendemain pour me prêter aide et secours. Qui que
vous soyez, bel ami, vous ne m'aimez pas, ce m'est
avis : si vous saviez ce que c'est que l'amitié, vous
auriez pitié de moi. Mais n'ayant jamais aimé, vous ne
pouvez savoir les angoisses douloureuses d'amour.
Adieu, je vais chercher Tristan, et je le trouverai. Je
n'aurai réconfort sinon par lui. » Tristan le Berger va
prendre congé, quand l'autre Tristan a pitié de lui.
« Beau sire, lui dit-il, demeurez. Vous m'avez montré
par grandes raisons que je dois aller avec vous, étant
Tristan l'Amoureux. J'irai volontiers. Attendez. Je
ferai apporter mes armes. »

Un valet va aussitôt chercher sa lance et son écu,
son heaume et sa ventaille. Tristan s'atourne et suit
Tristan le Berger. Ils veulent guetter l'Orgueilleux
pour lui jeter le défi. Ils ont tant chevauché qu'ils ont
trouvé son château fort. Ils descendent à l'orée d'un
breuil et là attendent l'aventure. Estout l'Orgueilleux
était un baron très redouté ; il avait six frères,
chevaliers hardis et de merveilleux vasselage, mais il
les surpassait tous en valeur. Deux de ceux-ci reve-
naient d'un tournoi. Les deux Tristan s'embûchèrent
dans le bois, et dès qu'ils les aperçurent, les défièrent,
et fondirent sur eux. Les deux frères furent tués. Un
troisième frère survenant donna l'éveil. Le sire entendit l'appel, rassembla ceux du château qui montèrent
aussitôt et coururent attaquer les deux Tristan qui se

battirent comme des lions et n'eurent de cesse qu'ils
n'en eussent occis quatre. Tristan le Berger périt dans
la bataille, et l'autre Tristan tomba, blessé parmi
l'échine, d'une lame empoisonnée. Mais avant de
tomber, il se vengea bien, car il tua celui qui l'avait
blessé. Ainsi tous les frères de l'Orgueilleux de
Châtel-Fier périrent ainsi que lui-même.

Tristan fut mené en une bière en son hôtel, et
aussitôt des mires furent mandés. L'un retira le fer de
la lance, prit l'aubun d'un œuf et le lia sur la plaie,
étancha le sang au moyen d'un emplâtre composé de
jus de plantain, d'ache, de fenouil et de sel ; la jambe
devint plus noire que charbon. Sur ces entrefaites,
vint un pauvre mire, nouvellement issu des écoles de
Salerne. Quand il vit ces grands maîtres se peiner pour
néant, il dit : « Seigneurs, vous ne savez ce que vous
faites ; la jambe est déjà toute pleine de feu, et si le feu
passe la jointure nul n'y pourra plus porter remède. »
Quand les physiciens entendirent le pauvre mire
parler ainsi, ils le méprisèrent fort. « Ha ! sire, vous
n'êtes guère dans votre bon sens, il y paraît bien. » Et
comme le pauvre mire disait que c'était pitié de traiter
ainsi le seigneur Tristan, les autres le chassèrent. « Je
m'en irai, dit le pauvre mire en se retirant, et vous
resterez avec ce malheureux dont vous aurez grand
avoir pour le mettre à mort, car je sais de certain qu'il
ne vivra pas longtemps. » Là-dessus le pauvre mire
fut rebouté dehors, mais Iseut aux Blanches Mains ne
laissa pas de lui donner un marc d'argent pour sa
peine.

Les jours suivants, la plaie de Tristan ne fit
qu'empirer ; le venin se répand par le corps qui enfle
et devient livide. Tristan voit ses forces décliner ; il

sent bien qu'il est perdu, si on ne le secourt au plus
tôt. Il n'a autour de lui personne qui puisse le guérir.
Il songe que si la reine Iseut était là, elle saurait un
remède, mais il ne peut aller vers elle, ni souffrir les
fatigues d'un voyage, et il redoute le pays de Cornouaille où il a encore beaucoup d'ennemis, et d'autre
part Iseut ne sait pas son mal et ne peut venir à lui.
Cette pensée le désespère ; il languit, et de jour en jour
davantage le travaille la morsure du venin. Il mande
en secret Caherdin : il se fie en lui, et Caherdin lui
rend son loyal amour. Il fait vider la chambre où il
gît ; il veut éloigner tout le monde, même sa femme,
Iseut aux Blanches Mains ; il veut parler sans témoins
à son beau-frère. Iseut aux Blanches Mains s'émerveille ; elle se demande ce que veut Tristan. Que
prépare-t-il ? Veut-il abandonner le monde et se faire
rendu ou chanoine ? Elle est en grand effroi, et sitôt
dehors, elle commande à un privé de se tenir près de la
porte, tandis qu'elle s'appuie au mur, près du lit de
Tristan, pour écouter ce qu'ils vont dire en secret.

Tristan péniblement s'est levé sur son coude et
s'adosse à la paroi. Caherdin s'assied sur le lit. Et tous
deux pleurent, et plaignent cette grande amitié qui
bientôt sera brisée à jamais ; le deuil étreint leurs
cœurs ; tous deux, ils pleurent et jettent de grands
soupirs, quand va finir cette amitié si fine et si loyale.
« Écoute, ami, dit Tristan, je suis en pays étranger ; je
n'ai parent ni ami autre que toi, beau compagnon. Je
n'eus jamais soulas ni reconfort sinon de toi seulement. Je crois bien que, si j'étais en ma terre, je
pourrais guérir, mais ici ma vie est perdue sans
recours. Faute d'aide, il me faut mourir ; car nul
homme blessé comme je suis ne pourrait être répassé,

sinon par la reine Iseut. Elle peut le faire si elle veut ;
elle a le pouvoir et le remède, et si elle savait mon état,
elle en aurait le vouloir. Mais, beau compain, je ne sais
comment l'avertir. Comment pourrait-elle venir à
mon secours ? Si je savais quelqu'un qui allât en
Cornouaille et y portât mon message, il me rendrait
grand service en mon pressant besoin. Je suis sûr
qu'elle ne laisserait pour rien au monde d'accourir à
mon aide, tant son amour est ferme et stable. Nul
autre que vous ne peut me rendre ce service ; aussi est-
ce vous que je requiers au nom de notre bonne
amitié ; mon noble compagnon, entreprenez pour
moi ce voyage. Soyez mon messager auprès de la
reine, par amour pour moi et sur la foi que vous
jurâtes de votre main, quand Iseut vous donna
Brangaine. En retour, je vous donne le mien. Si pour
moi vous entreprenez ce voyage, je deviendrai votre
homme lige et vous aimerai toujours. »

   Caherdin voit Tristan pleurer ; il voit son grand
désespoir ; il en a au cœur grande tristesse et pitié ; il
lui répond doucement : « Beau compain, ne vous
désolez pas ; je ferai tout ce que vous voulez. Pour
aller chercher votre guérison, je me mettrai en aventure de mort. Par la loyauté que je vous dois, rien ne
m'empêchera, encombres ni périls, que je ne m'efforce de tout mon pouvoir de faire votre volonté. Or,
dites-moi ce que vous désirez que je mande à la reine.
— Je vous remercie, bon ami, répond Tristan. Écoutez : prenez cet anneau ; c'est un signe de reconnaissance entre nous. Vous irez en la terre du roi Marc,
déguisé en marchand ; offrez à la reine des étoffes de
soie et autres denrées, et faites qu'elle voie cet
anneau ; dès qu'elle l'aura vu et vous aura reconnu,

elle trouvera le moyen de vous parler à loisir. Dites-
lui mille saluts de ma part ; dites-lui que mon cœur la
salue, requérant d'elle mon salut. Le salut ne me sera
rendu, le salut de vie, ni la santé, si elle ne me les
apporte. Si elle ne vient me guérir et me reconforter
de sa bouche, ma santé demeurera avec elle. Montrez-
lui ma détresse, la langueur qui me consume. Qu'il lui
souvienne de nos joies, des délices que nous avons
goûtées par les longs jours et les longues nuits, des
peines, des tristesses, et aussi des douceurs de ce
véritable et profond amour, quand elle m'eut guéri
jadis de ma blessure, du breuvage que nous bûmes
ensemble sur la mer. En ce breuvage fut notre mort ;
nous n'en aurons plus jamais de joie ; il nous fut
donné à telle heure que nous y avons bu notre mort.
Qu'Iseut se remembre les épreuves que j'ai souffertes
pour elle ; j'ai perdu la confiance de tous mes parents,
de mon oncle le roi et de sa cour ; j'ai été honteuse-
ment chassé et exilé en d'autres terres. J'ai tant enduré
peines et travaux que je vis à peine et ne vaux plus
guère. Il n'est au pouvoir de nul homme de briser
notre amour, de changer nos désirs ; les tourments, le
malheur ne peuvent détruire le lien qui nous unit à
jamais. On a pu nous séparer, mais rien n'a pu ôter
l'amour de nos cœurs. Qu'il lui souvienne de la
convention que nous avons faite à l'heure des adieux,
dans le jardin, quand elle me donna cet anneau : elle
me demanda de n'aimer autre qu'elle, en quelque terre
que j'allasse. Et depuis j'ai tenu ma promesse ; je n'ai
pas pu aimer votre sœur et ne pourrai aimer nulle
autre femme, tant que j'aimerai la reine. Mandez-lui
sur sa foi qu'elle vienne, à cette heure dernière ;
qu'elle m'accorde ce dernier témoignage de son

amour. Tout ce qu'elle a fait pour moi vaudra peu, si
en ce grand besoin elle ne vole à mon secours, si elle
ne m'aide contre la mort. Caherdin, je n'ai pas d'autre
prière à vous adresser ; allez vers la reine. Faites au
mieux que vous pourrez, et saluez Brangaine de ma
part, et dites-lui que mon mal est tel que je n'espère
plus vivre longuement ; si Dieu n'y pourvoit, je
mourrai avant longtemps. Pensez, mon cher compagnon, à aller vite, et revenez au plus tôt, si vous
voulez me revoir. Je vous donne un répit de vingt
jours. Qu'Iseut vienne avec vous, mais que nul ne le
sache. Celez la chose à votre sœur, qu'elle ne puisse
rien soupçonner de notre entretien. Iseut la Blonde
passera ici pour mirgesse venue pour me soigner.
Vous partirez sur ma belle nef, et vous emporterez
double voile ; une blanche et une noire. Si vous avez
Iseut avec vous, hissez le sigle blanc à votre arrivée ; si
vous n'amenez pas Iseut, alors mettez le sigle noir. Je
ne sais plus que vous dire, ami. Notre Seigneur vous
conduise à bon port et vous ramène sain et sauf ! »

Tristan pleure et soupire, et Caherdin pleure aussi ;
il baise Tristan et prend congé. Il se hâte de faire ses
apprêts ; il mène avec lui belle bachelerie, emporte des
étoffes de soie ouvrée, de toutes couleurs, riche
vaisselle de Tours, vins du Poitou, oiseaux d'Espagne,
pour couvrir la véritable raison de son voyage. Au
premier vent, il se met en mer ; les mariniers halent les
ancres, lèvent la voile, et la nef gagne bientôt la haute
mer.

Ire de femme est chose à redouter, chacun s'en doit
bien garder en toute occurrence, car une femme se
vengera d'autant plus qu'elle aura plus aimé ; l'amour

leur vient légèrement, et de même à son tour leur vient la haine, et l'inimitié dure plus que ne fait l'amitié. Rien ne saurait tempérer la haine de la femme jalouse, en proie à la colère. Iseut aux Blanches Mains, l'oreille au mur de la chambre, n'a pas perdu un mot de ce qu'a dit Tristan ; elle a entendu tout ce qu'il a arrangé avec Caherdin. Elle a grand dépit au cœur de s'être tant attachée à un homme qui n'a pas cessé d'aimer ailleurs. Elle fait semblant de ne rien savoir, mais elle ne sera aise qu'elle n'ait pris sa vengeance. Dès que l'huis est ouvert, Iseut est entrée en la chambre. Elle cèle à Tristan son chagrin, le sert de son mieux, lui parle doucement, et souvent le baise et l'accole, comme amie fait l'amant ; elle s'informe quand Caherdin doit revenir avec le mire qu'il est allé chercher delà la mer.

Cependant la nef vogue à pleine voile vers l'Angleterre. Neuf jours dura la traversée. Enfin Caherdin touche au port de Tintagel. Il décharge ses denrées. Il se présente à la cour avec ses étoffes, sa vaisselle et ses oiseaux. Il tient en son poing un grand autour et un drap d'étrange couleur, et il prend une coupe ouvrée à niellures. Il l'offre au roi Marc et lui dit qu'il est venu en Cornouaille pour gagner et vendre sa marchandise, qu'il désirerait avoir bonne sauvegarde dans la région afin de n'être pris à partie et de ne subir tort ou dommage de chambellan ou de vicomte. Le roi lui donna ferme assurance devant tous ceux du palais, et comme le marchand lui semblait courtois, il lui dit : « Ami, je veux que tous les jours que tu séjourneras ici, tu viennes manger à ma cour ; je retiens tous tes vins et je te ferai délivrer ton paiement. — Sire, répondit Caherdin, je vous remercie, mais je ne boirai ni mangerai hors de ma nef, sauve votre grâce, car j'ai promis et juré à ma femme, lorsque je partis, qu'en autre lieu je ne dînerais à l'aise. » Le roi sourit et dit qu'il était loyal homme.

La reine s'est approchée. Caherdin lui fait voir sa marchandise. Il lui met dans la main une agrafe d'or. « Reine, voyez, il est des plus fins. » Et ce disant, il tire de son doigt l'anneau de Tristan qu'il place à côté de l'agrafe. « L'or de l'agrafe est plus coloré que l'or de cet anneau, voyez, reine : et pourtant celui-ci est beau à merveille, ne trouvez-vous point ? » La reine regarde l'anneau et reconnaît Caherdin. Son cœur oisèle, mais bientôt elle pâlit et pousse un long soupir ; tant elle redoute d'entendre la nouvelle qu'il apporte ! Elle tire à part le faux marchand et lui demande combien il veut vendre son jaspe, et s'il a d'autres joyaux. Elle fait tout cela adroitement, car elle doit se tenir sur ses gardes.

Maintenant Caherdin est seul avec Iseut. « Dame, fait-il, écoutez bien ce que je vais vous dire. Tristan, comme ami, comme dru, vous salue et vous requiert amitié, service et salut, comme à sa dame en qui résident sa vie et sa mort. Il est votre ami et homme lige ; il m'envoie à vous en un grand besoin. Il vous mande qu'il n'échappera à la mort, si vous ne lui apportez la guérison et le salut. Il est navré à mort d'un épieu envenimé. Nous ne pouvons trouver nul mire qui sache médeciner son mal. Plusieurs s'en sont déjà entremis, et son corps en est tout empiré. Il languit en angoisse et en douleur, tandis qu'une pueur malsaine se répand de sa plaie. Il vous mande qu'il ne vivra guère si vous faillez à son secours ; il vous

mande ceci par moi et vous semond, par cette foi et
cette loyauté que vous lui devez, que vous ne laissiez
pour rien au monde de venir à lui : jamais nécessité ne
fut si pressante, et ce serait péché de vous y refuser.
Tristan vous rappelle vos grandes amours, les joies
que vous avez partagées et les terribles épreuves que
vous avez souffertes ensemble. Il voit sa jeunesse périr
et s'éteindre la flamme de sa vie. Il fut exilé pour
vous, et plusieurs fois chassé du royaume. Il a perdu
l'amitié du roi. Pensez aux peines et ahans qu'il a
endurés ! Il doit vous souvenir de la promesse qui
fut faite entre vous, dans le jardin où vous lui
donnâtes le baiser d'adieu, quand vous lui remîtes cet
anneau en lui jurant un éternel amour. Venez donc,
reine, secourez Tristan, ou jamais vous ne le recou-
vrerez. »

Quand Iseut entend le message, elle pleure de
grande pitié, de grand amour ; elle voudrait voler vers
Tristan, sans délayer. Mais comment ? Elle appelle
Brangaine. La meschine, voyant les larmes de sa
maîtresse, éclate en sanglots. Iseut lui conte toute
l'aventure du messager, le dernier combat de Tristan,
comment il gît en martyre, plaïé à mort, et comment
elle doit le rejoindre en Bretagne, ou sa blessure ne
sera jamais guérie. Elle requiert de celle qui l'a
toujours loyalement servie un conseil sur ce qu'il
convient de faire. Alors recommencent les pleurs et
les soupirs, et les gémissements. « Embarquez-vous
tout de ce pas, dit Brangaine ; je vous suivrai. »
Aussitôt les deux femmes font leurs apprêts de
voyage. Sitôt que la nuit est tombée, elles s'enfuient
par une poterne ; elles vont en silence ; cachées sous
leurs manteaux, elles gagnent le rivage. Caherdin les

attendait. Un bateau les conduit à la nef. Elles y
entrent. Caherdin crie de lever l'ancre et de tirer
amont le tref. Ils ont vent fort et portant à souhait, et
cinglent droit vers la Petite Bretagne.

## XX

*Terrible tempête. — Testament de Tristan. — La voile noire
et la voile blanche. — Mort de Tristan. — Mort d'Iseut. —
Funérailles des amants ; leur sépulture.*

Tristan gît sur sa couche en langueur grevaine à
démesure ; oignements, baumes, électuaires, rien ne
peut assouager son mal ; il n'est remède qui ait
puissance de le sauver. Il souffre son martyre en
grande patience ; il désire la venue d'Iseut ; il ne
convoite autre chose ; c'est pour elle qu'il s'efforce
encore de vivre. S'il doit guérir, c'est d'elle seule que
viendra la guérison ; un seul regard de sa drue peut lui
rendre la vie ; et s'il doit mourir, sa présence adoucira
ses derniers moments. Tous les jours, il envoie au
rivage pour voir si la nef revient, et souvent il se fait
porter en litière sur le bord de la mer, et il attend et
regarde au loin, en proie aux tourments de l'espérance. Toutes ses pensées sont pour Iseut, toute sa
volonté est de vivre assez pour apercevoir à l'horizon
la voile blanche qui lui apportera le salut. Si la nef de
Caherdin revient sans Iseut, tout ce qu'il y a au

monde lui est néant. Dans le doute, il se fait rapporter
à la maison, car il craint qu'elle n'exauce pas sa prière
et ne tienne sa promesse, et il aime mieux apprendre
par un autre la triste nouvelle. Gorvenal et Iseut aux
Blanches Mains sont près de lui, nuit et jour. Souvent
il se plaint à sa femme, mais il n'ose lui dire pourquoi
l'attente lui est si douloureuse.

Mais oyez la piteuse aventure qui fera à jamais
couler les larmes des amants, et dites s'il fut plus triste
destinée et amours plus malheureuses ! Tristan attend
Iseut. Iseut a hâte de se jeter dans ses bras ; elle est
déjà près du rivage, déjà les mariniers crient : Terre,
terre ! et l'équipage est en liesse. Tout à coup l'air se
trouble ; des troupeaux de dauphins fuient et trébu-
chent par les flots, annonçant la tempête. Et bientôt
un vent félon se lève du Sud et frappe parmi la voile et
fait tourner toute la nef. Les mariniers courent au lof,
gauchissent la voile ; quelque désir qu'ils aient d'avancer, il leur faut revenir en arrière. Le vent redouble,
l'air s'obscurcit de plus en plus, la grêle et la pluie font
rage ; il tonne et foudroie : les ondes combattues par
plusieurs vents contraires se soulèvent jusqu'au ciel,
puis redévalent vers l'abîme, heurtant et défoulant la
nef, dont craquent les chevilles et rompent boulines et
haubans. Caherdin commande d'abattre le sigle. Ils se
prennent aux avirons et vont louvoyant selon l'onde
et le vent. Mais le vent est tel qu'il n'est notonnier qui
puisse se tenir debout. Pour l'odeur de la mer
plusieurs se couchent pâmés sur le pont et sont
emportés par les flots. La chaloupe qu'ils avaient
descendue vole en éclats. L'angoisse est à son comble ;
le maître marinier arrache sa barbe et déchire sa robe
de désespoir. Caherdin, alors, saisit le gouvernail et

rassure ses hommes. Brangaine à genoux prie Notre-Dame et réclame saint Nicolas, seigneur de ceux qui vont sur la mer. Iseut, outrée de lassitude et de douleur, gémit : « Lasse ! chétive ! Dieu ne veut pas que je vive pour revoir Tristan ! Il veut que je sois noyée en mer. Que m'importerait de mourir, si seulement j'avais pu lui parler une dernière fois ! Bel ami, quand vous apprendrez ma mort, je sais que tout espoir de guérison sera perdu pour vous. La douleur que vous éprouverez sera telle que votre fin en sera avancée. Mais il ne dépend plus de moi que j'arrive au port. Si Dieu avait voulu que je vinsse, je me serais entremise de votre mal, car je n'ai d'autre désespoir que de vous savoir sans secours. J'ai au cœur ce chagrin et cette grande pesance que vous n'aurez, ami, quand je serai morte, nul recours contre la mort. Notre amour est de telle sorte que je ne puis périr sans que vous périssiez aussi. Je vois votre mort devant moi, et je sais que je dois bientôt mourir. Mais mon désir aurait été de mourir entre vos bras, et d'être ensevelie dans le même cercueil que vous. Hélas ! mon tombeau sera la mer. Mais il ne se trouvera nul homme pour vous le dire. Peut-être vivrez-vous, et vous attendrez ma venue. Dieu vous accorde la guérison ! Je la désire plus que d'échapper à la tempête. Mais je vous aime tant, ami, que je dois redouter, après ma mort, si vous guérissez, que vous ne m'oubliiez en votre vie, ou que vous ayez joie d'autre femme, ami Tristan, après la mienne mort. Je crains, ami, Iseut aux Blanches Mains ; je ne sais si cette crainte est raisonnable, mais il est sûr que, si vous fussiez mort avant moi, j'eusse vécu bien petit espace de temps après vous. Certes, je ne sais ce que je doive faire, mais par-dessus tout je vous désire. Dieu nous donne de nous rassembler vivants ou de mourir tous deux d'une même angoisse ! »

Tant que dura la tourmente, Iseut remua ces tristes pensées. Plus de trois jours dura la tempête hideuse, la pluie, le vent furieux, la foudre et le tonnerre, et la mer démontée à démesure, et le ciel si noir qu'ils ne savaient où ils étaient. Enfin le vent tomba, le ciel s'éclaircit peu à peu, et la mer devint coie et rassise. Les mariniers ont tiré amont la voile blanche et cinglent de grand randon. Caherdin voit la rive de Bretagne. La joie envahit le cœur d'Iseut et de Brangaine ; les mariniers en liesse tirent le sigle bien haut pour qu'on puisse l'apercevoir de loin ; il convient que Tristan puisse voir sans doute possible la couleur de la voile, car on est au terme du délai que Tristan assigna lorsque Caherdin partit du pays. Tandis qu'ils cinglent joyeusement, l'air s'échauffe et bientôt tombe jusqu'au moindre souffle de vent, si bien que la nef ne va plus, sinon pour autant que l'onde la tire dans son flux. De nouveau, l'émoi est grand parmi ceux qui voient le rivage et ne peuvent arriver au port. Ils vont donc louvoyant amont, aval, avant, arrière, et la nef n'avance pas. Iseut, les yeux tendus vers la terre désirée, tord ses bras de désespoir, déteste autant le calme du vent que naguère sa fureur ; elle se tient à l'avant du navire ; un triste pressentiment la glace d'épouvante.

Tristan, cependant, brisé par l'attente autant que par la plaie qui le dévore, sentait sa faiblesse augmenter d'heure en heure. Il semble qu'il ait épuisé toutes les forces de son corps et toutes les larmes de ses yeux. Il sent qu'il se meurt et de la plaie envenimée et du désir qui ne trouve pas son accomplissement ; il fait un retour sur sa vie passée, il pense au roi Marc qui l'aima tant, il pense à sa dure destinée qui va toucher à son terme. Son vieux maître Gorvenal est là encore pour le servir et le reconforter. Tristan lui mande ce qu'il lui est venu en l'esprit ; qu'un saint ermite soit appelé qui mette en écrit ses dernières volontés. Le prudhomme vient, écoute la confession de Tristan ; il prend penne et encre, avec charte de parchemin, et enrôle ce que lui dicte le mourant. Ce bref scellé à la cire est adressé au roi Marc et ne devra être ouvert que devant lui, quand la mort aura fait son œuvre.

La journée s'écoule, et tandis que Tristan se recueille en son pourpens, parfois soupirant et criant de la douleur que lui arrache le poison qui travaille dans ses veines, voici Iseut aux Blanches Mains qui accourt : « Ami, crie-t-elle, Caherdin arrive : j'ai vu la nef entrer dans le port ; je l'ai aperçue qui cinglait à grand-peine ; néanmoins je l'ai bien reconnue pour la vôtre. Dieu vous donne qu'il vous apporte telles nouvelles dont vous ayez joie au cœur ! » Tristan a tressailli ; il se lève sur son coude : « Amie belle, dit-il, savez-vous pour vrai que c'est la nef conduite par Caherdin ? Or, dites-moi comment est la voile ? — Noire : ils l'ont tirée amont et levée haut, parce que le vent leur manque. — Ha ! » dit Tristan. Il se couche contre la paroi et murmure tout bas : « Dieu sauve Iseut et Dieu me sauve ! Puisque vous ne voulez pas venir à moi, il me faut mourir pour mon amour. Je ne puis plus tenir ma vie. Iseut, je meurs pour vous. Vous n'avez eu pitié de mon mal, mais vous pleurerez ma mort, et ce m'est, amie, grande consolation. » Puis

il a dit trois fois : « Amie Iseut. » A la quatrième il a
rendu l'esprit.

La nouvelle se répand dans la maison qui s'emplit
de cris et de pleurs. Les chevaliers, les bons compagnons du preux, accourent en larmes ; hommes,
femmes, démènent grand deuil, tordent leurs bras,
s'arrachent les cheveux. Gorvenal a fermé les yeux de
celui qui lui fut si cher. Chevaliers et sergents
prennent le corps, l'ôtent de son lit, le lavent, le
revêtent et le couchent sur un riche drap de soie. Et
toute la ménie à genoux prie pour l'âme que Dieu
absolve.

Cependant le vent balaie derechef la grande mer, la
voile s'enfle, et bientôt la nef arrive à terre. Iseut sort
la première : elle voit une foule se presser sur le port,
entend les plaintes, les cris et les sonnis des seings des
moutiers et des chapelles ; elle demande pourquoi on
fait telle noise et tel branle de cloches, et d'où vient
que le peuple mène tel deuil. Un ancien lui dit alors :
« Belle dame, nous avons ici telle douleur que jamais
nulle part il n'y en eut plus grande. Tristan le preux, le
franc, est mort. Il était le soutien de tous ceux du
royaume ; il était large aux besogneux et charitable
envers les malheureux. Il mourut en son lit tout à
l'heure d'une plaie qu'il avait au flanc. » Iseut, quand
elle entend la nouvelle, ne sonne mot de la douleur
qui l'accable. Elle va, par la rue, désaffublée, devant
tous les autres, au palais. Les Bretons n'avaient jamais
vu femme de telle beauté ; ils s'émerveillent et demandent d'où elle vient et qui elle est. Elle entre dans la
chambre de Tristan ; elle le voit étendu sur un ais
couvert d'un paile rayé. Elle s'agenouille piteusement,
lui prend les mains : « Ami Tristan, dit-elle, quand je

vous vois mort, je n'ai plus de raisons de vivre. Vous
êtes mort pour mon amour, et je meurs de tendresse
et du regret de n'avoir pu vous secourir. Ami, ami, je
n'aurai plus jamais soulas, confort, joie et santé.
Maudite soit cette tempête qui me fit demeurer en
mer ! Si je fusse venue à temps, je vous eusse rendu la
vie, et vous eusse parlé longuement, doucement de
nos amours ; je vous eusse rappelé nos aventures, nos
joies et nos peines, tout ce qui fut notre étrange
destinée. Puisque je n'ai pu vous rappeler à la vie,
qu'au moins je vous rejoigne dans la mort, que j'aie
confort avec vous, comme autrefois, du même breuvage. » Alors elle l'accole, lui baise la face et les lèvres,
l'embrasse étroitement, s'enlace à lui corps à corps,
bouche à bouche, et à ce moment jette un long
soupir ; son cœur lui manque et l'âme s'envole : Iseut
est morte pour son ami.

Gorvenal et Caherdin tinrent parlement ensemble.
Ils furent d'avis qu'il convenait de ramener les corps
en Grande-Bretagne. On les embauma et chacun fut
cousu dans un cuir de cerf, puis on les mit dans une
nef qui partit pour la Cornouaille. Sur ces entrefaites,
le duc Hoel mourut, et Caherdin hérita de sa terre.
Iseut aux Blanches Mains, accablée par le deuil et le
remords, s'enfuit dans une abbaye de nonnes où elle
s'enferma pour la fin de ses jours.

Gorvenal et Brangaine s'étaient embarqués avec les
dépouilles des deux amants. La nef arriva à Tintagel.
Gorvenal descendit, laissant la garde des corps à
Brangaine, et fut au palais. Le roi Marc, à qui on avait
annoncé sa venue, le fit entrer dans sa chambre.
Gorvenal le salua et lui dit : « Roi, celui qui s'afflige
en son cœur et meurt en ire, il se sépare de Dieu et

donne son corps et son âme au diable. C'est pourquoi
je te prie de ne point être courroucé pour chose que tu
entendes ou voies. » Le roi fut surpris de ces paroles ;
il demeura un moment silencieux, puis il dit : « S'il
plaît à Dieu, je ne serai si hâtif ni si ireux que l'Ennemi
ait pouvoir sur moi. Dis sans crainte tout ce que tu
voudras. — Sire, vous avez sagement répondu ; aussi
je vous dirai la vérité. Sachez que Tristan votre neveu
et Iseut votre femme sont morts ; leurs corps vous
sont envoyés de Bretagne. A l'épée de Tristan est
pendu un écrin à votre adresse qui contient ses
dernières volontés. Sachez que Tristan était malade
d'une plaie dont nul ne le pouvait guérir, hormis
Iseut ; aussi lui manda-t-il de venir, par son frère
Caherdin, mais avant qu'elle fût là, Tristan mourut, et
elle mourut aussi de douleur. Hâtez-vous donc d'aller
au port, voyez ce qu'il y a dans l'écrin, puis faites des
corps à votre volonté. » Quand le roi ouït ces
nouvelles, le sang lui mua, à peu qu'il ne tombât de
son fauteuil : « Ha ! beau neveu, soupira-t-il, tu m'as
fait tant souffrir ! Tu m'as déshonoré et aussi ma
femme. Jamais, par l'âme de mon père, tu ne seras
enfoui en mon pays ! »

Là-dessus, il se rend au port. Le peuple sut le
serment que le roi avait fait ; tous s'écrient d'une seule
voix : « Ha ! roi, prends tout ce que nous avons, mais
mets en terre à grand honneur celui qui nous ôta du
servage. Or il ne pourra plus nous défendre contre les
Irois et les Saînes... » Le roi entend les supplications
de son peuple, il a pitié. Il prend l'écrin, l'ouvre et y
trouve une charte écrite et scellée du sceau de Tristan.
Il la donne à l'évêque, qui lit ce qui suit : « A son cher
oncle, le roi Marc de Cornouaille, Tristan son neveu,

salut. Sire, vous m'envoyâtes en Irlande pour quérir Iseut votre femme. Quand je l'eus conquise et qu'elle me fut livrée pour que je vous l'amenasse, sa mère fit remplir une boute de vin herbé, fait de ses mains, et qui avait telle vertu que celui qui en boirait aimerait celle qui en boirait après lui, et elle à son tour l'aimerait. Ce vin fut baillé à Brangaine pour qu'elle vous en fît faire usage la nuit de vos noces. Or il avint qu'en mer nous eûmes, un jour, très chaud : je demandai à boire, et Brangaine, qui n'y prit garde, me donna de ce boire herbé, croyant que ce fût eau douce ou cervoise, et Iseut, qui avait soif, but aussi ; de là vint qu'il ne fut heure de notre vie que nous ne nous entr'aimâmes. Sire, pour Dieu, regardez si je suis coupable d'avoir aimé Iseut, quand je l'ai fait, déterminé par force surhumaine. Après, faites votre plaisir et que Dieu vous garde. » — Sire, dit l'évêque, c'est tout ce qu'il y a dans cette lettre. Or dites votre volonté. »

Quand le roi Marc eut appris que Tristan avait aimé Iseut par la vertu du vin herbé, en dépit de sa volonté franche, il fut très dolent et se mit à pleurer : « Hélas ! dit-il, pourquoi n'ai-je pas su cette aventure ? Je les eusse plutôt mariés ensemble, et il ne se fût parti de moi ! Or j'ai perdu mon neveu et ma femme ! »

Les gens disent que c'est la plus grande merveille qui jamais avint en nulle contrée, l'histoire de ces amants qui finirent l'un pour l'autre : ils ont montré bien manifestement que l'amour dont ils s'entr'aimaient n'était pas feint ; c'est le passe-amour dont l'on parlera tant que le monde durera.

Le roi annonce qu'il leur fera funérailles honorables, comme il convient à haute gent, et qu'ils seront enterrés ensemble puisqu'ils se sont tant aimés l'un et l'autre.

Le service eut lieu dans la maître-église de Tintagel. Après quoi, le roi leur fit faire une sépulture, telle qu'on n'en avait jamais vue devant si riche et si somptueuse en toute la Cornouaille. Le tombeau fut construit devant le grand moutier de Tintagel. Sous deux arcs voûtés à colonnettes de porphyre mis côte à côte, au fronteau desquels étaient inscrits en lettres d'or les noms de Tristan et d'Iseut, on plaça les images d'un chevalier et d'une dame, fondues en cuivre et ciselées, droites et de grandeur d'homme. Le chevalier est si bien ouvré qu'on le croirait vivant ; il a le bras gauche plié, la main sur les attaches de son manteau et le bras droit tient l'épée nue, celle même dont fut tué le Morhout, et sur le plat de l'épée le roi fait graver ces mots : « De cette épée fut occis le grand géant irois nommé le Morhout, et ce chevalier qui ci-gît fut appelé Tristan de Loonois, et il délivra Cornouaille du servage d'Irlande. » Et l'autre image fut faite en semblance de dame, une couronne sur la tête, les deux mains croisées sur sa ceinture, le visage tourné vers le chevalier en manière de femme enfélonnée d'ardeur amoureuse. Sur la tombe était encore taillé un bateau au milieu de la mer, sans avirons, le mât brisé et la voile affalée.

On rapporte qu'une vigne fut plantée près du tombeau, d'une part, qui devint feuillue à merveille, et que, d'autre part, une graine apportée par un oiseau sauvage donna naissance à un beau rosier, et les branches de la vigne passaient par-dessus le monu-

ment et embrassaient le rosier, mêlant fleurs, feuilles
et grappes, et les boutons doux flairants et les roses
épanouies. Et les anciens disaient que ces arbres
entrelacés étaient signifiance des amours de Tristan et
d'Iseut que la mort même n'avait pu désunir.

# NOTES ET GLOSSAIRE

## LA LÉGENDE

Les aventures amoureuses et tragiques de Tristan et d'Iseut ont été, plus que toutes les autres légendes qui forment la « matière de Bretagne », le sujet de prédilection des conteurs du Moyen Âge. Les poèmes les plus anciens ont pâti de ces remaniements continuels. Les rimes de La Chèvre, l'histoire « du roi Marc et d'Iseut la Blonde », par Chrétien de Troyes, ont péri tout entières. De Béroul, poète normand, qui écrivit entre 1165 et 1170, il reste 4 485 vers ; du roman de Thomas, composé en Angleterre quelques années plus tard, 3 144 vers sur 19 000 environ. Quant à la compilation en prose du XIII<sup>e</sup> siècle, plusieurs fois refondue et démesurément allongée jusqu'aux approches de la Renaissance, elle offre, avec de précieux vestiges de la fable primitive, des altérations et des interpolations qui n'ont plus aucun rapport avec elle. Par bonheur, Béroul et Thomas ont eu, à l'étranger, des émules ou des imitateurs dont le temps a mieux respecté les ouvrages : tels sont Eilhart d'Oberg qui représente ce qu'on est convenu d'appeler la version commune, à laquelle se réfèrent également les parties anciennes du roman en prose, et Gottfried de Strasbourg, traducteur libre de Thomas d'Angleterre, qui a renchéri sur la courtoisie de son modèle. A côté de ces romans qu'on pourrait qualifier de biographiques, puisqu'ils suivent le héros principal de sa naissance à sa mort, il existe des lais ou contes qui relatent simplement un épisode de sa vie : tels sont la Folie Tristan, le Chèvrefeuille, le Rossignol. Il y a enfin les nombreuses allusions ou traits particuliers qu'on relève dans les œuvres de Chrétien, de Jean Renart, Gerbert de Montreuil, le *Roman de la Poire*, le *Novellino*, etc. Autant de matériaux d'importance inégale qui permettent de reconstituer la légende dans son intégrité.

Dans cette légende on rencontre des éléments divers : un élément mythique, le héros vainqueur de monstres ; un élément de conte plaisant, les ruses et les déguisements d'amour ; un élément merveilleux, le philtre, qui est à la source de son développement pathétique. Quelle que soit l'origine picte, galloise ou saxonne des protagonistes, il est certain que l'agencement de ces divers éléments fut, dès le début, l'œuvre d'écrivains de langue française ; il est non moins certain que ces poètes étaient des clercs lettrés ayant quelques notions, par Ovide, Virgile et le commentaire de Servius, des légendes de la Grèce, telles que les légendes de Thésée et du roi Midas. Dès le commencement aussi perça le même dessein courtois qu'on trouve dans les auteurs des romans d'*Énéas*, de *Thèbes* et de *Troie*. Tristan, dans la suite, fut transformé en l'un de ces vastes romans de chevalerie dont le comte de Tressan au XVIIIe siècle recueille le dernier écho. Il était réservé à Francisque Michel de réunir, le premier, les vieux textes anglais et normands. Mais déjà l'Allemagne s'était préoccupée d'éditer et de vulgariser Gottfried de Strasbourg. C'est par l'édition de Fr. H. von der Hagen (Breslau, 1823) et par la traduction en allemand moderne d'Hermann Kurz (Stuttgart, 1844) que Wagner eut connaissance de la légende : il ne retint d'ailleurs qu'un petit nombre de détails appropriés à l'action scénique, en dehors du thème essentiel qu'il imprégna de panthéisme et de pessimisme schopenhauérien ; son drame musical, interprété pour la première fois à Munich en 1865, fut joué à Paris en 1899. C'est vers ce temps que M. Joseph Bédier, savant éditeur du poème de Thomas, entreprit de donner au public français, des aventures de Tristan et d'Iseut, son célèbre renouvellement.

Les grands sujets forment une matière éternelle ; ils peuvent toujours tenter l'écrivain. J'ai pensé qu'après ce récit bref et un peu grêle, il y avait place pour un roman plus étoffé, dans le ton des vrais conteurs de jadis. Reprenant l'ensemble de la tradition et des textes connus, j'ai donc cherché à marier le familier et le pittoresque de Béroul, le pathétique de Thomas et le raffinement de Gottfried, et à mettre dans ma prose le mouvement, le coloris, l'ampleur de ces récits, tels que les aimaient les contemporains de la reine Aliénor ou de Philippe Auguste.

## LES TEXTES

VERSION DITE COMMUNE. — Béroul, *Le Roman de Tristan*, édité par Ernest Muret, Paris, 1913. — Eilhart von Oberg, *Tristan*, herausgegeben von Kurt Wagner, Bonn, 1924. — Sur la version tchèque d'Eilhart et sa traduction allemande, comme sur la bibliographie détaillée du sujet, voir J. Kelemina, *Geschichte der Tristansage...*, Vienne, 1923. — E. Lœseth, *Le Roman en prose de Tristan*, analyse critique d'après les manuscrits de Paris, Paris, 1890. — Eugène Vinaver, *Étude sur le Tristan en prose*, Paris, 1925. Les parties anciennes (mss 103 et 757 de la B. N.) ont été publiées par M. Joseph Bédier dans le tome II de son édition de Thomas, pp. 321-395.

Le fragment de Béroul occupe les chapitres VIII-XIII de ma version : j'y ai intercalé le portrait des trois félons et une description de la vie des amants dans la forêt ; j'ai, en outre, éclairci et complété les passages relatifs à la vengeance de Tristan sur ses ennemis.

Eilhart m'a fourni quelques détails sur le Morhout, sur le conte de l'hirondelle, sur la demande en mariage, et je l'ai suivi en partie dans les voyages de Cornouaille (chap. XVI et XVII).

J'ai tiré en grande partie du Roman en prose l'épisode du Morhout, le voyage à l'aventure, dans le combat contre le Dragon ce qui a trait à la tricherie du sénéchal et à la brèche de l'épée, Brangaine livrée aux serfs, le testament de Tristan et le retour des corps à Tintagel.

VERSION DITE COURTOISE. — Thomas, *Le Roman de Tristan*, publié par Joseph Bédier, 2 vol., Paris, 1902-1905. — Gottfried von Strassburg, *Tristan*, herausgegeben von Karl Marold, Leipzig, 1906. Traduction en allemand moderne par Karl Simrock, Leipzig, 1875. — Sur les diverses rédactions du Roman en prose, voir, outre Lœseth cité plus haut, B. N., Réserve n<sup>os</sup> 57-70 ; Comte de Tressan, *Corps d'extraits de romans de chevalerie*, Paris, 1782.

Thomas, tantôt traduit, tantôt résumé, m'a fourni la matière de mes chapitres XV, XVII, XIX-XX, c'est-à-dire le séjour de Tristan en

Espagne et en Petite Bretagne, le mariage, partie des voyages en Cornouaille, Tristan le Berger (surnommé le Nain dans Thomas), le message de Caherdin et la mort des amants.

J'ai emprunté à Gottfried quelques détails pour le chapitre I, par ailleurs fondé sur le thème folklorique de l'accouchée à qui l'on cache la mort de son mari, le chapitre III (Tantris), enrichi de traits dans le caractère du temps, et je me suis inspiré de son récit de la traversée pour le chapitre VI. En deux ou trois endroits, Gottfried faisant défaut, j'ai ouvré librement sur un canevas bâti d'après les autres représentants de la tradition thomasienne, *Sir Tristrem* et la *Saga* norvégienne dont J. Bédier, dans son édition de Thomas, a donné les extraits essentiels (Petit-Crû et la Salle aux Images).

Enfin j'ai pris à deux remaniements du Roman en prose ce qui a trait à la sépulture de Tristan et Iseut, et aux arbres entrelacés.

POÈMES ÉPISODIQUES. — Tristan Fou : *Les deux poèmes de la Folie Tristan,* publiés par Joseph Bédier, Paris, 1907. *La Folie Tristan de Berne,* pub. par G. Hœpffner, Paris, 1934. J'ai combiné les deux récits dans mon chapitre XVIII. — Le Chèvrefeuille : Marie de France, *Lais,* éd. par G. Hœpffner, Strasbourg, 1921 (Bibl. romanica), IV, utilisé dans mon chapitre XIV. — Tristan rossignol : dans le *Donoi des amants* (Francisque Michel, *Tristan, recueil de ce qui reste des poèmes relatifs à ses aventures...* Londres et Paris, 1835-1838 ; Gaston Paris, *Romania,* XXV, 1986), traduit dans mon chapitre VII. — La Franchise Tristan : mentionnée (chap. XIV) d'après l'allusion du Roman en prose (Lœseth, § 61). — Tristan ménestrel : dans Gerbert de Montreuil, Continuation de *Perceval,* éd. par Mary Williams, Paris, 1922 (Classiques du Moyen Âge) : quelques traits descriptifs ont été transportés dans les voyages de Cornouaille. — Le rendez-vous épié : *Le cento novelle antiche (Il Novellino),* LXV, Strasbourg, 1909 (Bibl. romanica). — La feuillée : Messire Thibaut, *Li Romanz de la Poire,* herausg. von Stehlich, Halle, 1881. Ces deux épisodes ont été examinés comparativement avec le texte de Béroul (vers 1572 et 1801-2062).

Dans ce dénombrement de mes sources, je n'ai pas fait entrer les très nombreux écrits (autant vaudrait énumérer toute la littérature épique et narrative, morale et didactique du XIIe et du XIIIe siècle) où j'ai puisé maints renseignements sur la vie privée (mœurs et coutumes, joutes, combats, navigation, architecture, éducation, foires et marchés, vénerie, fauconnerie, etc.) ainsi que les couleurs dont j'ai formé ma palette.

## LES LIEUX DE L'ACTION

Le roman de Tristan se passe en Grande-Bretagne, en Irlande et en Bretagne armoricaine. La Cornouaille britannique (Cornwall) où a lieu la plus grande partie de l'action est assez mal définie ; les terres du roi Marc paraissent s'étendre jusqu'à l'estuaire de la Severn, puisque le Loonois, qu'on place généralement aux environs de Carleon sur Usk, « marchit » c'est-à-dire confine, suivant un de nos anciens textes, au royaume de Cornouaille. Du Loonois on peut gagner cette contrée indifféremment par terre ou par mer. Les principales résidences du roi Marc sont Tintagel, sur la côte ouest, Lancien au sud, sur la rivière de Fowey, et Bodmin entre les deux. Les autres lieux signalés sont le château de Lidan, possession du sénéchal Dinas, et le mont Saint-Michel, près Marazion, à l'extrémité est de la baie de Penzance. L'identification faite par J. Loth de la forêt de Morois avec la région de Moresc, près Truro, en Cornwall, ne présente pas grand intérêt.

Au nord de la Severn sont les États du roi Artur qui ont comme centre politique le pays de Galles et comprennent le nord de l'Angleterre et partie de la région nommée Logres (entre la Severn et l'Humber) ; principales villes : Carlion (qui est aussi la capitale du Loonois), Carduel, Camalot, Caradigan (Cardigan), Senaudon (Snowdon ?), Cêtre (Chester), Nicole (Lincoln), Guincêtre (Winchester), Dureaume (Durham).

La Galvoie est le Galloway, au sud-ouest de l'Écosse ; la Frise dont il est question au chapitre XI serait, selon M. E. Muret, le pays de Dumfries en Écosse ; on appelait mer de Frise l'estuaire du Forth.

Les deux villes d'Irlande où a lieu l'action des chapitres II et III sont Duveline (Dublin) et Weisefort (Wexford).

Les noms ethniques correspondant à ces divers pays sont les Cornouaillais ou Cornots, les Gallois, les Saînes (Saxons, c'est-à-dire Anglais), les Pis (Pictes), Escots (Écossais) et Irois (Irlandais).

La Bretagne armoricaine ou Petite Bretagne, où règne le duc Hoel, a pour capitale Carahès (Carhaix) et pour limites extrêmes Nantes et Tréguier. On peut placer la Salle aux Images, soit dans les

montagnes Noires, soit dans les monts d'Arrée. Le manoir où
Tristan mourant attend la venue d'Iseut et le port où la reine
débarque peuvent être situés indifféremment soit sur la côte nord,
entre Kersaint et Roscoff (le château de Penmarch en Saint-Frégant
qu'on a proposé a le tort d'être un peu trop éloigné de la mer), soit
sur la côte ouest, rade de Brest ou baie de Douarnenez. Les
anciennes voies rayonnaient de Carhaix dans ces diverses direc-
tions. (Voir F. Cornou, *Histoire et géographie du Finistère*,
Quimper, 1924.)

## LES PERSONNAGES

J'ai adopté les formes Rouaut et Morhout au lieu de Rohalt et
Morholt (comme Iseut au lieu d'Isolt), Brangaine au lieu de
Bringvain, Brengain ou Brengien, Gormond, Anguin, Gondoïne,
Denoalan, Ganelon, Caherdin. Béliagog, le géant de *Sir Tristrem*,
m'a paru préférable au Moldagog de la *Saga* ; j'ai restitué d'autre
part à quelques comparses leurs noms bretons, Gorvel par exemple
au lieu de Corbel ; pour éviter une confusion possible, l'Orgueilleux d'Espagne s'appelle l'Outrecuidé ; Estout de Châtel-Fier
conserve son surnom ; Tristan le Nain, création courtoise de
Thomas d'Angleterre, est devenu Tristan le Berger, c'est-à-dire le
Simple, appellation qui lui sied d'autant mieux qu'un vrai nain
figure dans le roman, selon la version commune que j'ai suivie
ailleurs.

Une de mes innovations a·consisté à rendre au personnage
d'Andret toute l'importance qu'il devait primitivement avoir.
Andret se nomme Mariadoc dans Gottfried ; il paraît invraisembla-
ble que ce Mariadoc ne soit pas le même que le Cariado de Thomas.
Je n'ai donc pas hésité à attribuer au chef sournois de la
conspiration contre Tristan les « rampones », et les provocations
de Cariado terminées par son combat mortel avec Caherdin. Ainsi a
disparu un personnage épisodique complètement inutile, et le récit
y a gagné en unité.

De nombreuses allusions sont faites dans notre roman à des
personnages de la légende épique et arturienne : tels sont, outre les
chevaliers mentionnés à l'assemblée de la Blanche Lande, Ider,
héros d'un célèbre poème de la Table Ronde, Otrant, roi sarrasin de
Nîmes dans la geste de Guillaume d'Orange, les géants Fièrebrace,

Braihier, Ferragus, Isoré, Agolafre, qui appartiennent à diverses chansons. Citons encore la fée Morgue, Guiron et Graelent, héros de lais bretons, Richeut, l'entremetteuse célèbre du curieux fabliau qui porte son nom. L'Antiquité est représentée par Aristote portant la bride et la selle, et Segoçon, nain difforme aimé, selon la tradition, par la femme de l'empereur Constantin. Plusieurs adages et proverbes sont attribués à Salomon ou tirés des *Disticha Catonis*, selon l'usage constant du Moyen Âge. Il n'est pas jusqu'au nom d'Ovide qui ne soit invoqué dans la lutte intérieure que soutient Tristan (chap. xiv), lorsque, le boire herbé ayant épuisé ses effets, il se trouve en proie aux remembrances d'amour.

## GLOSSAIRE

Comme je l'ai dit plus haut, j'ai tâché à rendre mon récit vivant et coloré, et à lui garder le caractère et l'allure qu'un arrangeur de goût, exploitant les mêmes sources que moi, lui aurait donnés au Moyen Âge. La langue moderne, avec ses abstractions et ses prosaïsmes, si on ne la retrempait à cette fontaine de Jouvence qui est l'ancien français, serait incapable d'atteindre à cette naïveté qui fait le charme de la narration médiévale. J'ai donc mis tout mon soin et ma diligence à en éliminer les lourdeurs et à l'enrichir des mots et des tours d'autrefois. Là où il s'agissait de traduire, j'ai exprimé tout le suc des vieux poèmes et l'ai fait passer dans ma phrase : ce qui a pu y être transporté tel quel a déterminé la tonalité du reste ; dans les parties empruntées aux littératures étrangères ou tirées de mon cru, quand il m'a fallu combler des lacunes ou procéder aux développements nécessaires, j'ai employé la même langue épurée et relevée des mêmes épices, en évitant de mon mieux les heurts et les disparates. Certains de ces termes sont là pour désigner avec précision les choses spéciales à l'époque ; d'autres ont été choisis pour leur saveur, leur beauté, si propres à créer l'atmosphère : tous appartiennent au vieux fonds national et ont leurs quartiers de noblesse ; les premiers viennent tout naturellement sous la plume de l'antiquaire ; pour les autres, c'est une affaire de métier, et je ne pense pas qu'il y ait honte au littérateur de les remettre en usage.

On les trouvera ci-dessous classés en deux séries, l'une par matières, l'autre par ordre alphabétique.

TERMES TOPOGRAPHIQUES. — *Larri*, terrain inculte et montueux ; *tertre, pui*, colline ; *chaume, chaumois*, plateau dénudé ; *pas, trépas*, passage, détroit en mer, en montagne, ou en forêt ; *fraite*, brèche ; *dérube, dérubant*, escarpement ; *pendant*, pente ; *gaudine*, bois ; *brosse*, buisson ; *essart, gâtine*, friche ; *marchais*, marais ; *croulier*, fondrière.

MŒURS ET INSTITUTIONS DE LA FÉODALITÉ. — L'*alleu*, terre franche possédée en toute propriété, s'oppose au *fief* grevé de services féodaux, pour lequel est dû au suzerain l'hommage lige ; les petits *fiévés* sont appelés *chasés*, et les tenanciers d'arrière-fiefs *vavasseurs*. L'*honneur* s'oppose au *domaine* propre ; c'est l'ensemble de la terre seigneuriale, inféodée ou non. Le *barnage* est l'ensemble des barons au service d'un roi, d'un prince ; la *ménie*, la maisonnée, les familiers qu'on appelle indifféremment *privés, nourris* ou *drus ;* le mot *dru* et son féminin *drue* ont passé dans le langage galant avec le sens d'amant, amie. Les grands feudataires (anciennement des fonctionnaires) ont le titre de *duc, comte, marquis, vicomte*. Le marquis est primitivement le gardien des marches ou frontières ; le vicomte est souvent un administrateur ou officier de justice, comme le *prévôt*. Dans la maison d'un prince, le *sénéchal* occupe une place de choix : c'est une espèce de ministre de l'intérieur et de la justice ; le *maréchal*, avant de devenir le maître de l'ost, était simplement le chef des écuries. Au *chambellan* ou *chamberlain* (fém. *chamberlaine*) échoit le service de la chambre ; au *bouteiller* l'échansonnerie, aux *queux*, la cuisine. Les jeunes nobles non *adoubés*, c'est-à-dire non armés chevaliers, se nomment *bacheliers, valets, demoiseaux ;* ils sont préposés à divers offices de la cour, comme de trancher les viandes et servir à table. *Veneurs et fauconniers* ont la garde des chiens et des oiseaux. *Meschin* se dit encore des valets, *meschine* des servantes et chambrières. Le personnel domestique comprend encore les *sergents*, serviteurs en général, et les *garçons : cuistrons* (marmitons), *courlieux* (courriers), *berniers et veautriers* (valets de chiens). En cas de chevauchée, les *hébergeurs* préparent les logis ; les *tentes* ont des noms divers, *héberges, aucubes, trefs, pavillons*. L'armée s'appelle *ost ;* elle se compose de chevaliers, d'archers, et de piétaille ou gent menue, ayant pour toute arme défensive la *targe* ou bouclier rond ; l'artillerie qui manie les balistes, *arbalètes à tour, perrières et mangonneaux*.

CHEVAUX. — On distingue le *palefroi*, cheval de parade ; le *destrier*, cheval de guerre ; le *roncin*, à tous usages ; le *sommier*, bête de somme ; le *chasseur*, cheval de chasse. Les chevaux sont désignés par la couleur de leur robe ; *bai*, châtain ; *ferrant*, gris fer ; *vair*, gris pommelé ; *liard*, couleur de lie ; *sor*, isabelle ; *baucent*, pie. Un cheval de grand prix se nomme *milsoudor*, cheval de mille sous. Les harnais comprennent le *chanfrein*, la *rêne*, les *lorains*, les *sangles* et *sursangles*, le *poitrail*, la *selle* avec *auves, panneaux, arçons, étrivières ;* la cravache s'appelle *courgie ;* la selle pour dames, *sambue*. Les chevaux des grands personnages ont des noms : ici, le cheval d'Artur s'appelle *Passelande*, celui de Tristan *Le Beau Joueur*.

ARMES. — Les armes du chevalier sont le *heaume*, casque pointu dont le cercle est parfois de métal précieux et orné de pierres, avec un prolongement devant, appelé *nasal ;* l'*écu*, bouclier long, de bois avec une bosse de métal au milieu ; le corps est encore protégé par les *chausses* de fer et par la *brogne* ou le *haubert*, l'une formée de plaquettes de métal cousues sur une étoffe, l'autre fait d'anneaux ou de mailles d'acier ; il se prolonge par une *coiffe* nommée aussi *ventaille* qui couvre la nuque et s'ouvre sur le visage. Les armes offensives sont le *brant* ou épée, et la *lance* à laquelle pend une banderole appelée *pennon*. D'autres armes sont utilisées à la guerre : la *guisarme*, arme d'hast à tranchant long et pointe d'estoc, le *fauchon*, couteau en forme de faux, la *miséricorde*, sorte de poignard d'arçon. Les armes de chasse sont l'*épieu* et l'*arc ;* le bois des *saïettes* (flèches) est appelé *boujon*.

VÉNERIE ET FAUCONNERIE. — La principale chasse est la chasse à courre. On chasse aussi aux filets, aux *panneaux*, à la *haie*. Les chiens le plus souvent mentionnés sont le *brachet*, le *lévrier*, le *veautre* ou chien à sanglier. Sous le nom de *gous, gocets*, on désigne de petits chiens d'appartement ou de dames.

Le langage de la fauconnerie n'a pas changé depuis huit siècles. Je signale seulement les mots *mue*, cage pour les faucons et les éperviers, *gorge*, repas des oiseaux, *aire*, nid d'oiseau de proie, d'où *race*, origine ; les expressions *de bonne aire, de mal aire, de pute aire* s'appliquent à l'homme.

NAVIGATION. — La nef est le navire à voiles et à rames, comme la *galée* dont il n'est point question ici ; pour barque, on dit au

Moyen Âge *barge*. Beaucoup de termes de la navigation sont encore usités de nos jours : tels sont *barre, guindeau, hauban, bouline, lof,* etc. Quelques-uns sont désuets : *funains,* filins, *gardinges,* cargues, *ralingues,* cordages cousus autour de la voile pour la renforcer.

VILLES, CHÂTEAUX. — Le mot *ville* désigne aussi bien la ville que le village ; parfois on y joint le qualificatif *champêtre.* Un *bourg* est une petite ville entourée de murs ; *ferté* désigne une forteresse, une place fermée ; *recet* un château fort, parfois simplement un repaire. La *salle,* qui a parfois le sens de palais, s'entend le plus souvent de la pièce principale de l'habitation féodale ; la *chambre* se dit des appartements privés. Le *donjon* est la demeure du seigneur ; le *baile* est la cour qui le sépare des *courtines* ou murailles à créneaux, bastillées de tours où veille l'*échauguette,* la sentinelle. La principale porte est précédée d'un pont ; les portes de derrière se nomment *poternes* ou *potis.*

MOBILIER, USTENSILES. — Pour désigner les meubles et les ustensiles de ménage ou *aisements* j'ai employé différents mots encore connus : *forme,* stalle, *boute,* tonneau ou bouteille, *hanap,* verre à boire. On en trouvera quelques autres sous la rubrique Mots divers.

METS, BOISSONS. — Les festins se composent principalement de gibier rôti et de pâtés de venaison. Comme boissons, citons le *piment,* vin de liqueur, les bières appelées *cervoise, goudale,* et l'hydromel, *moré.* On appelle *boire herbé,* ou simplement *herbé,* tout breuvage fait d'herbes macérées ; l'herbé peut être un philtre ou un poison ; *enherber* a signifié empoisonner.

ÉTOFFES, VÊTEMENTS. — Les grosses laines sont le *bureau,* le *cordé,* le *camelin ;* les draps fins sont l'*écarlate,* le *grisain,* le *vert,* le *pers,* la *brunette.* Le *samit* est une sorte de satin ; le *cendal,* une demi-soie ; les étoffes de soie riche et brochée sont le *paile,* le *diapre,* le *baudequin,* le *ciglaton.* Les vêtements de dessous sont le *chainse,* d'où *chainsil,* toile fine, et plus tard la *cotte* qui se portait sur la chemise. Les vêtements de dessus sont le *bliaut,* ancêtre de la blaude ou blouse, et le *surcot,* vêtement plus long. Les femmes ont par-dessus le bliaut ou le surcot une ceinture, *courroie* ou *tissu,* à laquelle pend l'*écharpe* ou l'*aumônière,* sortes de sacoches. La *gonelle,* la *souquenie* sont des robes longues, l'*esclavine* un manteau de pèlerin d'étoffe velue ; la *chape* ou manteau s'agrafe sur l'épaule par un *fermail* dont la plaque, souvent ornée, est appelée *tasseau*. Chaussures : les *heuses* ou houseaux, qui sont des bottes, *estivaux*, brodequins, *échapins*, escarpins, souliers d'appartement légers et découverts. Fourrures : les plus communes sont le *vair* et le *gris*, faits du ventre et du dos de l'écureuil, l'*hermine* et la *martre zibeline* appelée aussi *sable*.

COIFFURES : le *chaperon*, sorte de capuchon, l'*aumusse*, chaperon à bout pendant ; pour les femmes la *guimpe*, pièce de toile enveloppant le chef, le cou et les épaules : la guimpe est l'attribut des femmes mariées. Hommes et femmes portent, en certaines circonstances, des *chapelets* de fleurs. Les femmes ont les cheveux tressés et galonnés, les jeunes filles (*pucelles, bachelles, touses, tousettes*), rognés à la manière des chevaliers. Le blond est la couleur favorite : il y a le *sor*, blond vif, doré, l'*auborne*, blond cendré ; il semble que l'*auburn* des Anglais correspondrait plutôt au mot *aubornas* : M. L. Constans, dans le *Roman de Troie*, traduit ce mot par châtain ; on prise aussi les cheveux *avelins*, ou couleur de l'aveline.

ARTS ET MÉTIERS. — Le travail de l'artiste, tout ce qui était *ouvré*, était très estimé au Moyen Âge. La sellerie de luxe, l'orfèvrerie, la mosaïque, les étoffes brochées et historiées, jouent un grand rôle dans les descriptions du temps. On désigne par *trifoire* la ciselure à jour ou les incrustations. L'or, signe de l'opulence, est conservé en *masses* (lingots), enrichit les *filatères* (phylactères), les *fiertes* ou *saintuaires* (reliquaires). Les machines, les automates, œuvres de *merveille* ou de *nigromance*, étaient des accessoires chers aux vieux romanciers et à leur auditoire (*Pèlerinage de Charlemagne, Roman de Troie, Huon de Bordeaux*, etc.). Je leur ai donné une place dans la Salle aux Images (chap. XV).

POÉSIE, MUSIQUE, DANSE. — Jusqu'à la Renaissance le poète était doublé d'un musicien. L'office de fableur, chanteur et joueur d'instruments et leur corps s'appelaient *ménestrandie*. Le *lai* est une sorte de chanson d'histoire, la *rotruenge* une chanson à refrain, la *pastourelle* un poème chanté sur le thème de la rencontre de la bergère et du chevalier ; le *motet* est une brève pièce amoureuse. Les paroles chantées s'appellent *son*, l'accompagnement *note*. Certaines danses comportent une partie de chant : telles sont la *carole* (la ronde), la *ballette*, l'*estampie*, ainsi appelée de l'air vif qui se marquait au pied. Voici les principaux instruments de musique dont il est fait mention dans mon ouvrage : la *harpe* ; les instruments à archet : *vielle, viole, gigue, note* ; le genre cornemuse : *chevrette, estive, chifonie* (vielle) ; les flûtes à bec : *freteau, chalemie* ; les tambours : *timbre, bedon*. Outre les danses citées plus haut, il convient de mentionner l'*espinguerie*, danse haute, la *trèche*, farandole.

JEUX. — Les jeux originaires de l'Antiquité, la course, le saut, le lancement du disque, la paume, etc., ont gardé chez les lettrés le nom de *palestre*. Le sport par excellence est le tournoi appelé souvent *cembel*. La joute à deux est nommée *bouhourd*, d'où *behourder*, et celle contre un mannequin, *quintaine*. Les *tables* sont une espèce de trictrac. Dans le jeu d'échecs, la reine s'appelle *fierce* (persan *ferz*, général), le fou *aufin* (arabe *al-fil*, l'éléphant), la tour *roc*, les pions *péonnets* ou *courlieux*.

MESURES. — Parmi les mesures de longueur et de surface, mentionnons la *lieue*, l'*arpent*, le *pas*, la *paume*, le *pied*, l'*archée*, le *trait d'arbalète* (aussi loin qu'un arc ou une arbalète peuvent tirer) ; parmi les mesures de capacité, le *muid*, le *setier*. Le jour est divisé par les heures canoniales : *prime*, six heures du matin, *tierce*, neuf heures, *none*, trois heures de l'après-midi ; par *basse none* on entend six heures du soir ou environ.

MONNAIES. — Les monnaies dont il est question dans *Tristan* sont celles qui avaient cours en Angleterre et en Normandie. Le *marc*, unité de poids pour les métaux précieux, est aussi une monnaie de compte. Le *marc d'argent* valait dix sous ; le *sou*, monnaie de compte, est la vingtième partie de la livre *esterlin* ; il est divisé en 12 *deniers*, 24 *mailles* et 48 *ferlins*. La maille beauvoisine était une petite monnaie émise par les évêques de Beauvais. Sept *sous d'Angers* valaient un *besant*, monnaie byzantine en or qui a eu cours dans tout le Moyen Âge. Suivant M. Ernest Muret (éd. de Béroul, glossaire), vers 1200, la valeur d'échange, le pouvoir d'achat des métaux précieux était quatre fois et demi plus fort qu'en 1913.

FORMULES DE POLITESSE. — Il est d'usage de mêler le tutoiement au voussoiement, avec intention parfois, souvent sans dessein prémédité. On dit *sire* indifféremment au roi, à un noble ou à un bourgeois ; c'est l'équivalent de monsieur, de même que *dan* (domine). A un homme du peuple on dit familièrement *frère* ou *ami.*

MOTS DIVERS. — *Acêmer*, orner ; *affaiter*, dresser ; *affaitement*, éducation ; *affubler*, habiller ; *alléger*, disculper ; *ardoir*, pp. *ars.* brûler ; *arraisonner*, adresser la parole ; *assouager*, soulager ; *avaler*, faire descendre.

*Bandon* (à) à discrétion, à volonté ; *barat*, ruse, d'où *barater*, *barateur* ; *baut*, joyeux, hardi ; *béasse*, jeune fille, servante ; *berser*, tirer à l'arc ; *bondir, rebondir*, retentir ; *buron*, cabane ; *bricon*, fou.

*Canivet*, canif, petit couteau ; *chalenge*, revendication, défense ; *chane*, broc ; *chapelet*, petit chapeau, couronne ; *chapuis*, charpentier ; *chercher*, parcourir, explorer ; *chère*, visage, accueil ; *chétif*, captif, malheureux ; *chétivaison*, captivité ; *cohue*, marché ; *contrait*, infirme ; *convenant, convenance*, convention ; *converser*, séjourner ; *coquard*, sot, dupe, d'où *coquardie* ; *coquin*, mendiant, truand ; *cuivert*, esclave affranchi, homme vil.

*Déconnu*, déguisé : *déhaité*, malade ; *déliter* (se), se réjouir ; *dêvé*, fou ; *dévoyable*, impraticable ; *donoyer*, faire la cour aux dames, flirter, d'où *donoi* et *donoyeur* ; *douloir*, souffrir, plaindre ; *druerie*, galanterie ; cadeau d'amitié, de *dru, drue*, fidèle, ami, amie.

*Ebanoyer* (s'), se divertir ; *échars*, avare ; *élaisser* (s'), galoper ; *embattre* (s'), tomber sur, s'élancer vers ; *enginer*, tromper ; *engin*, *engigne*, esprit, ruse ; *erre*, voyage ; *esturman*, pilote ; *étage*, estrade ; *étape*, marché public ; *étriver*, quereller.

*Familleux*, famélique ; *féé*, enchanté ; *fèvre*, forgeron, serrurier ; *foimenti*, parjure ; *forain*, étranger (personnes et choses) ; écarté (choses) ; *frapier* (se mettre au), fuir.

*Gab*, plaisanterie ; *gagnerie*, culture ; *gauchir*, changer de direction ; *gésir*, coucher, pp. *ju* ; *gré*, sébile ; *grève*, jambe ; raie dans les cheveux ; *grevance*, douleur ; *grevain*, douloureux ; *guerpir*, quitter ; *guette*, échauguette, sentinelle ; *guile*, ruse, fraude.

*Haité*, bien portant ; *hardement*, bravoure ; *héberge*, tente ; *huant, huard*, hibou, milan ; *huron*, homme à *hure* ou chevelure ébouriffée ; *hutin*, bruit, tumulte.

*Jarron*, branche de chêne ou d'arbre dur ; *joli*, joyeux ; *joliveté*, joie.

*Landon*, billot de bois pour entraver les chiens ; *lanier*, sorte de faucon peu estimé ; lâche ; *lardanche*, mésange ; *latinier*, interprète, précepteur ; *léans*, là-dedans, opposé à *céans*, ici dedans ; *leigne*, bois à brûler ; *lorain*, harnais de chevaux ; *lormerie*, art du lormier ou fabricant de harnais ; *losenger*, flatteur, courtisan ; *luiton*, lutin de mer ; parfois phoque.

*Marmion*, singe ; *mauparlier*, médisant ; *mécroire*, soupçonner ; *méhaigné*, infirme, estropié ; *meschin, ine*, jeune garçon, jeune fille ; valet, servante ; *meschinette*, fillette ; *méseau*, lépreux ; *mier* (or), or pur ; *mire*, médecin ; *mirgesse*, femme médecin ; *musard*, naïf, insensé, d'où *musardie*.

*Nigromance*, magie ; art secret ; *noise*, bruit ; *nourriture*, éducation.

*Ombroyer*, mettre à l'ombre ; *orière*, orée.

*Paleteau*, petit morceau d'étoffe ; *parlement*, conversation ; *pautonnier*, gueux ; *pensement*, pensée, préoccupation ; de penser viennent *apenser*, réfléchir, *apensé*, avisé, *pourpenser*, méditer, imaginer, projeter ; *pourpens*, réflexion ; *pesance*, chagrin ; *physicien*, médecin ; *pis*, poitrine ; *pitié* signifie souvent émotion, attendrissement ; *plenté*, quantité ; *pourparler*, entrer en pourparlers ; *prouvaire*, prêtre.

*Quarantaine* (la sainte), le Carême.

*Ramage* (homme), sauvage ; *randon, randonnée*, impétuosité ; *randonner*, poursuivre avec acharnement ; *rame*, feuillage ; *ramponer*, persifler ; *rampone*, raillerie ; *record*, souvenir, d'où *recorder* ; *recréant*, qui perd courage, qui renonce au combat, d'où *recréantise* ; *regardure*, mine ; *remembrer*, doublet de remémorer, d'où *remembrance* ; *repairer*, revenir ; séjourner ; *revercher*, fouiller ; *riote*, querelle ; *romier*, pèlerin ; *roncinaille*, troupe de roncins ; *route*, en plus du sens actuel, signifie détachement, troupe, cortège.

*Seing*, cloche (signal) ; *semondre*, inviter, convoquer ; *siècle* a souvent le sens de monde, vie terrestre ; *sigle*, voile de navire ; *sorcerie*, sorcellerie.

*Tacon*, petite pièce d'étoffe ou de cuir ; *tondre*, amadou servant, avec le *galet* et le *fusil*, à allumer le feu ; *traversain* (regard), regard de travers ; *tref*, mât, d'où voile, tente ; *treille*, grillage ; *trémuer*, bouleverser ; *tripot*, machination ; *truage*, tribut ; *truand*, mendiant ; *tupin*, pot de terre.

*Vair* qualifie à la fois les yeux à la couleur changeante ou brillante, et les chevaux pommelés ; *vaisseau*, vase ; *vassal*, noble ; *vasselage*, courage ; *vêpre*, soir ; *vitupère*, reproche.

*Table* 285

*Impression Novoprint*
*à Barcelone, le 8 novembre 2019*
*Dépôt légal : novembre 2019*
*Premier dépôt légal dans la collection : avril 1999*

ISBN 978-2-07-038903-2./Imprimé en Espagne.